GENIUSZ ŻYDÓW

NA POLSKI ROZUM

D0992946

Krzysztof Kłopotowski

GENIUSZ ŻYDÓW

NA POLSKI ROZUM

Wstęp
Rafał A. Ziemkiewicz

FRONDA

Ilustracje na okładce
Portret autora: Michał Sadowski/Fotorzepa/Forum
Front: daboost@fotolia.com
David Davis@fotolia.com

Ilustracja w książce
© Janusz Kapusta

Szef Projektów Wydawniczych
Maciej Marchewicz

Redakcja i korekta
Hanna Śmierzyńska

Skład i łamanie
TEKST Projekt, Łódź

ISBN 978-83-64095-95-5

Wydawca
Fronda PL, Sp. z o.o.
ul. Łopuszańska 32
02-220 Warszawa
tel. 22 836 54 44, 877 37 35
faks 22 877 37 34

e-mail: fronda@fronda.pl
www.wydawnictwofronda.pl
www.facebook.com/FrondaWydawnictwo

Spis treści

Wstęp
Pochwała kłopotów

Rafał A. Ziemkiewicz

Zdecydowana większość uczestników polskiej debaty publicznej przypomina dziś bohatera książki J.R.R. Tolkiena „Hobbit", Bilbo Bagginsa. O panu Bagginsie do tego stopnia wiedziano, co sądzi o tej czy innej sprawie, że nikt nie musiał się fatygować zadawaniem mu pytań. Było to zresztą przyczyną, dla której Baggins cieszył się w okolicy wielkim poważaniem.

Nasza „publiczność czytająca" także, niestety, w ogromnej części nie oczekuje od intelektualisty, publicysty czy innego „klerka", żeby ją zaskakiwał, przeciwnie – oczekuje potwierdzenia, że to, co ona uważa, uważa słusznie. Różnica między szczęśliwym Hobbitonem a skłóconą Polską jest tylko taka, że tu mamy dwie społeczności czytające i dwa pakiety jedynie słusznych poglądów, w których autor ma utwierdzać swoich czytelników i dostarczać im uzasadnień. Przy czym są to pakiety bardzo szerokie, ujednolicające stosunek do szeregu zagadnień z dziedziny polityki, patriotyzmu, religii, obyczajowości – nawet do Jerzego Owsiaka i książek o Harrym Potterze.

Wyznawcy tych pakietowych poglądów, które nosi się jak barwy plemienne, bardzo nie lubią, gdy zaburza się im – jak to nazywają psychologowie – skrypty poznawcze. Publicysta patriota musi mieć patriotyczny stosunek do wszystkiego, podobnie jak publicysta Europejczyk musi mieć do wszystkiego stosunek dokładnie przeciwny. I nie ma tu dobrego wyjścia, bo jeśli publicysta nie podporządkowuje się oczekiwaniom redaktorów i czytelników, zostanie za to ukarany brakiem zainteresowania i druku. A jeśli się pcdporządkuje, to też po jakimś czasie na to samo wyjdzie. Na mocy mechanizmu opisanego w starej anegdocie o Wałęsie, którego jeden z biskupów namawiał, by koniecznie przeczytał papieską encyklikę o pracy – na co przewodniczący Solidarności odpalił: ale ekscelencjo, co ja będę czytał, przecież ja się z naszym Ojcem Świętym w pełni zgadzam!

Najlepiej więc, choć może nie jest to łatwe życie, w tym starciu karnych w większości hufców walczących o polską duszę być w gronie partyzantów. Błędnych rycerzy, najwyżej stawiających własne zdanie i przyłączających się w różnych konkretnych sprawach czasem do tej, czasem do tamtej strony – ale nigdy się niepodporządkowujących. Nie dla nich ordery, nie dla nich pochwały w rozkazach wodzów, gratyfikacje. Ale za to tylko oni, niemieszczący się w szufladach i schematach, mogą powiedzieć nam coś fascynującego.

Krzysztof Kłopotowski, określający sam siebie mianem „nowojorskiego liberała", a w Polsce postrzegany jako „pisowiec", erudyta, znawca sztuki i filmu, jest od dawna, odkąd osiadł w Polsce, jednym z tych nielicznych autorów, których zawsze czytam do końca. I zawsze jestem zaskoczony, że potrafi do każdego tematu podejść w sposób niebanalny, odkrywczy, zaskakujący i jeszcze olśnić trafnością doboru cytatów, materiałów, źródeł. Z kompletną pogardą dla wszelkiej „poprawności".

Napisać książkę o Żydach – to już jest „zuchwałe rzemiosło". Pisać w niej, że istnieje coś takiego jak żydowskie mentalności, żydowskie sposoby znajdowania się w obcych społeczeństwach, żydowskie traumy, prowadzące do antagonizowania ich i do przywoływania z pomroki dziejów upiorów, które właśnie chciało się na zawsze ze świata wygonić – to już dość na skandal. Ale pisać o nich z podziwem, z uznaniem dla osiągnięć, z prowokacyjnym pomysłem: sprowadźmy do Polski Żydów z powrotem, opłaci się to i nam, i im – to już dwa skandale i pewność, że się zostanie zaatakowanym z obu stron. A i to jeszcze nie dość, bo pisać o żydowskich sukcesach bardzo konkretnie, nieomalże demaskując ich mechanizmy, to kolejny sposób, by czytelnika oburzonego zamienić w zainteresowanego i odwrotnie.

Czy coś Kłopotowskiego może obronić? Tak. Konkret. Z takim czy innym przymiotnikiem, wyciągając takie czy inne wnioski, pisze Kłopotowski o historycznych, społecznych i kulturowych faktach. Promuje albo obnaża, a może po prostu fotografuje, objaśnia mechanizmy. Wkurzy albo zachwyci, ale na pewno nie zdezinformuje. I nie zanudzi.

Proszę mi wierzyć, bo – pozwolę sobie na takie osobiste wyznanie – Żydzi jako temat nigdy mnie nie obchodzili. I w zasadzie nie obchodzą nadal. Uważam, że są to sprawy nie moje, nudne, nieaktualne, przereklamowane i tylko przez nadreprezentację potomków przedwojennej „żydokomuny" w naszych sferach opiniotwórczych mielone w kółko do mdłości. I zdominowane przez prymitywne kalki. Dla Leszka Bubla Żydzi są demonicznym złem, dla Aliny Całej narodem świętych męczenników, a znowu antysemityzm jest w jej opisie irracjonalną manią i fobią właściwą w gruncie rzeczy wszystkim „gojom" z wyjątkiem tych, którzy gorliwie w wyznawaniu win całego nieżydowskiego świata wobec Żydów uczestniczą.

Nikt nie ma nawet na tyle odwagi, by sięgnąć do wielokrotnie opluwanego klasyka polskiego „żydoznawstwa", jeśli można uznać za takiego Romana Dmowskiego, i zobaczyć, jak bardzo jego antyżydowskie filipiki nie miały nic wspólnego z bredzeniem o przerabianiu chrześcijańskich dziatek na macę ani obsesjami kolporterów rozmaitych ubeckich „list Żydów". Owszem, Dmowski uważał, że Żydzi obiektywnie stoją na drodze żywotnym polskim interesom, a żydowskie elity są zdeklarowanymi wrogami naszej państwowości, ale jego wyobrażenie o Żydach dalekie było od wszelkiego demonizowania, przeciwnie, uważał „żydostwo" swoich czasów za pogrążone w upadku, definitywnie złamane, archaiczne, ukształtowane przez prymitywne, magiczne myślenie – i jako takich traktował Żydów nie jako wszechogarniający spisek, ale jako siłę, którą powinniśmy zmusić do negocjacji i uznania naszych praw. Jeśli to jest antysemityzm, no to antysemitą był też wielokrotnie przez Kłopotowskiego przywoływany twórca syjonizmu, Teodor Herzl, i twórcy tak życzliwie tu opisanego państwa Izrael, którzy postrzegali swój naród mniej więcej tak samo. To jest myślenie godne znienawidzonego przez nową lewicę mężczyzny – przepraszam, męskiego, szowinistycznego i patriarchalnego piga, jak to ujmie nowojorski liberał. I za to najbardziej tę książkę sławię.

Od Autora
Po co ta książka?

Rodakom

Uczmy się od Żydów! To genialny naród, kultura albo religia. Różnie ich określają, lecz tak czy inaczej istnieje żydowski kod kulturowy, który ułatwia wielkie sukcesy w życiu praktycznym i umysłowym. Każdy może przyswoić
te sposoby postępowania, skoro przekazuje je rodzina
i kultura. Gdyby żydowski geniusz wynikał tylko z kodu
genetycznego, wtedy nie mielibyśmy szans w rywalizacji o rozwój umysłu, wpływ na losy świata, władzę i pieniądze. Trzeba by mieć żydowskich rodziców, by wspiąć
się na ich poziom. Jednak kod kulturowy można przejąć.
Trzeba chcieć, podpatrywać i uczyć się, uczyć i jeszcze
raz uczyć.

Spójrzmy na Stany Zjednoczone. W tym wieloetnicz-
nym państwie prawa i wolnej konkurencji mogą swobodnie ujawniać się talenty każdej kultury narodowej.
Żydzi stanowią dwa procent mieszkańców USA. Jednak
żydowskie pochodzenie ma 20 procent profesorów najważniejszych uniwersytetów i 40 procent wspólników
w najważniejszych kancelariach prawniczych Nowego
Jorku i Waszyngtonu. Mają 10 procent senatorów, prawie
5 procent posłów do Izby Reprezentantów, ale aż jedną
trzecią sędziów Sądu Najwyższego i 139 z 400 najbogatszych Amerykanów na liście magazynu Forbes.

Jedna czwarta 50 najbogatszych ludzi świata jest pochodzenia żydowskiego, choć ten naród, kultura czy religia obejmuje ledwie dwa promile ludzkości. To się nazywa
nadreprezentacja! Kto ceni badania naukowe bardziej
niż pieniądze, znajdzie na szczycie ludzkich osiągnięć

także około jednej czwartej ich uczonych. Od czasu usta-
nowienia Nagrody Nobla otrzymało ją 194 laureatów żydowskiego pochodzenia po co najmniej jednym rodzicu.
Daje to 23 procent ogółu noblistów w latach 1901–2014.
Największy udział mają w ekonomii – 39 procent laureatów. Potem fizjologia i medycyna – 27 procent oraz fizyka – 26 procent.

Uczyć się, ale od kogo? Kto jest Żydem? Cóż, tematem tej książki nie są Żydzi, ale ich utrwalone w tradycji sposoby bycia i myślenia zapewniające nadzwy-
czajny sukces w świecie, inaczej mówiąc, kod kulturowy.
Powinno unikać się w Polsce – i szerzej w diasporze –
ostrej definicji Żyda, bo sprzyjałoby marginalizacji, często wbrew jego własnemu poczuciu tożsamości. Czemu
Polak miałby dowiadywać się, że nie jest Polakiem, bo
jest z pochodzenia Żydem? Między jednym a drugim nie
musi być sprzeczności.

Izrael jest bardziej rygorystyczny. Przyjął, podaję za
Wikipedią, że Żydem jest ten, kto w sądzie rabinicz-
nym przedstawi swe pochodzenie sięgające prababki
(a w przypadku Etiopczyków siedem pokoleń wstecz).
Ponadto musi przedstawić państwowe dokumenty, jak
świadectwo urodzenia, czy małżeństwa, stwierdzające
narodowość/religię żydowską. W braku dokumentów
orzeczenie sądu nie jest ostateczne i każdy urzędnik sądowy może je podważyć w ciągu 20 lat, zmieniając status obywatelstwa na „wstrzymane", co grozi deportacją.

Jednak poza Izraelem rozciąga się płynny obłok możliwości. Żydem jest wyznawca judaizmu, który przez studia,
modlitwę i codzienne postępowanie szuka w odwiecznej
mądrości żydowskiej odpowiedzi na wielkie pytania życia, określa rabbi Morris N. Kertzer w książce „What is
a Jew" (Touchstone Book, 1996). Żydem jest także ten,

kto nie praktykując religii i w małym stopniu przestrzegając obyczajów uważa jednak etykę, folklor i literaturę judaizmu za własną. Judaizm bywa też zwany cywilizacją. „A więc Żydzi to kulturowa grupa, przede wszystkim religijna, chociaż nie wyłącznie, połączona przekonaniem o wspólnej historii, wspólnym języku modlitwy, ogromnej literaturze, folklorze, a ponad wszystko poczuciem wspólnego przeznaczenia. W tym sensie Żydzi są ludem nie w pojęciu narodowym czy rasowym, ale w poczuciu jedności. Judaizm to sposób życia tych ludzi". Dodajmy, że żyją w stu kilkudziesięciu kulturach świata i w różnym stopniu utożsamiają się i z żydostwem, i z krajami zamieszkania.

Czy więc można mówić o kodzie kulturowym judaizmu, według którego postępuje każdy Żyd w jednym z wymienionych przez rabbiego Kertzera sposobów bycia Żydem? Myślę, że nie można. Kod kulturowy to raczej „typ idealny", pojęcie wymyślone przez socjologa niemieckiego Maxa Webera. To model składający się z cech istotnych dla danego zjawiska społecznego; nie występuje w czystej postaci w rzeczywistości, ale pozwala porównywać realne zjawiska z tym modelem.

Jednak autor nie poda wyczerpującego typu idealnego kulturowego kodu judaizmu. Zostawia to wyższym autorytetom. Istnieją wszakże wzory postępowania uznane przez autorów głównie żydowskich, choć nie wyłącznie, za typowo żydowskie. Ta książka jest publicystyką, a nie pracą naukową, gdzie żąda się wyczerpania tematu i twardych definicji. Autor wykorzystuje nie tylko prace mniej lub bardziej naukowe, lecz również intuicję i wiedzę potoczną, wytworzoną w obcowaniu Żydów ze światem.

Jest pewna przeszkoda w braniu z nich przykładu. Żydzi są od nas bardziej inteligentni wskutek selekcji w trakcie odwiecznych prześladowań. Większe szanse przeżycia mieli osobnicy bystrzejsi. I działał przesiew pozytywny. Od dwóch tysięcy lat najwyżej cenili studia religijne, jako życiowe powołanie. Zamożni Żydzi chętnie wydawali córki za młodych uczonych bystrzejszych od reszty. Dzięki temu geny inteligencji miały większe szanse przejścia w następne pokolenie z powodu dostatku i bezpieczeństwa, w jakim wyrastały dzieci rabinów. A chrześcijanie stworzyli odwrotny mechanizm. Ci najbardziej inteligentni również szli do stanu kapłańskiego, lecz celibat kleru usuwał ich geny z ogólnej puli. Od tysiąca lat, odkąd księżom zakazano ożenku, a życie zakonne stało się popularne, odsiewaliśmy najlepszy materiał genetyczny. Cóż, trudno, tego co trwało tysiąc lat, nie da się szybko nadrobić. Jednak można przejąć sposoby myślenia i działania, które dają sukcesy w każdej dziedzinie życia.

Żydzi są niezrównani w odkrywaniu nowych terenów ekspansji umysłu i biznesu. Teraz tworzą nową przestrzeń dla rodzaju ludzkiego. To cyberprzestrzeń, gdzie mają jeszcze większą nadreprezentację. W sześciu głównych nagrodach za badania informatyczne żydowskie pochodzenie ma od 32 do 56 procent laureatów. Żydami są twórcy dwóch największych portali świata: Facebooka – Mark Zuckerberg, oraz Google'a – Siergiej Brin i Larry Page. Założyciel Microsoftu, Bill Gates, Żydem nie jest, ale jego (były) następca, Steven Ballmer, owszem, po matce. Larry Ellison, założyciel korporacji Oracle, jest najbogatszym Żydem globu (56 miliardów dolarów). Teoretycznie podstawy informatyki stworzyli John von Neumann oraz Norbert Wiener, z polskich i niemieckich Żydów. Koniec cywilizacji, jaką znamy, wieszczy Ray Kurzweil – prorok Osobliwości, czasów, gdy ludzie stracą kontrolę nad rozwojem sztucznej inteligencji za 30 lat, a niektórzy przejdą na nośniki biotechniczne. Pracując w Google, przykłada do tego rękę z entuzjazmem pioniera.

Informatyka powtarza historię kina, radia i telewizji. Żydzi przejęli marginalne urządzenie wynalezione przez gojów i stworzyli na tej podstawie wielki przemysł. Kino nabrało rozmachu dopiero, kiedy oni się za to wzięli. Radio powstało w Ameryce, gdyż operator telegrafu David Sarnoff wymyślił „pudło muzyczne", a potem pudło z ruchomymi obrazkami i powstała pierwsza sieć radiowo-telewizyjna NBC. Internet został otwarty dla biznesu, gdy pewien prawnik żydowski dał w sieci ogłoszenie o swych usługach. Wywołał oburzenie, bo naruszył czystość przestrzeni pasjonatów techniki, ale odkrył nowy kontynent. Internet, kino, radio, telewizja tworzą wyobraźnię mas. Internet idzie dalej, określa nam świadomość. Rolę osobistej pamięci przejmuje Google. Facebook zastępuje nam przyjaciół, z którymi dotąd tworzyliśmy rozumienie świata. Obie korporacje kontrolują treści w obiegu umysłowym. Zuckerberg, Page, Brin to tylko czubek góry lodowej według zasady: im bardziej abstrakcyjna dziedzina, tym większy w niej udział i sukces Żydów.

Są również pionierami globalizacji. Od dwóch tysięcy lat mieszkają rozproszeni po świecie. To im dało wyjątkowy punkt widzenia, z którego każda rzecz wydaje im się względna, bo wiedzą, że w innych miejscach świata wyglądają lub są oceniane inaczej, o czym przekonują się w dalekich podróżach i z handlowych listów od rodaków ze świata. Wiedzą również, że dla każdego towaru można znaleźć kupca za utrafioną cenę, a towar nie ma stałej wartości. Są bardzo dobrze poinformowani o świecie od trzech tysięcy lat. Żaden naród w Europie nie może się z nimi równać pod tym względem, w Azji tylko Chińczycy i Hindusi. Byli wszędzie, widzieli wszystko, doświadczyli wszystkiego, od najwyższych triumfów po najgłębsze upadki. Mają to zapisane w kodzie genetycznym przez mieszane małżeństwa w krajach osiedlenia i w kodzie kulturowym, tym doświadczeniu świata wydestylowanym w sposoby zachowania, które przekazuje wychowanie przez rodzinę i środowisko społeczne. Każdy naród prowincjonalny, zamknięty, mało twórczy powinien patrzeć na nich z podziwem i ciekawością. I uczyć się, uczyć i jeszcze raz uczyć!

Amerykański antropolog Charles Murray przebadał dobre warunki dla wybitnej twórczości. Obliczył ilość wzmianek nazwisk, dzieł oraz powierzchnie im poświęcone w encyklopediach i historiach. Wyłonił 4002 ważnych twórców w 21 dziedzinach w okresie 800 p.n.e.–1950 n.e Ogromną bazę danych opracował programem komputera szukając lokalizacji najważniejszych uczonych i artystów. Statystycznie udowodnił poglądy przyjmowane dotąd intuicyjnie. Z dużym uproszczeniem ukazał najważniejsze tendencje w swoim dziele „Human Accomplishment", (HaperCollins Publishers 2003).

Na terenie zachodniej cywilizacji działało 97 procent najważniejszych naukowców świata. Najbardziej twórczy region globu jest wąskim pasem lądu między Danią i Szkocją a północnymi Włochami. W owym rdzeniu Zachodu pracowało 80 proc. najważniejszych Europejczyków. Ale najbardziej twórczym miastem świata był Paryż, grupując 12 procent wybitnych postaci całej ludzkości.

Czemu w Europie bił gejzer talentów? Zachód zawdzięcza kreatywność w wielkiej mierze chrześcijaństwu, a zwłaszcza katolicyzmowi. Inkwizycja inkwizycją, jednak żadna religia nie zachęcała tak mocno ludzi do samodzielności duchowej jako jednostki w obliczu Boga, jak czynił to kościół katolicki. Po pewnych wahaniach Kościół przyjął pogląd św. Tomasza z Akwinu, że Bóg dał człowiekowi inteligencję i cieszy się, gdy używa jej do poznania świata.

Judaizm też mocno zachęca do samodzielności umysłu, lecz Żydzi są bardzo twórczy dopiero w zetknięciu z innymi kulturami. Obecnie są najbardziej kreatywni. Między rokiem 1870, kiedy po wyjściu z getta weszli ławą w życie umysłowe Zachodu a rokiem 1950, granicy badania - mają sześciokrotną nadreprezentację w naukach ścisłych, pięciokrotną w sztuce i muzyce, czterokrotną w literaturze i 14 krotną w filozofii. W odniesieniu tylko do krajów zamieszkania, największą 22-krotną nadreprezentację osiągnęli w Niemczech a we Francji – 19 krotną. Po roku 1950 nadreprezentacja wzrasta, jeśli za miarę przyjąć nagrody Nobla w naukach i literaturze. W pierwszej połowie XX wieku była sześciokrotna wśród laureatów, a w drugiej połowie wieku już 12-krotna.

Trzy są potęgi duchowe na świecie oprócz Niemiec, to Wielka Brytania i Francja. Jeszcze w czołówce, chociaż znacznie w tyle znajdują się Włochy, potem leży przepaść a za nią Austro-Węgry. Rosja zajmuje szóstą pozycję.

A miejsce Polaków wśród wybitnych twórców Europy nowożytnej (1400–1950)? Jest nader skromne. Z czterech tysięcy mamy tylko 24; połowę stanową literaci a drugą uczeni. Nie mamy nikogo w naukach o Ziemi, technologii, sztuce, filozofii. Leżąc w uścisku przepotężnych Niemiec (550) i dużo słabszej Rosją (130) jesteśmy ledwo zipiącym karłem umysłowym, odrobinę lepsi niż garstka Norwegów! Polska zajmuje w Europie 13 miejsce liczbą ważnych twórców, gorsza od Danii a lepsza od Bałkanów ujętych zbiorczo. Jak więc ocalimy się w globalnym świecie między Niemcami a Rosją? Ucząc się sztuki przetrwania od Żydów.Nie lubimy pamiętać lub nie wiemy, jak wiele im zawdzięczamy. To krótka lista: równość wobec prawa boskiego i ludzkiego, świętość życia, godność osoby ludzkiej, sumienie indywidualne, odpowiedzialność społeczną, miłość jako podstawę sprawiedliwości i nade wszystko, jak obejmować rozumem nieznane, czego skutkiem był monoteizm – zachwyca się Paul Johnson, autor „Historii Żydów". Zawdzięczamy im też ideę postępu, którą realizują, próbując sił swych umysłów na wszystkim, co żywe i martwe. Tworzą instrumenty pieniężne i racjonalizują gospodarkę. Ciągle kwestionują podstawy wiedzy i kultury, nawet Ziemię jako miejsce zamieszkania rodzaju ludzkiego. Korzenie żydowskie, angielskie i holenderskie ma pionier technologii i charyzmatyczny prezes Tesla Motors, Elon Musk. Chce przenieść człowieka na Marsa, a jeśli to się nie uda, to chociaż samemu tam umrzeć.

Żydzi stworzyli u siebie środowisko dla produkcji intelektualistów, którzy wytwarzają coraz to nowsze idee. Mniejsza, póki żyli w gettach, a umysły rozwijali w zamkniętym obiegu studiów religijnych. Lecz gdy zdobyli prawa obywatelskie w XIX wieku, historia przyspieszyła. Dawno, dawno temu ogłosili światu Boga Jedynego surowego. Dopiero po dwóch tysiącach lat wydali jego Syna miłosiernego, lecz go odrzucili na swoje utrapienie w dalszym ciągu dziejów. Zaś ostatnie dwieście lat to galopada idei. Mistrzowie obrotu kapitału wydali najbardziej niebezpiecznego krytyka kapitalizmu i zjadliwego krytyka judaizmu, Karola Marksa. I najbardziej zajadłą obrończynię kapitalistycznego egoizmu Ayn Rand (z domu Alisa Rosenbaum). Zrodzili najbardziej sugestywnego głosiciela wolności seksualnej, podmywającej podstawy konserwatywnych społeczeństw Zachodu, Zygmuda Freuda. Wydali uczonego, który podważył całą ludzką wiedzę jako zbiór tylko hipotez ważnych tak długo, dopóki się ich nie obali, Karla Poppera. Są drożdżami zachodniej cywilizacji, lecz broń jądrową, która może jej położyć kres, współtworzyli genialni uczniowie czarnoksiężnika: Albert Einstein, Robert Oppenheimer, Edward Teller.

Rola Żydów jest tragiczna w dziejach. Wnoszą kolosalny wkład w rozwój rodzaju ludzkiego, płacąc za to wysoką cenę. Jak? Uporem w uczeniu się kosztem wielu wyrzeczeń. Wytrwałością w pracy. Niezgodą na rzeczywistość, okupioną niechęcią otoczenia. Mają wielki wpływ na świat zamierzony i opaczny, nie tylko wtedy, kiedy wykonują z sukcesem swe rozmaite przedsięwzięcia, ale też wtedy, gdy wywołują gwałtowny sprzeciw i opór materii. Bez nich nie byłoby rewolucji bolszewickiej. Kierowali przewrotem i ocalili przed klęską. Przyznał to sam Lenin, zresztą z żydowskim dziadkiem w swojej rodzinie. Bez bolszewizmu nie byłoby aż tak brutalnego nazizmu. W pewnej mierze stanowił reakcję na komunizm, poznany przez Niemców podczas rewolucji bawarskiej w 1919 roku, kierowanej przez Żydów. A czy bez komunizmu powstałby faszyzm we Włoszech? Może tam skończyłoby się na zwykłym socjalizmie dla naprawy nadużyć kapitału.

Polak żydowskiego pochodzenia, którego szanuję za umysł i niezależność, uprzedza, by nie postrzegać Żydów jako monolitu ani tylko rewolucjonistów podważających ład społeczny. Sądzi, że moje kryteria pozwalają uznać „jako żydowskie przeciwstawne sobie postawy i zachowania (…) Neokonserwatyści są żydowscy, bo wspierają Izrael, a fakt, że byli główną siłą walczącą z kontrkulturą i ogólnie lewicą, np. w piśmie «Commentary» – tego już nie zauważasz. Jednym z najważniejszych filozofów konserwatywnych XX wieku był niemiecki Żyd, Leo Stauss, zresztą mocno osadzony w swojej tradycji. Jego działalność miała miejsce – z wiadomych względów – w USA, a jego uczniowie, tacy jak Allan Bloom, Thomas Pangle, Stanley Rosen (...) stanowili intelektualną zaporę przed lewactwem na amerykańskich uniwersytetach. Czy więc Żydzi rozkładali kulturę Zachodu, czy jej bronili? Czy może był to przemyślny sposób zajęcia wszystkich możliwych pozycji, aby bronić swojej nacji w każdej sytuacji? Ta ostatnia interpretacja jest aberracyjna, ale chętnie zaakceptowana przez tych, którzy w latach trzydziestych twierdzili, że spisek żydowskich bankierów i komunistów odpowiada za stan świata".

W tych słowach jest wiele racji, dlatego je przytaczam we wstępie, chociaż są polemiczne. Żydzi to nie monolit. Wskazówką mogą być ich sympatie partyjne. W amerykańskich wyborach do Izby Reprezentantów w roku 2014 aż 66 proc. Żydów poparło demokratów a 33 proc. republikanów. Dla roku 2010 nie ma danych. W wyborach 2006 roku 87 proc. Żydów poparło demokratów a 12 proc. republikanów. A co ważniejsze mają wielki udział wśród aktywistów partii demokratycznej, która jest progresywna, na polski gust lewacka, gdy republikanie są konserwatywni.

Gdyby nie byli w opozycji do świata, to nie wnieśliby tylu wielkich innowacji, zmuszając rodzaj ludzki do szybszego rozwoju. Jak wiadomo „są tacy jak wszyscy, tylko bardziej". Dlatego są drożdżami cywilizacji. Najciekawsze jest to „bardziej". Skąd ta niesamowita dynamika umysłu? Czy możemy wzbudzić ją także w sobie?

To wszystko byłoby łatwiejsze, gdyby nie żydokomuna przekształcona w postępowy obóz liberalny. Za tymi ludźmi ciągnie się pamięć zdrady i zbrodni przodków. Chcesz na nich życzliwie spojrzeć, a staje ci w oczach, do czego byli zdolni jako formacja etniczno-ideowa. Pewni intelektualiści żydowscy wypierają się pokrewieństwa z komunistami. To nie są Żydzi! – wołają. Sami odeszli od judaizmu! – krzyczą. No cóż, porzucili judaizm, ale jako komuniści zachowali dynamikę umysłu nauczoną w domu, a kształconą przez stulecia w dysputach w jesziwach, szkołach religijnych. Chodzi właśnie o tę dynamikę, a ta ma wyraźnie żydowskie pochodzenie. W wypadku żydokomuny ta dynamika przyniosła katastrofy narodom, w których rządziła przez ideologię marksistowską. Jednak w otoczeniu liberalnym i kapitalistycznym przyspiesza rozwój cywilizacji.

Czy da się zatrzeć ślady zbrodni przeciwko ludzkości? Próby trwają. Oto hasło po przekładzie na polski: „Berman Jacob (1901–1984); polski polityk. Był wiceministrem spraw zagranicznych polskiego reżimu komunistycznego (1945–1947), a następnie sekretarzem stanu i wicepremierem do czasu usunięcia w roku 1956." I ani słowa więcej. Czyżby „usunęli" go polscy antysemici? Kto tak cenzuruje życiorys nadzorcy komunistycznego terroru? („The New Jewish Standard Encyplopedia", 7 wydanie z 1992 roku) Jeśli komuniści rzekomo nie byli Żydami, to co robi w encyklopedii ówże Berman oraz Trocki (Bronstein), Kamieniew (Rosenfeld) i inni?

Żydzi a sprawa polska? Mieszkaliśmy razem w jednym kraju od 800 lat, ale obok siebie. My zamknięci w pysze szlachty, pogardzie mieszczan, ciemnocie chłopów. Oto, co pisał rosyjski urzędnik podróżujący po ziemiach zaboru rosyjskiego w 1818 roku: „Prawie każda z ich rodzin wynajmuje nauczyciela do dzieci. My mamy nie więcej niżeli 868 szkół w miastach i wsiach, a ogółem 27 985 uczniów.

Oni zapewne mają taką samą liczbę uczniów, cała ich ludność bowiem studiuje. Czytają także dziewczęta z najuboższych rodzin. Każda rodzina, żyjąca choćby w najskromniejszych warunkach, kupuje książki, ponieważ w każdym gospodarstwie domowym jest przynajmniej dziesięć książek. A większość mieszkańców chat w (polskich) wioskach dopiero ostatnio usłyszała o elementarzu".

Minęły dwa stulecia. W 2014 roku 19 milionów Polaków nie przeczytało ani jednej książki; 10 milionów nie miało w domu żadnej publikacji książkowej. Dwie trzecie narodu polskiego nie ma godnych wzmianki potrzeb umysłowych, choćby na poziomie literatury kobiecej. A każdy umie czytać, zatem nic tego nie usprawiedliwia.

Polacy mają najmniej innowacyjną gospodarkę w Unii Europejskiej. Są montażystami podzespołów z importu i konsumentami głównie obcych rozrywek. Tutaj nie rodzą się idee. Dwie najlepsze uczelnie w Polsce w rankingu szanghajskim zajmują miejsca w czwartej setce uczelni świata. W tej klasie Niemcy mają tylko jedną uczelnię, natomiast dwadzieścia w wyższych kategoriach.

Czytelniku, nie obrażaj się za te słowa. Ty jesteś całkiem inny, gdyż trzymasz w ręku książkę nie pierwszą lepszą z brzegu, choćby i kucharską; tyle potrafi górna jedna trzecia ludności kraju. Ty jesteś kimś więcej, należysz do elity. Sięgnąłeś po opowieść o wybranym narodzie powodowany ciekawością, czy i w jaki sposób można doskonalić się na przykładzie producentów geniuszy.

Ciemnota jest korzeniem zła w Polsce. Ciągnie w dół ludzi, którzy stoją wyżej, jednak chcą kochać się z rodakami. Dopuszcza upadek obyczajów publicznych. Psuje politykę krajową i zagraniczną. Tumanione stada obywateli dają się zwodzić sprytnym manipulatorom. Przykro pomyśleć, co byłoby z nami, gdyby nie Polacy żydowskiego pochodzenia, których rodziny przetrwały tutaj wojnę. Dlatego przedstawiam w rozdziale „Zadziwić Europę..." do rozważenia pomysł sprowadzenia setek tysięcy Żydów i kto koło niego chodzi. Powtarzam – tylko do rozważenia. Bo jeżeli tego nie zechcemy, to trzeba znaleźć inną radę na marną pozycję Polski i Polaków.

Mówią, że idea narodu wybranego to przykład żydowskiej hucpy. Sami wyciągnęli się za włosy do tej roli i nawet powiedzieli o tym w Piśmie: Nie byliśmy lepsi od innych, ale Bóg nas wybrał niezbadanym wyrokiem. I my spróbujmy wybrać siebie, ale indywidualnie, bo ten trud wielki nie każdy Polak zniesie.

Wzorem stosunków polsko-żydowskich niech będzie list naszych biskupów do niemieckich z frazą „przebaczamy i sami prosimy o przebaczenie". Obie strony mają winy. Niech wybaczą nam Polaków, którzy przyłożyli rękę do Zagłady w czasie okupacji niemieckiej, chociaż Polskie Państwo Podziemne starało się chronić Żydów przed szmalcownikami, a wielu Polaków pomagało im z narażeniem życia. Niech nam przebaczą antysemityzm II RP i podobne incydenty w III RP. Ale nie prośmy o przebaczenie Marca '68. Była to rozgrywka narzuconych narodowi frakcji komunistycznych. Żydokomuna odebrała zapłatę od swych polskich uczniów. My natomiast wybaczmy im udział żydokomuny w niszczeniu elit etnicznie polskich po II wojnie światowej, kolaborację z Sowietami w czasie tej wojny, dywersję ich komunistów wobec II Rzeczpospolitej oraz atak na polską tradycję w III Rzeczpospolitej. Wybaczmy to, pamiętając o ogromnym wkładzie Żydów w polskie życie umysłowe.

Próbujmy przystosować się do siebie. Odpowiedzią na polonizację Żydów niechaj będzie judaizacja Polaków i przyjęcie cech judaizmu, które zasługują na podziw i dają sukces w świecie. Polacy niech przejmą szacunek dla wiedzy, staranne wychowanie dzieci, solidarność grupową, przedsiębiorczość, stanowczość, twórczy umysł i ambitną samodzielność. Polacy żydowskiego pochodzenia wywodzą się czasem z rodzin nienawidzących polskości i gardzących nią. Jednak w następnych pokoleniach wielu stało się patriotami bez zarzutu, cennym nabytkiem kultury i polityki polskiej, mimo przeszłości przodków i niekiedy własnej.

Świat staje się globalny, znikają granice. Niekontrolowane siły obce hulają po kraju. Kto ocali się z tej zawieruchy, jaką widać na horyzoncie? Który z nas zdobędzie dobrobyt i suwerenność umysłu? Kto? Ten, który zapatrzy się na mistrzów myślenia poza schematami. Polaku, jeśli chcesz przetrwać i jeszcze się wzbogacić, ucz się pilnie od Żydów.

Izrael,
cud cywilizacji
w Palestynie

„Będziemy Palestyńczykami", straszą się nawzajem Po- **[33]**
lacy na prawicy, potępiając wielkie wpływy kapitału zagranicznego albo Żydów w kraju. Polski Internet drży od
tych obaw i gniewu. To przykre, czasem tragiczne znaleźć się pod okupacją. W wypadku Palestyńczyków oku-
pacja ich terenów przez Izrael nie jest najgorszym losem,
wbrew powodzi medialnych obrazów z rozdartego wojną
Bliskiego Wschodu. Dzięki żydowskiej kolonizacji zawi-
tała tam zachodnia cywilizacja i zakiełkował dobrobyt
także dla tubylców. Załamanie dochodów i barbarzyństwo nastąpiło, gdy uzyskali autonomię na Zachodnim
Brzegu i w strefie Gazy. To skutek porozumienia w Oslo
w roku 1993 i rozpoczęcia „procesu pokojowego" zwią-
zanego z wielką pomocą zagraniczną. Nie mamy o tym
pojęcia pod gradem doniesień o rozruchach, zamachach bombowych i krzywdzie Palestyńczyków. To prze-
słania wielką pracę pozytywną, jaką wykonuje Izrael na
Bliskim Wschodzie nie tylko dla siebie.

Tereny izraelsko-palestyńskie pokazują, na czym polega geniusz Żydów. Zafascynowany George Gilder –
amerykański znawca technologii i ekonomii – ujmuje ich
geniusz w perspektywie nie tylko globalnej, ale też apo-
kaliptycznej. Oświadcza w książce „The Israel Test", że
ludzkie życie, wciśnięte między dżunglę a pustynię na
zagrożonej planecie, może przetrwać tylko dzięki doko-
naniom nadzwyczajnych jednostek. W tym stuleciu ludzkość przeżyje pod warunkiem popierania pomysłowo-
ści, doskonałości i osiągnięć. Czyli przeżyjemy przede
wszystkim dzięki geniuszowi Żydów.

Palestyńczycy żyją z Żydów

Liczba Żydów i Arabów łącznie w Izraelu i na terenach okupowanych jest taka sama; wynosi po pięć i pół miliona. Jednak do czasu przybycia syjonistów na większą skalę po II wojnie światowej Palestyńczycy osiągnęli mało. Wcale nie było tu świadomego siebie narodu ani bazy przemysłowej, ani prawie żadnego eksportu. Dopiero Żydzi stworzyli możliwości gospodarcze, przyciągając Arabów z sąsiednich terenów. Liczba Arabów rosła w tempie imigracji uciekinierów z Europy w ucieczce przed nazizmem poczynając od lat trzydziestych XX wieku.

Od utworzenia Izraela w roku 1948 historia Palestyńczyków dzieli się na trzy okresy, po dwie dekady każdy. Przez owe trzy okresy rozwój gospodarczy postępował w tempie osadnictwa Żydów. Im większe osadnictwo, tym szybszy rozwój, na czym korzystali jedni i drudzy. Tak było do czasu wybuchu pierwszego powstania palestyńskiego, tzw. intifady, pod koniec drugiego okresu lat 1967–1993, zakończonego porozumieniem w Oslo. Uzyskana wtedy wielomiliardowa pomoc zagraniczna zamieniła robotników i przedsiębiorców w bojowników zabiegających o uwagę mediów. Palestyńczycy stali się największymi na świecie, na głowę mieszkańca, odbiorcami stałej pomocy z zewnątrz. A to zniszczyło ich gospodarkę, obok przemocy.

W latach 1948–1967 Jordania kontrolowała Zachodni Brzeg, a Egipt – Gazę. Oba te państwa zadbały, by nie było tam Żydów. Panował zastój. Wielu przedsiębiorców palestyńskich uciekło do Ammanu, Damaszku lub Bejrutu. Gospodarki są napędzane wysiłkami względnie małej liczby wyjątkowych przedsiębiorców, ale oni właśnie wyjechali. Drugi okres zaczął się po wojnie sześciodniowej 1967 roku oraz zajęciu Gazy i Zachodniego Brzegu przez Izrael. W rezultacie „tereny okupowane", ta rana w ciele Palestyny, znalazły się wśród najbardziej dynamicznych gospodarek świata. W latach 1969–1979 tempo wzrostu wyniosło 30 procent rocznie! Liczba Arabów zwiększyła się z miliona do prawie trzech milionów w 261 nowych osadach. A mimo tego dochód na głowę palestyńskiego mieszkańca wzrósł trzykrotnie na Zachodnim Brzegu, a w Gazie z 80 dolarów do 1700 (po uwzględnieniu inflacji). Liczba żydowskich osadników na terenach okupowanych sięgnęła tylko 250 tysięcy.

Oto przykłady postępu cywilizacyjnego: Przed wojną 1967 roku bezrobocie wśród dorosłych wynosiło 40 procent, a wśród uchodźców 83 procent. Lecz w 1986 roku liczba Palestyńczyków pracujących w Izraelu to już 109 tysięcy, z poziomu zero przed wojną. Stanowiło to 35 procent zatrudnionych na Zachodnim Brzegu i 45 procent w Gazie. Pod rządami Izraela powstało prawie dwa tysiące zakładów przemysłowych, które dały pracę blisko połowie siły roboczej. Dochód narodowy na głowę wzrósł 10-krotnie w latach 1968–1991. Długość życia wzrosła z 48 lat w 1967 roku do 72 w 2000. Do 1986 roku aż 92,8 procenta ludności otrzymało całodobowy dostęp do elektryczności, gdy w 1967 roku miało go 20,5 procenta. Podobny postęp nastąpił w higienie, ochronie zdrowia, spadku śmiertelności dzieci, szczepień, łączności. W 1967 roku nie istniało szkolnictwo wyższe, a na początku lat dziewięćdziesiątych XX wieku działało siedem uczelni z 16 500 studentami.

Wspomniane porozumienie w Oslo w 1993 roku uznało Organizację Wyzwolenia Palestyny pod wodzą Jasira Arafata za reprezentację Palestyńczyków i przekazało jej oficjalny zarząd tych terytoriów. W rezultacie w latach 1993–1997 prywatne inwestycje spadały w tempie 10 procent rocznie, a ich udział w dochodzie narodowym obniżył się z 19 do 10 procent. Co się stało?

Dopóki znajdowali się pod izraelską okupacją, Palestyńczycy byli zainteresowani przedsiębiorczością i wzrostem gospodarczym, uzupełniającym ekonomię Izraela. Przez jedną dekadę terytoria te rozwijały się nawet szybciej niż sam Izrael. Ale od 1993 roku pieniądze z zagranicznych dotacji oraz władza przypadły aparatowi OWP. W rezultacie finansowa pomoc zagraniczna, 4 miliardy dolarów rocznie, nie pomogły gospodarce, przynosząc wręcz 40-procentowy spadek dochodu na głowę w ciągu pierwszych dwóch lat przy narastającym terroryzmie i wzroście antysemickich nastrojów. Z napływem pomocy rosła przemoc. Przedsiębiorczość palestyńska załamała się. Powstało przekonanie, że „wstyd pracować dla Żydów".

Czy rzeczywiście? W 1948 roku Arabowie stanowili dwie trzecie ludności Palestyny pod mandatem Wielkiej Brytanii. Ich udział w dochodzie narodowym, wynoszącym 2 do 3 miliardów dolarów rocznie, sięgał 40 procent; resztę tworzyli Żydzi. W 1992 roku produkt krajowy brutto Izraela, łącznie z Zachodnim Brzegiem i Gazą, osiągnął wartość 130 miliardów dolarów, po uwzględnieniu inflacji, co stanowiło 40-krotny wzrost w porównaniu z rokiem 1948. Towarzyszył temu 10-krotny wzrost na okupowanych terenach. Jednak w latach następnych, po zdobyciu autonomii w 1993 roku, zaczął się gospodarczy upadek terytoriów palestyńskich.

Nigdzie w świecie, z wyjątkiem Stanów Zjednoczonych, Arabowie nie sprawdzili się gospodarczo tak dobrze jak w Izraelu. Przeciętny dochód mieszkającej tam

4-osobowej arabskiej rodziny wynosi 14 400 dolarów rocznie. Dochód podobnej rodziny w sąsiedniej Jordanii to 9400 dolarów i z grubsza odpowiada przeciętnej całego świata arabskiego. Palestyńczycy mocno zbiednieli pod rządami własnej OWP, lecz w Izraelu zmniejszyli materialny dystans dzielący ich od Żydów.

Różnica dochodów między Palestyńczykami a Żydami w Izraelu wynika nie tylko z przewagi umysłowej tych drugich. Ludność arabska jest też bardzo młoda, mediana wieku wynosi 20 lat, prawie 10 lat mniej niż mediana dla całego Izraela. Przyrost naturalny Arabów jest prawie dwa razy wyższy niż w całym kraju. Tradycja muzułmańska powstrzymuje Arabki przed podejmowaniem pracy. W rodzinie żydowskiej pracuje więcej osób i dłużej niż w arabskiej. Arabowie stanowią około 50 procent ludności Izraela i Zachodniego Brzegu oraz Gazy, lecz ich praca, głównie w sektorze publicznym, stanowi ledwie 11 procent dochodu narodowego. To nie są przedsiębiorcy, a pracownicy utrzymywani z podatków przez państwo. Dochód na głowę Palestyńczyka poza Izraelem jest cztery razy mniejszy niż w Izraelu. „Liczby dotyczące działalności Arabów izraelskich sugerują, że nic nie zrobi lepiej Arabom palestyńskim, jak przejęcie przez Izrael całego kraju od Jordanu do morza" – konkluduje Gilder.

A wolność, niepodległość, o które leje się krew, czy nic nie są warte? Dla liderów palestyńskich suwerenność na pewno znaczy wiele. Bez niej straciliby władzę i kierownicze przywództwo. Dobrobyt rodaków jest dla nich mniej ważny, liczy się za to pozyskiwanie ich do walki o własne państwo, choć przed napływem Żydów w latach trzydziestych XX wieku nie było idei państwa palestyńskiego. W roku 1934 Ben Gurion, przyszły założyciel

Izraela, spotkał się z Musą Alami, przywódcą arabskim.
Chciał go przekonać, że syjonizm „przyniósłby błogosławieństwo Arabom w Palestynie i nie ma dobrego powodu, żeby się temu sprzeciwiali". Alami odrzekł: „Wolę,
żeby kraj pozostał biedny i jałowy przez następne sto lat,
póki sami nie będziemy potrafili go rozwinąć".

Strach i nienawiść

Zanim powstało państwo Izrael, już rozległy się wezwania do mordowania Żydów na tych terenach. W przemówieniu radiowym w 1948 roku Azzam Pasza, sekretarz
generalny Ligi Arabskiej, zapowiedział „wojnę na wy-
niszczenie i ogromną masakrę". Założyciel Bractwa Muzułmańskiego w Egipcie, Hassan al-Banna, uprzedził ko-
respondenta „The New York Timesa", że „gdy państwo
żydowskie stanie się faktem, Arabowie zepchną do morza Żydów, którzy mieszkają wśród nich". Pierwszy oficjalny przywódca OWP Ahmad Shuqeiri również opo-
wiedział się za wrzuceniem Żydów do morza, ponieważ
był przekonany, że „nie ma innego rozwiązania, niż eliminacja państwa Izrael". Badania ankietowe zwykłych
Palestyńczyków ukazują takie same poglądy. Liderzy
palestyńscy odciągnęli rodaków od idei bogacenia się
przez pracę dla Żydów.

Zdaniem Gildera OWP jest w zasadzie organizacją
nazistowską. W trakcie II wojny światowej Wielki Mufti Jerozolimy, Haj Amin al-Husseini, orzekł, że „Niemcy są jedynym krajem na świecie, który nie tylko zwalcza Żydów
u siebie, lecz również wypowiedział wojnę całemu żydostwu światowemu; w tej wojnie przeciwko światowemu

żydostwu Arabowie czują się głęboko związani z Niemcami". Mufti przyczynił się też do Holocaustu Żydów w Rumunii i Bośni, gdzie rekrutował muzułmanów do sił nazistowskich. Holocaust pragnął rozciągnąć na Bliski Wschód. Po wizycie w obozie zagłady w Auschwitz u boku Himmlera wezwał nazistów do zwiększenia tempa ludobójstwa w Europie, by jak najszybciej przenieść mord do Palestyny w celu wybicia pół miliona mieszkających tam Żydów. Były już przygotowane specjalne siły w Grecji, lecz klęska Rommla pod El-Alamein uniemożliwiła realizację tego planu.

Uznany za zbrodniarza wojennego Hussein zmarł na wygnaniu w Egipcie, jego antysemicką działalność zaś podjął kuzyn Jasir Arafat. Wymowne, że hurtowo zakupił arabski przekład „Mein Kampf" i rozdawał swoim zwolennikom pod tytułem „Mój dżihad". Odkryli to żołnierze izraelscy po zajęciu porzuconego obozu Arafata w południowym Libanie w 1982 roku.

Co Hitler ma do zaoferowania bojownikom OWP i czytelnikom na Bliskim Wschodzie, gdzie jego dzieło pojawia się na listach bestsellerów? Przynosi nie tylko poręczną retorykę nienawiści. W ocenie Gildera powodem popularności „Mein Kampf" u bliskowschodnich Arabów jest wyklęcie Żydów za mistrzowskie opanowanie zasad kapitalizmu. Po I wojnie światowej dwie trzecie czołowych przedsiębiorców Austrii, skąd Hitler pochodził, było pochodzenia żydowskiego. Hitler zdecydowanie piętnował ich biegłość w finansach. Zarzucając Żydom wciąganie „prostodusznych" Aryjczyków w sieć długów, potępiał zysk jako nieuzasadnioną korzyść. Ignorując naturę kapitalizmu, uważał zysk za przywłaszczony przychód zbędnego pośrednika, umożliwiający mu rozszerzenie dominacji gospodarczej. Zarzucając Żydom brak związku z ziemią, pisał, że nigdy nie uprawiali gleby, którą uważali za narzędzie wyzysku chłopa. „Temat ten – pisze Gilder – przenika płytkie sprawozdania dziennikarskie z terenów palestyńskich. Woda dla rolnictwa jest tutaj kierowana głównie do farm żydowskich, które za nią płacą dzięki zyskownemu wykorzystaniu nawodnionej ziemi". A czy to coś złego kierować wodę tam, gdzie służy wydajnej gospodarce?

Hitler głosił, że Żydzi za zgromadzone bogactwa kupują akcje spółek i dominują na giełdzie. Następnie swoje wpływy rozciągają na obieg produkcji krajowej, czyniąc z niej przedmiot zakupu i sprzedaży giełdowej. Tak rujnują podstawę, na której opiera się osobista własność. Tworzą poczucie obcości pomiędzy pracodawcami a pracownikami, co prowadzi do walki klas. I oto „taka wizja zachłannego i niemoralnego kapitalizmu, który deprawuje kodeksy moralne, wyzyskuje środowisko i degraduje stosunki robotników z pracodawcami, jest dzisiaj centralnym tematem lewackiej ekonomii" – pisze Gilder. „Znana jest idea, że rynki akcji i obligacji umożliwiają głównie żydowskim manipulatorom akcjami i obligacjami śmieciowymi zabierać korporacje uczciwym i stabilnym zarządom dla finansowego wyzysku. Hitler idzie dalej, oskarżając Żydów o złamanie darwinowskiego prawa natury. Sednem oskarżenia jest przekonanie, że dzięki przewadze nad Aryjczykami w kapitalistycznych finansach oszukują prawo przetrwania najlepiej przystosowanych do środowiska naturalnego. Znaleźli indywidualistyczną drogę do władzy bez poświęceń, zamiast zdobycia zbiorowej siły jako wojownicy. Omijają tym sposobem nakaz natury, by wszystkie stworzenia łączyły się w grupy i razem walczyły o przetrwanie". Jest to anachroniczna wizja świata. Była przestarzała w latach trzydziestych XX wieku, a dziś jeszcze bardziej, gdy w gospodarce rośnie rola symboli i znaków. Na tym polega komputeryzacja i cały Internet.

Państwo z garażu

Izrael wszedł do technologicznej czołówki cywilizacji zachodniej. Znajduje się tuż za Ameryką. A jeżeli uwzględnić proporcje ludności, ten maleńki kraj wyprzedza wielokrotnie Stany Zjednoczone. Niech nikt się nie zdziwi, jeśli następna przełomowa idea, na miarę komputera, wyjdzie z tej kwitnącej byłej pustyni jako genialna synteza istniejących pomysłów. Patenty z Izraela – jak wykazała analiza dokonana na Uniwersytecie Tel Awiwu – wykorzystują największą liczbę najbardziej różnych patentów wcześniejszych. Mają ich połączoną moc. Ostatecznie to wynalazki napędzają produktywność i wzrost gospodarki, jak wykazał Robert Solow, ekonomista noblista.

Wynalazki powstają w tzw. start-up, nowych kompaniach, działających niekiedy w przysłowiowym garażu. Izrael ma największe na świecie ich zagęszczenie, jedna przypada na około 1800 Izraelczyków. W rezultacie kraj jest tryskającym źródłem innowacji. Giełda technologiczna NASDAQ notuje więcej spółek z Izraela niż z całej Europy. Inwestycje w te nowe przedsiębiorstwa, tzw. venture capital, są tutaj 2,5 raza wyższe na głowę mieszkańca niż w Ameryce i 30 razy wyższe niż w Europie. Inwestycje w wynalazki są jak sport narodowy. Przekonał się o tym inwestor Clint Harris. W drodze z lotniska do miasta taksówkarz zapytał, po co przyjechał. Harris odpowiedział, że rozejrzeć się w sektorze venture capital.

W odpowiedzi usłyszał od taksówkarza wykład o stanie tych inwestycji w Izraelu.

Minął czas, kiedy kapitał spekulacyjny w sektorze nowych technologii długo unikał Izraela, gdyż kojarzył się ze starożytną religią, wykopaliskami i walką z sąsiadami na śmierć i życie. Kraj ten wydaje na badania rozwojowe największą część dochodu narodowego, 4,5 procenta, podczas gdy USA – 2,7 procenta. Globalne korporacje informatyczne Intel, Google, Cisco, Microsoft otworzyły tu ośrodki badawcze i zakłady produkcyjne. Nawet stroniący od ryzyka inwestor Warren Buffet po raz pierwszy kupił coś poza granicami USA, gdy wydał 4,5 miliarda dolarów na kompanię Iscar sprzedającą narzędzia do ponad 60 krajów. Uznał, że jeżeli nawet zakłady zostaną zbombardowane, to zbuduje nowe. Wartość Iscar nie tkwi bowiem w murach, lecz w talentach pracowników i szefów oraz w globalnej bazie lojalnych klientów i dobrej reputacji firmy.

Czemu korporacje inwestują miliardy dolarów w rejonie ciągłych zamieszek, zamachów i wojen? Oto czemu: Pod gradem irackich rakiet SKUD podczas wojny w Zatoce Perskiej w 1991 roku zakłady Intel Israel podjęły produkcję czipa 386. Od tego zależała reputacja całego Intela, gdyż miał dostarczać trzy czwarte globalnej produkcji 386 dla pecetów IBM. Do tamtej pory Intel rozdzielał produkcję wcześniejszych modeli między wiele krajów, rozkładając ryzyko. Dov Frochman, szef Intel Israel, przekonał korporację, żeby jego zakładom pod Jerozolimą powierzyła wyłączność produkcji nowego modelu. Nagle wybuchła wojna. 18 stycznia o 2.00 nad ranem rozpoczęło się bombardowanie. Saddam Husajn groził użyciem broni chemicznej. Rząd nakazał zamknięcie zakładów pracy; ludzie mieli siedzieć w domach z maskami gazowymi pod ręką. Nikt nie miałby pretensji, gdyby Intel Israel stanął. Frohman jednak postanowił złamać rządowy nakaz i wezwał załogę, by dobrowolnie stawiła się do pracy. Przyszło trzy czwarte, w tym wielu z dziećmi, którymi pracownicy zajmowali się na zmiany. Dostawy dla odbiorców nie spóźniły się ani o jeden dzień. Frohman przekonał świat biznesu, że czy wojna, czy pokój na Izraelu można polegać. „Im bardziej nas atakują, tym bardziej zwyciężamy". Tym sposobem przełamał obawy następnych inwestorów. Spełniał swe marzenie, by Izrael stał się liderem w informatyce będącej przyszłością świata.

Tak się składa, wcale nie przypadkiem, że rozkwit technologii Izraela wiąże się z konfliktem z Arabami. Pierwszą korporacją na świecie, która weszła na giełdę nowojorską po zamachach z 11 września 2001 roku, była Given Imaging. Założył ją Gavriel Iddan, fizyk rakietowy z zakładów Rafaela, głównego dostawcy dla izraelskich sił zbrojnych. Użył najnowszej technologii miniaturyzacji, stosowanej w rakietach bojowych, do budowy PillCAm, pigułki z kamerą pozwalającej lekarzom obserwować wnętrze jelit pacjentów. Połączył medycynę i rakiety wojskowe z wachlarzem technologii: optyką, elektroniką, bateriami, transmisjami bezprzewodowymi i programowaniem. Sprzedawał setki tysięcy PillCAm rocznie. Jest jednym z całego legionu biznesmenów, którzy wyszli z armii.

Największym źródłem kreatywności umysłowej w Izraelu są bowiem... siły zbrojne. Kto z Polaków przypuściłby po naszych doświadczeniach z wojskiem, że w koszarach można nauczyć się nonkonformizmu? A jednak w Izraelu nie tylko można, ale trzeba. Tego wymaga się tam od żołnierzy. Szeregowiec może powiedzieć generałowi w oczy na ćwiczeniach, że robi coś źle i trzeba wykonać to inaczej. Żołnierze usuwają swoich dowódców, jeśli okażą się niekompetentni. Urządzają głosowanie w oddziale i z wynikami idą do przełożonego dowódcy po wnioski kadrowe. Panuje tu niepisana umowa społeczna: będziemy służyli w armii pod warunkiem, że rząd i armia odpowiadają przed nami.

W wieku 17 lat wszyscy Izraelczycy są wzywani do ośrodków rekrutacji na jednodniowe testy. Najlepsi mogą przejść testy dodatkowe do elitarnych jednostek wojskowych. To będą ich uniwersytety. Podczas gdy w innych krajach licealiści wybierają szkoły wyższe, tu wybierają formacje armii. Po służbie, przy rekrutacji w biznesie, pracodawca wie, jakie kandydat zdobył doświadczenie. Obowiązkowa służba wypada przed studiami i trwa 2 do 3 lat. Następnie przechodzi się do rezerwy; co roku każdy do wieku 45 lat dostaje powołanie na ćwiczenia. W Izraelu wszyscy mają „kolegów z rezerwy". Są oni niczym druga rodzina i tworzą sieć kontaktów biznesowych ponad podziałami, co przyspiesza społeczny obieg informacji. Ten system armii rezerwowej okazał się katalizatorem innowacyjności. Hierarchie społeczne tracą znaczenie, kiedy taksówkarz dowodzi milionerami, a 23-latek rówieśnikami swoich wujków. „System rezerwy pomaga wzmocnić chaotyczny, antyhierarchiczny etos, który można znaleźć w każdym aspekcie społeczeństwa, od sztabu armii przez klasę szkolną aż po zarządy firm", piszą Dan Senor i Saul Singer w książce „Start-Up Nation", skąd pochodzą wszystkie powyższe informacje.

Dzięki kilkuletniej służbie wojskowej młodzież izraelska jest dojrzalsza. Już w młodym wieku musi brać na siebie trudne problemy na polu walki i odpowiedzialność. Każdy dzień w wojsku kończy się dogłębną, zbiorową oceną wydarzeń i zachowań. Z umiejętności dokonywania tych ocen żołnierze też dostają oceny. Błąd jest tolerowany, jeżeli daje okazję do nauki na przyszłość. Źle widziane są uniki. Struktura dowódcza jest spłaszczona; niższe szczeble mają więc większą swobodę decyzji. Sierżant wykonuje pracę podpułkowników w innych armiach, dlatego bardziej rozwija się umysłowo. Wieloletnia służba w rezerwie wpaja brak szacunku dla formalnej rangi, ale za to szacunek dla osiągnięć, co przenosi się do życia cywilnego.

W krajach o naborze ochotniczym armia może mieć nadzieję, że przyjdą najbardziej utalentowani. A w Izraelu armia sama ich wybiera. Najbardziej elitarną jednostką wojskową Izraela jest Talpiot. W biblijnej Pieśni nad Pieśniami słowo to znaczy „wieża zamku" – tu „szczyt osiągnięć". Szkolenie trwa 41 miesięcy. Kto wejdzie do tego programu, musi odbyć dodatkowo sześć lat służby, łącznie dziewięć lat minimum. Pomysł jest prosty: Zebrać najbardziej utalentowaną młodzież i poddać ją wymagającemu szkoleniu technicznemu w armii i na uniwersytetach. Co roku 2000 licealistów dostaje zaproszenie na testy z fizyki i matematyki. Zdaje tylko 10 procent. Tych 200 przechodzi testy zdolności i osobowości. Przyjęci mają szerszy program studiów niż reszta studentów i przechodzą podstawowe szkolenie spadochroniarzy. Dostają też wgląd w główne segmenty sił zbrojnych, aby lepiej rozumieli potrzeby wojska. Cel programu Talpiot stanowi wyszkolenie liderów nastawionych na rozwiązywanie problemów. Po dziewięciu latach służby większość „Talpionów" przechodzi do cywila. Ich umiejętności przywódcze i wiedza techniczna nadają się idealnie do tworzenia kompanii start-up. Przez ponad 30 lat działania Talpiot wykształcił 700 najlepszych akademików kraju i przedsiębiorców odnoszących największe sukcesy.

Armia nie chce wąskich specjalizacji. Do etosu należy uczenie ludzi, jak być bardzo dobrym w wielu dziedzinach zamiast doskonałym w jednej. A to sprzyja twórczemu wykonywaniu zadań. Producent animacji fabularnych z Hollywood, Dough Wood, miał kręcić w Izraelu film. Zatrudnił przy projekcie artystę grafika. Wyglądał jak wypada w tym zawodzie: długie włosy, kolczyk w uchu, klapki na nogach. Nagle wynikł problem techniczny. Producent już miał wezwać techników, kiedy artysta grafik odłożył rysowanie i zaczął naprawiać sprzęt jak fachowy inżynier. Gdzie się tego nauczył? Był pilotem myśliwca przechwytującego w siłach zbrojnych. Gdzie indziej na świecie absolwent akademii sztuk pięknych może być weteranem walk powietrznych?

Shvat Shaked, przeszkolony w Talpiocie, założył firmę Fraud Sciences, wychodząc z prostego założenia, że ludzie się dzielą na dobrych i złych; trzeba tylko ich odróżnić w Internecie, by zapobiec oszustwom. Poszedł z tym do prezesa PayPal, globalnego serwisu finansowego. Scott Thompson nie wyrzucił hucpiarza za drzwi tylko dlatego, że miał dobrą rekomendację. PayPal zatrudnia dwa tysiące ludzi dla rozpoznania oszustów, a ten tu… „Dobrzy ludzie zostawiają ślady w Internecie, bo nie mają nic do ukrycia – mówił Shvat – a źli próbują się ukrywać. Szukajmy więc śladów. Jeśli je znajdziemy, to znaczy, że transakcja z tym klientem niesie ryzyko do przyjęcia". Co za tupet! – myślał Thompson. Odsiewanie oszustów to żmudny proces sprawdzania drogi życiowej i historii kredytowej klienta za pomocą wyrafinowanych algorytmów. Ale spytał: „Gdzie się tego nauczyłeś?". „Wyszukując terrorystów w sieci" – odpowiedział Shvat. Terroryści przesyłają pieniądze on-line, używając fikcyjnych tożsamości. Shvat ich wyszukiwał dla wywiadu. A teraz jego firma Fraud Sciences sprawdziła 40 tysięcy transakcji i pomyliła się tylko w czterech przypadkach. Thompson dał mu do analizy 100 tysięcy transakcji PayPala, myśląc, że go więcej nie zobaczy. Po trzech dniach dostał mejla, że praca została wykonana. Czyli w ciągu pół tygodnia firma Shvata opracowała zautomatyzowany program analityczny i zbadała transakcje. Wyniki były o 17 procent lepsze niż ekipy PayPala. Thompson kupił start-up Shvata za 169 milionów dolarów.

Po likwidacji programu budowy myśliwca Lavi armia wypuściła do gospodarki 1500 inżynierów. Nieco wcześniej wyszedł stamtąd inżynier Yossi Gross. Założył 17 start-ups i opracował 300 patentów. Takich przykładów przenoszenia twórczego myślenia z wojska do biznesu są tysiące. Czemu nie w Singapurze, którego armia została zorganizowana na wzór izraelskiej? Dlaczego nie w Korei Południowej, która jest technicznie bardzo rozwinięta? Bo w Azji panuje wstyd przed porażką, w Izraelu zaś porażkę uważa się za pożyteczną lekcję. Armia w Azji nie popiera inicjatywy żołnierzy, ryzyka ani bystrości umysłu. W Izraelu kładzie nacisk na improwizację i własną ocenę sytuacji przez niższych stopniem. Wręcz nakazuje się podwładnym rzucanie umysłowego wyzwania zwierzchnikom. Tradycją jest brak skostnienia tradycją, a zasadą – kwestionowanie wszystkiego. Nawet po wygranych wojnach lecą głowy dowódców, jeżeli nie byli dosyć dobrzy.

Bastion Zachodu na Bliskim Wschodzie

Izrael jest domem 70 kultur narodowych. Imigrantów łączy wspólna tradycja religijna, kod genetyczny i lęk przed prześladowaniami w świecie. Takie społeczeństwo nie widzi tego, co mogłoby stracić w działaniu. Widzi to, co zyska, ponieważ imigranci z natury rzeczy są skłonni do ryzyka. Całe państwo jest czymś w rodzaju start-up w garażu. Sto lat temu było tu pustkowie, a teraz rośnie 240 milionów drzew. W latach 1948–1970 kraj uzyskał czterokrotny wzrost dochodu na głowę mieszkańca, chociaż prowadził trzy duże wojny, a ludność wzrosła trzykrotnie. Dziś najwięcej imigrantów, prawie milion, pochodzi z byłego ZSRR. Nakręcili gospodarkę, gdyż są dobrze wykształceni. Ich zdolności nie dałoby się wykorzystać, gdyby państwo nie odrzuciło socjalizmu w latach dziewięćdziesiątych XX wieku, wprowadzając reformy wolnorynkowe.

Izrael jest nienawidzony głównie za swe cnoty, twierdzi Gilder. W wieku informacji siła umysłu góruje nad siłą materialną i władzą mas. Żydzi stworzyli większość wiedzy i bogactwa. Ich wkład w teorię kwantową umożliwił wiek cyfrowy, przełomy w fizyce jądrowej i w przetwarzaniu informacji, które dały Zachodowi zwycięstwo w II wojnie światowej. Wynalazki w bioinżynierii podniosły zaś poziom zdrowia, a mikroczipy napędzają rozwój narodów. Żydzi stanowią mniej niż dwa promile ludzkości, jednak z nich wywodzi się jedna czwarta najwybitniejszych kapitalistów i przedsiębiorców. Wysoka pozycja Izraela również nie została przechwycona od innych, ale stworzona samodzielnie. Palestyńczycy powinni uczyć się gospodarowania od znakomitych sąsiadów i swych okupantów. Powodem arabskiej biedy nie jest bogactwo Izraela, lecz zazdrość i nienawiść do doskonałości.

Tytułowy „Test Izraela" w książce Gildera to kontrast między rządami prawa a zrównującym ludzi egalitaryzmem. Między twórczą znakomitością a pożądliwą

„sprawiedliwością". Między podziwem dla osiągnięć a niechęcią. Jedna z najbardziej kwitnących gospodarek świata powstała na bodaj najbardziej jałowych terenach. To obala przesądy o wyzysku ziemi i pracy przez kapitalistów. Tu działa złota reguła kapitalizmu: powodzenie innych jest także twoim powodzeniem. Gilder stawia ostry wybór: albo świat poprze Izrael, albo zostanie on zniszczony. Po zniszczeniu Izraela zapewne umrze także kapitalistyczna Europa, a wtedy i Ameryka będzie zagrożona.

Jest to autor wielu prac przewidujących kierunek rozwoju informatyki, jak również „Bogactwa i biedy", biblii gospodarczej prezydenta USA Ronalda Reagana. Przedstawiciel amerykańskiej elity protestanckiej chyli przed Żydami czoła i ustępuje im miejsca w samej Ameryce, zdając swój własny Test Izraela. W wielu dziedzinach życia, od finansów do filmu, amerykańscy WASP-owie są odsuwani na bok – powiada. Mają z tego powodu złe samopoczucie, lecz niewielu jest antysemitami, a ci też podziwiają Żydów. Ferment żydowskich wynalazców i biznesmenów wzbogacił naród, obecne pokolenie WASP-ów zaś uczynił najbogatszym w historii. „Jak wszystkie narody i kultury w historii miały do czynienia z prostym faktem żydowskiej znakomitości i sukcesu, tak my stoimy przed wyborem. Możemy odrzucić je z niechęcią lub przyjąć jako boski dar dla świata".

Ten hymn pochwalny urazi wiele uszu, choć ma zachęcić do namysłu. Żydzi dawno weszli do awangardy Zachodu w krajach osiedlenia. Dzisiaj idą pod własnym sztandarem. Ich ducha wyraził Amos Oz: Judaizm i Izrael tworzą „kulturę zwątpienia i sporu, otwartą grę interpretacji, kontrinterpretacji, reinterpretacji, sprzecznych interpretacji. Od swego początku cywilizacja żydowska była rozpoznawalna kłótliwością". Czyli tępa zgoda rujnuje, a inteligentna niezgoda buduje. Założyła kwitnącą oazę na palestyńskiej pustyni jako przyczółek najwyższej cywilizacji technicznej. Jehowa jeden wie, na jakie jeszcze przepastne wyżyny pociągnie za sobą świat?

Cud cywilizacji, którego Żydzi dokonali w Izraelu i na okupowanych terenach palestyńskich, już wcześniej sprawili na Węgrzech w XIX wieku. W roku 1867 prawie ich tu nie było, ale otwarcie na imigrację ściągnęło setki tysięcy. Budapeszt stał się najszybciej rosnącym wielkim miastem Europy. Zaledwie w ciągu ośmiu lat między rokiem 1886 a 1894 ruch towarowy pociągów wzrósł z trzech milionów ton do 275 milionów, ruch pasażerski zaś wzrósł 17 razy! To jest miara postępu gospodarczego. Przed I wojną światową zapewne dwie trzecie elity budapeszteńskiej – poza władzami – składała się z Żydów. Byli to bankierzy, prawnicy, przemysłowcy, muzycy, uczeni, malarze. Stanowiąc tylko 5 procent ludności Węgier, stali się awangardą gospodarki i kultury. Wydali na świat falangę geniuszy, którzy odcisnęli się na XX wieku: Eugene Wigner, matematyk i fizyk kwantowy; Edward Teller, fizyk i ojciec bomby wodorowej; Leo Szilard, odkrywca reakcji łańcuchowej; Dennis Gabor, twórca holografii; Michael Polanyi, wielki chemik i filozof, czy Arthur Koestler, demaskator komunizmu wśród intelektualistów.

John von Neumann, władca algorytmu

Z tego świata wywodził się von Neumann, który przebił wszystkich szerokością naukowych horyzontów, sprawnością umysłu i wpływem na bieg dziejów. Był wśród uczonych najważniejszym człowiekiem, który zadecydował o zwycięstwie Zachodu w wojnie z Hitlerem, a potem w powstrzymywaniu ZSRR w zimnej wojnie. Matematyk, fizyk kwantowy, twórca teorii gier oraz architektury komputera i jeden z głównych twórców bomby atomowej, strategiczny konsultant rządu USA. Syn bankiera Maxa Neumanna i córki finansistów Margit Kann używał „von" przy nazwisku, ponieważ ojciec kupił tytuł arystokratyczny. Był nie tyle człowiekiem wielu idei, co jednej idei na temat idei. Mistrzostwo w rozmaitych dziedzinach wiedzy dała mu nadzwyczajna umiejętność abstrahowania, wskaźnik IQ – ponoć 180 – i fotograficzna pamięć; po rzuceniu okiem na stronę tekstu mógł go dokładnie przytoczyć. Od dziecka był mistrzem myślenia w abstrakcjach, od fizycznych danych przez liczby i symbole do zbiorów i grup, a wszystko złączone ideą algorytmu.

Cóż to za tajemnicze narzędzie mocy? Algorytm to zestaw instrukcji krok po kroku i tak dokładny, żeby za każdym razem przynieść określony skutek bez ludzkiej interwencji. Wystarczy raz odkryć algorytm lub go opracować, żeby każdorazowo uzyskiwać takie same wyniki. Dzięki temu energia intelektualna może kierować się na nowe zadania. Tak oto bogactwo wypływa z umysłów ludzi, raczej niewielu ludzi, którzy działają w ogniwie łączącym słowo i świat – pisze Gilder. Działają na granicy matematyki i wytwórczości, czyli w dziedzinie algorytmu.

Każdy, kto chce konkurować z Żydami, niech pamięta prostą zasadę: gdy w jakiejś dziedzinie wzrasta poziom abstrakcji, jednocześnie rosną osiągnięcia Żydów. Jest to związane z ich generalnie wyższym IQ, bo wskaźnik inteligencji mierzy głównie umiejętność abstrakcyjnego myślenia. Przyczyną jest też odcięcie od „realnej" gospodarki w diasporze. Musieli przejść do handlu, finansów, księgowości, sklepikarstwa, co w dużej mierze polega na operowaniu znakami, a nie samymi przedmiotami. To dziedzina algorytmów uwalniających energię intelektualną.

Świat algorytmów to zjawiska logiki: od sztywnego, ale rozpoznawalnego języka ludzkiego programów komputerowych do najwyższych abstrakcji matematyki. Postęp nauki i technologii w świecie algorytmów zależy od postępów poznania w świecie kwantowym. Von Neumann bardziej niż ktokolwiek inny połączył oba te światy. Rozwinął odkrycie Kurta Goedla, że logika symboliczna, baza matematyki i nauki, polega na aksjomatach. Musi opierać się na założeniach spoza swego systemu. Von Neumann uznał to za wspaniałą okoliczność. Ograniczenie logiki wyzwala ludzi jako twórców. Nie tylko mogą odkrywać algorytmy, ale również je tworzyć, przyjmując stosowne założenia. „Ta szczelina w logice matematycznej wszechświata uczyniła von Neumanna najbardziej wpływowym ze wszystkich wielkich uczonych XX wieku" – twierdzi Gilder.

Powstała też nowa gospodarka. Potwierdziła rdzeń kapitalistycznej etyki i podstawę zdrowej ekonomii politycznej. Bogactwo wypływa z umysłów ludzi, zwłaszcza z umysłów niewielu, którzy działają między słowem i światem – na granicy matematyki i manufaktury – w dziedzinie algorytmu. Walkę przeciwko Marksowi i Hitlerowi, jak dzisiaj między Zachodem a dżihadem, najlepiej rozumieć jako wojnę pomiędzy mieszkańcami świata algorytmu a wrogami twórczych umysłów. Hitler twierdzi w „Mein Kampf", jakoby Żydzi używali handlu, oszukując naturę, aby pozbawić Aryjczyków wysokiego statusu wojowników. A to tyrada przeciwko rywalizacji w dziedzinie algorytmu. Słusznie „żydowska nauka", jak drwiąco określił ją Hitler, stała się decydującą bronią w walce

– i pozostaje do dzisiaj. Miał rację. Najcenniejsze osiągnięcia Żydów i najgorsze oszczerstwa na ich temat wynikają z prostego faktu, że kiedy rośnie poziom abstrakcji w jakiejś dziedzinie rywalizacji, rosną także żydowskie osiągnięcia.

Europejscy uczeni żydowscy tamtego czasu, jak von Neumann czy Albert Einstein, wierzyli w spójność kosmosu. U podstawy wszechświata leży jego racjonalność i znaczenie. Była to na swój sposób wiara religijna tak samo płodna, jak żydowski monoteizm Tory, skąd pochodziła. Znalazła liturgię w logice matematyki. Największe osiągnięcie Einsteina to ogólna teoria względności i równanie równoważności masy i energii. Wyrażają monoteistyczną wiarę, że wszechświat wciela głęboką, wewnętrzną spójność, ujętą najczyściej w pięknie i kompletności matematyki.

Gilder ocenia historyczną rolę von Neumanna na wysokim poziomie abstrakcji, lecz my spójrzmy na realia: Von Neumann chodził do elitarnej, luterańskiej szkoły średniej w Budapeszcie, gdzie 52 procent uczniów było pochodzenia żydowskiego. W ostatnim roku szkoły opublikował ważną rozprawę o teorii zbiorów George'a Cantora. Po przewrocie Beli Kuna w 1919 roku dokonanym przez partię komunistyczną zdominowaną przez Żydów (na 202 osoby we władzach rządowych 161 było pochodzenia żydowskiego) Neumannowie schronili się w Wiedniu. John studiował na uniwersytetach europejskich. W wieku 23 lat opracował podstawy aksjomatyczne wszystkich form mechaniki kwantowej. Wspólnie z przyjacielem z dzieciństwa Eugene Wignerem napisał cztery rozprawy rozszerzające teorię kwantową.

Naukowe triumfy von Neumanna wynikały w dużej mierze z konsekwencji prawa Goedla niezupełności logiki, czyli oparcia jej na założeniach. Zbiory Cantora, mechanika kwantowa, systemy logiczne, czyste gry, teoria informacji, algorytm, komputer, każdy system i schemat informacyjny zależy od aksjomatów. A te są na zewnątrz systemu. „Matematyka ostatecznie polega na wierze. Wszechświat spoczywa na bazie logicznej spójności, która nie może być dowiedziona, a której ludzie muszą się poddać, jeśli mają tworzyć". Po wniesieniu wkładu w mechanikę kwantową von Neumann stał się w wieku 23 lat czołowym badaczem w innych dziedzinach. „Geniusz von Neumanna był częścią ruchu umysłowego, który uratował zachodnią cywilizację od chaosu i przemocy jego czasów".

Odegrał on wybitną rolę w Projekcie Manhattan powołanym dla skonstruowania broni atomowej. Rozwiązał „problem plutonu". USA miały materiał rozszczepialny na jedną bombę, był to uran 235, oddzielany powolną metodą z uranu 238. Nie wiadomo było, jak zda próbę, Japończycy zaś mogli dojść do wniosku, że istnieje tylko jeden ładunek. Do budowy większej liczby bomb potrzebny był łatwiej dostępny pluton. Jak jednak wywołać w nim reakcję łańcuchową? Von Neumann zaproponował implozję kilku ładunków w celu stworzenia masy krytycznej wyzwalającej reakcję i wykonał potrzebne obliczenia. Przyspieszyło to projekt o dwanaście miesięcy.

Wybitna zdolność abstrahowania – pamiętajmy o jego IQ 180 – pozwoliła von Neumannowi zostawić światu największy spadek w postaci najbardziej wszędobylskiego, potężnego, elastycznego aparatu, jaki posiadła ludzkość. To komputer z architekturą von Neumanna, którą zawiera ogromna większość tych urządzeń. Inaczej zbudowane komputery są tak rzadkie, że mają nazwę „non von". Uczony wprowadził świat głębiej w dziedzinę algorytmu, gdzie uwalniają się nadzwyczajne energie umysłu.

Sedno wieku informacji stanowi prawo rozdziału – powiada Gilder – i umiejętność abstrahowania. Trzeba rozdzielać logikę i nośnik materialny, treść od przewodnika, algorytm od maszyny, przekaz genetyczny od molekuły DNA. W pewnym sensie oddzielić ducha od materii i dać duchowi nad nią władzę. W biologii stanowi to najważniejszy dogmat: informacja może przepływać od przekazu genetycznego do białka, od słowa do ciała. Jednak nie odwrotnie. Ciało nie ma wpływu na kod DNA. W łączności niepożądany jest przepływ od fizycznego nośnika do treści komunikatu. Taki przepływ nosi nazwę „szumu". Każda metoda przekazu musi „szum" usunąć. Panuje zasada „z góry na dół" odnosząca się do wszystkiego, od ciała ludzkiego po kosmos. Te systemy hierarchiczne schodzą od twórczej treści „na górze" przez strukturę logiczną lub algorytm do fizycznego podłoża, czyli materialnego wcielenia „na dole".

Architektura von Neumanna wyraża w komputerze te zasady hierarchii i rozdziału. Chciał, by maszyny liczące były niezależne od stanu techniki w danym czasie, np. rur próżniowych czy tranzystorów. Dzięki temu można je adaptować, nie hamując postępu technologii. W adaptacji kluczowa jest separacja. Von Neumann w pewnym sensie odseparował „ducha" i „materię". Oddzielił pamięć od fizycznego procesora; zachował dane i instrukcje programu w pamięci. Tak powstały komputery, które mogą służyć rozmaitym celom. Inaczej byłyby kosztującymi miliony dolarów automatami o jednej funkcji. John von Neumann dokonał przełomu: 1. oddzielił pamięć od procesora; 2. zachował instrukcje dla procesora nie w fizycznej mechanice urządzenia, ale w abstrakcyjnej formie jako program pamięci. Maszyny von Neumanna wykonują więc nieskończoną liczbę algorytmów, czyli programów. Inżynierowie mogli skupić się na zwiększaniu szybkości i pojemności urządzeń. Zasadniczy koncept komputera nie zmieniał się przez dekady. Tak narodził się wiek informacji.

Ten żydowsko-węgierski uczony był nie tylko ojcem rozwojowych komputerów, ale także zwycięstwa USA w wyścigu zbrojeń z ZSRR. Jako twórca teorii gier dobrze rozumiał, że rezygnacja USA czy Izraela z budowy broni jądrowej tylko zachęci inne państwa do wejścia w jej posiadanie. Dla Stanów Zjednoczonych było to równanie: im mniej posiadają rakiet, tym bardziej zachęcają wroga do uzyskania nuklearnej przewagi. A Izrael nie przetrwałby bez tej broni. Pod koniec życia von Neumann stał się liderem intelektualnym w opracowaniu odpowiedzi USA na sowiecką broń i pociski międzykontynentalne. To on stworzył strategię odstraszania, określił potrzebne rodzaje rakiet, wraz z Edwardem Tellerem domagał się budowy bomby wodorowej, umożliwił obronę powietrzną w oparciu o komputery, dostarczył narzędzia obliczeniowe do budowy małych głowic nuklearnych pasujących do pocisków, które miało USA.

Gdy wydawało się, że Ameryka nie nadąża za ZSRR, przywództwo USA ocaliła technologia informatyczna. Było to zwiększanie mocy komputerów i zmniejszanie mikroczipów, z których prawie wszystkie zawierały architekturę von Neumanna. ZSRR miał potężniejsze głowice i większe rakiety, wystrzelił też sputnika. Niemniej Amerykę ocalił przemysł komputerowy. Umożliwił miniaturyzację systemu kierowania mniejszych rakiet i budowę pocisków wielogłowicowych. Pobudził gospodarkę, wytwarzając zasoby konieczne dla wygrania zimnej wojny. Natomiast konsumentom począł dostarczać coraz więcej dóbr i usług elektronicznych.

Nauka jest zbiorowym wysiłkiem – konkluduje Gilder. Wkład Żydów, choć zasadniczy i nieproporcjonalnie wielki w stosunku do ich udziału liczbowego w ludności globu, nie był pełny i nie zawsze dominujący. Ale Żydzi odegrali główną rolę w postępach matematyki i algorytmów. Bez wkładu Einsteina, von Neumanna i ich współpracowników – bez tego, co naziści nazwali „żydowską nauką" – nie byłoby wolnego człowieka w Europie. Dwudziesty wiek zdominowała wojna rasowa przeciwko żydowskim uczonym i kapitalistom. Ich ucieczka na Zachód była konieczna dla osiągnięcia sukcesu. Von Neumann jest jedyną postacią, która łączy większość zasadniczych nauk fizycznych, technologii i decyzji politycznych epoki. To wcielenie żydowskiego triumfu i „Testu Izraela". A czego ów test dowodzi? Kto jest przeciwko Żydom, ten jest przeciw kapitalizmowi, kreatywności i wolności, kierując się zawiścią i chciwością, twierdzi Gilder.

Chyba jednak nie tylko o zawiść i chciwość chodzi, jak zobaczymy w następnym rozdziale.

Wszechpotężne lobby w Waszyngtonie

Polski konsulat w Nowym Jorku mieści się w eleganckim pałacyku w stylu Beaux Arts z końca XIX wieku na rogu Madison Avenue i 37. Ulicy. Przed wejściem przysiadł na ławeczce spiżowy Jan Karski, który próżno ostrzegał Stany Zjednoczone o Holocauście w Europie. Dziś Waszyngton radykalnie zmienił swą postawę. Polityka wobec Żydów i Bliskiego Wschodu formułowana w Jerozolimie jest stanowczo egzekwowana w USA w Kongresie, w Białym Domu, mediach i świecie akademickim przez potężną sieć agentów wpływu. To nie żaden spisek, a jawna machina, miażdżąca przeciwników realnych i wymyślonych, popierająca kariery szczerych przyjaciół Izraela lub tylko konformistów. Ale czy można się temu dziwić bądź gorszyć, skoro Waszyngton patrzył obojętnie na systematyczną Zagładę prowadzoną przez niemieckich nazistów?

Polski konsulat jest dobrym miejscem spotkań towarzyskich i publicznych. 3 października 2006 roku miał się w nim odbyć wykład cenionego profesora Uniwersytetu Nowojorskiego Tony Judta pt. „Lobby izraelskie i polityka zagraniczna USA". Żydowska Liga Przeciwko Zniesławieniom (AntiDefamation League) wymusiła odwołanie wykładu. Nieżyjący już profesor Judt często krytykował politykę Izraela, chociaż był z pochodzenia Żydem. Polacy nie organizowali spotkania, jedynie wynajęli salę organizacji Network 20/20. („20/20" oznacza zdrową ostrość wzroku, tu niepoprawność polityczną). Do konsulatu napływały protesty, lecz przeważył, jak się zdaje, telefon od

Abe Foxmana, dyrektora Ligi. Wykład odwołano na godzinę przed rozpoczęciem, gdy prezes ADL porozmawiał z konsulem. Dwa dni później ADL wyparła się nacisków.

Protestując przeciw takiej cenzurze wypowiedzi, 114 intelektualistów nowojorskich i zagranicznych, w tym bardzo wielu pochodzenia żydowskiego, opublikowało 16 listopada 2006 roku list otwarty do Abe Foxmana na łamach „The New York Rewiev of Books", uważanego za organ żydowskich liberałów. List stwierdza:

„W demokracji jest tylko jedna właściwa odpowiedź na wykład, artykuł czy książkę, z którą ktoś się nie zgadza. To wygłoszenie kolejnego wykładu, napisanie kolejnego artykułu czy publikacja kolejnej książki. Przez większość stuletniej historii wasza organizacja pracowała ramię w ramię z innymi Amerykanami, którzy chcieli zagwarantować tę wolność wszystkim, a wasze określenie swej misji ciągle stwierdza: «cel pozostaje ten sam; bronić rdzennych wartości Ameryki przeciwko tym, którzy pragną je podminować słowem lub czynem». Chociaż my, niżej podpisani, nie zgadzamy się ze sobą w wielu sprawach polityki zagranicznej i krajowej, to jesteśmy zjednoczeni w przekonaniu, że klimat zastraszania jest niezgodny z podstawowymi zasadami debaty w demokracji. Polski konsulat nie ma obowiązku popierania wolnego słowa. Ale zasady gry w Ameryce zobowiązują obywateli raczej do zachęcania, niżeli tłumienia debaty publicznej. My, którzy podpisaliśmy ten list, jesteśmy skonsternowani, że ADL nie wybrała bardziej konstruktywnej roli w popieraniu wolności".

Intelektualiści mogą protestować, lecz nie zmienią faktu, że zastraszanie należy do najważniejszych metod lobby izraelskiego w Ameryce. Mechanizm ten opisuje książka o tytule jak odwołany wykład: „The Israel Lobby and US Foreign Policy". Jej autorzy – John Mersheimer i Stephen M. Walt – stali się ofiarami poniżającej nagonki, choć pierwszy jest profesorem czcigodnego Uniwersytetu Chicago, drugi zaś jeszcze czcigodniejszego Harvardu. Obaj co kilka stron zapewniają, że uznają prawo Izraela do istnienia, a lobby izraelskiego do działania, nawet wbrew interesom Stanów Zjednoczonych! Twierdzą, że wierzą w zapewnienia lobby, iż działa nie tylko w interesie Izraela, lecz także USA. Czyli w najgorszym razie popełnia grzech błędnego rozpoznania sytuacji. Mimo tych starań nie udało się uśmierzyć jego gniewu. Profesorowie są winni poważnych występków: obnażyli z naganą mechanizmy wpływu i nieuczciwe metody lobbystów. Wezwali Waszyngton, żeby na Bliskim Wschodzie bardziej pilnował interesów Stanów Zjednoczonych niż Izraela. Z ich wyklętej książki pochodzą podawane tu informacje.

Legalna agentura

Słowo „agentura" ma w Polsce straszny wydźwięk, ale nie w Ameryce. Tam można oficjalnie i bez wstydu być agentem obcego państwa pod warunkiem zarejestrowania się w takiej roli. Konstytucja gwarantuje obywatelom prawo składania petycji do władz. Na tej podstawie działają lobby wewnętrzne, np. Krajowe Stowarzyszenie Broni Strzeleckiej (National Rifle Assiciation). To najsilniejsze z lobby krajowych, chroniące prawo Amerykanów do posiadania broni. Potężne jest też stowarzyszenie emerytów, pilnujące świadczeń socjalnych. Prawo składania petycji do władz wykorzystują również obywatele popierający zewnętrzne interesy w polityce zagranicznej Stanów Zjednoczonych.

Najsilniejszym ze wszystkich lobby wewnętrznych i zewnętrznych w USA jest lobby proizraelskie. Są to setki organizacji żydowskich. Ale i organizacje ewangelików broniące interesów Izraela z racji religijnych, bo widzą w tym państwie znak nadchodzenia Mesjasza u końca czasów. Jednak ważniejsze są świeckie: Amerykańsko-Izraelski Komitet Spraw Publicznych oraz Konferencja Prezesów Głównych Amerykańskich Organizacji Żydowskich. Oprócz nich działa mnóstwo innych, jak wspomniana ADL, zwalczająca poglądy wrogie Żydom i ich państwu, oraz setki jawnie proizraelskich lokalnych komitetów akcji politycznej, których działania koordynuje wspomniany wyżej komitet, w skrócie AIPAC, choć tego się wypiera. Działa także wiele organizacji, które pod neutralnymi nazwami ukrywają fakt, że pracują w interesie Izraela. Ponadto operują liczne think-tanki o rozmaitych odcieniach politycznych. Są to też dziennikarze systematycznie i przewidywalnie broniący interesów państwa żydowskiego. I osoby prywatne, które na wezwanie działaczy lobby i z własnego impulsu piszą do lokalnych gazet listy popierające Izrael. Lobby proizraelskie nie jest więc jednolitą, centralnie sterowaną i hierarchiczną organizacją. Ta rozgałęziona agentura wpływu funkcjonuje jak Internet. Doraźnie tworzy dobrowolne koalicje dla pewnych zadań, a po ich wykonaniu rozluźnia związki aż do następnej akcji. I cały czas zachowuje czujność. Wszystkich uczestników łączy przekonanie, że USA muszą solidnie popierać Izrael także w działaniach, którym USA są przeciwne.

Proizraelskie lobby nie jest tożsame z Żydami amerykańskimi. Jedna trzecia spośród nich nie uważa Izraela za sprawę szczególnie ważną. A wielu dbających o to państwo nie zawsze zgadza się z polityką głównych organizacji żydowskich. Na przykład amerykańscy Żydzi byli mniej entuzjastycznie nastawieni do wojny w Iraku niż ogół ludności, a kluczowe organizacje lobby popierały wojnę. Mimo wszelkich różnic panuje zasada, że nie krytykuje się publicznie rządu w Jerozolimie w podstawowych sprawach bezpieczeństwa. Organizacje amerykańsko-żydowskie rzadko też wzywają Waszyngton do wywarcia nacisków na Izrael, aby prowadził poważne rokowania pokojowe z Palestyńczykami.

Lobby jest niezwykle skuteczne, gdyż w demokracji mała, lecz zdeterminowana grupa może przeważyć, jeśli reszta obywateli zachowuje obojętność. Nawet nieprzekonani do sprawy politycy słuchają wezwań mniejszości. Mają pewność, że większość wyborców ich nie ukarze. Zwłaszcza gdy grupy przeciwne są słabe lub nie istnieją.

Żydzi amerykańscy są najbogatszą grupą etniczną, najlepiej wykształconą, mają najsilniejszą tradycję dawania pieniędzy na bliskie im cele i biorą najliczniejszy udział w wyborach. W polityce też są najbardziej kompetentni. Ich organizacje mają dobrze wyszkolone kadry i szczodrze finansowane programy społeczne, dobroczynne i polityczne. Zadanie ułatwia im korzystny wizerunek Izraela w USA, gdzie panuje przekonanie, że oba kraje należą do wspólnej kultury judeochrześcijańskiej. Łączy je też wiele nieformalnych związków. Lobby nie ma również skutecznej opozycji. Jeśli kongresman zagłosuje wbrew naciskom AIPAC, nikt go za to nie pochwali, a straci wiele.

Czołowi Żydzi amerykańscy mocno wierzą, że interesy Stanów Zjednoczonych i Izraela są takie same, ale jest to sprzeczne z faktami − dowodzą autorzy. W latach sześćdziesiątych XX wieku Izraelowi opłacało się zbudować broń jądrową, co nie było w interesie USA, podobnie jak zabijanie niewinnych Palestyńczyków, zwłaszcza amerykańską bronią. Ale niektórzy uznają konflikt interesów. Henry Kissinger napisał w pamiętnikach, że pamięta 13 członków rodziny zabitych w nazistowskich obozach koncentracyjnych, lecz stwierdza: „musiałem poddać uczuciowe preferencje mojemu pojmowaniu interesu narodowego (...) to nie zawsze było łatwe, a często okazywało się bolesne".

Lobby pomaga sympatykom Izraela w wyborze do władz ustawodawczych i w nominacjach na kluczowe stanowiska. Natomiast zastrasza polityków nieco bardziej niezależnych i ich zwalcza. Kongres USA jest najważniejszy. Izrael został na Kapitolu wyjęty spod krytyki, co się nie zdarza w innych demokracjach. Na przykład 14 stycznia 2007 roku w podkomisji Bliskiego Wschodu i Azji Południowej w Izbie Reprezentantów obyło się wysłuchanie poglądów na temat „procesu pokojowego". Oprócz sekretarz stanu Condoleezzy Rice zasięgnięto opinii trzech głównych lobbystów proizraelskich. Natomiast nie zaproszono krytyka Izraela – Palestyńczyka czy Araba amerykańskiego. W dwustronnym konflikcie miała prawo przemówić tylko jedna strona.

W centrum każdej legislacji znajdują się nie tylko kongresmani, ale również ich doradcy i pomocnicy, którzy śledzą stanowiska innych grup interesów i rozpatrują rozmaite możliwości dla swych przełożonych. Jak zauważył Morris Amitay, były szef AIPAC: „na poziomie roboczym jest tam mnóstwo facetów, którzy akurat są Żydami i chcą patrzeć na pewne sprawy w kategoriach swej żydowskości. Mają możliwości podejmowania decyzji dla swoich senatorów. Można mnóstwo załatwić na poziomie tego personelu". Przedstawiciele lobby czasem biorą bezpośredni udział w pracy nad ustawami, dostarczają konspekty wystąpień publicznych kongresmanów, pomagają pisać wyjaśniające stanowisko listy do ich kolegów, a także układać i rozprowadzać listy otwarte ustawodawców, które mają wywierać nacisk na rząd Stanów Zjednoczonych.

Legendarny AIPAC

W Kongresie najbardziej aktywny jest AIPAC. Były spiker Izby Reprezentantów Newt Gingrich określił tę organizację jako najbardziej skuteczną grupę ogólnych interesów na całej planecie. A Harry Reid, lider większości demokratycznej w Senacie, stwierdził, że trudno pomyśleć o innej organizacji w tym kraju tak dobrze zorganizowanej i szanowanej jak AIPAC. Jest on bardzo skuteczny, gdyż potrafi nagradzać i karać kongresmanów. Używa w tym celu pieniędzy, rzecz jasna nie w postaci łapówek wprost, a wpływając na wpłaty dotacji na kampanie wyborcze. AIPAC spotyka się z każdym kandydatem w wyborach do Kongresu i starannie go bada. Po zdanym teście lojalności Komitet kontaktuje kandydatów z prywatnymi donatorami i innymi źródłami funduszy. Informuje o nich też proizraelskie PAC, czyli komitety akcji politycznej, którym wolno oficjalnie popierać i finansować kandydatów. Skrót AIPAC ma podkreślać związek z PAC, ale znaczy co innego; to nie jest „political action committee", lecz „public affairs committee". Chodzi o podkreślenie braku formalnej podległości PAC. W razie potrzeby można uzyskać poparcie ambasadora

Jerozolimy, konsula generalnego i innych osób oficjalnych, które uznają kandydata za „przyjaciela Izraela".

Jeden z kandydatów na senatora, Harry Lonsdale, tak opisał wizytę w siedzibie AIPAC: Nie wystarczyło, że jestem proizraelski. Dano mi listę najważniejszych tematów i przepytano mnie, a raczej przypiekano w sprawie mojej opinii na każdy z nich. W rzeczy samej powiedziano, jakie muszę mieć opinie i jakimi dokładnie słowami wyrażać je publicznie. Wkrótce po spotkaniu w AIPAC przysłano mi listę amerykańskich popleczników Izraela z zachętą do proszenia o wpłaty na kampanię. Poprosiłem, dostałem, od Florydy po Alaskę.

Politycy amerykańscy zapamiętali lekcję, jaką dostał senator Charles Percy z Illinois. AIPAC zrujnował mu karierę w 1984 roku. Republikanin na ogół popierał w głosowaniach interesy Izraela. Naraził się, bo odmówił podpisania „Listu 76" protestującego przeciw groźbie prezydenta Geralda Forda w roku 1975, że dokona rewizji polityki bliskowschodniej USA. Co więcej, senator Percy określił lidera OWP Jasira Arafata jako bardziej „umiarkowanego" niż inni terroryści palestyńscy. Rywale senatora otrzymali duże sumy od proizraelskich PAC, a pewien biznesmen z innego stanu wydał 1,1 miliona dolarów na ogłoszenia w stanie Illinois krytykujące Percy'ego, który przegrał wybory. Jeden z liderów AIPAC chwalił się potem, że „wszyscy Żydzi w Ameryce, od wybrzeża do wybrzeża, zebrali się, aby wyrzucić Percy'ego. A politycy amerykańscy – ci, którzy sprawują urzędy i ci, którzy się o nie ubiegają – dostali nauczkę".

Są także efektowne przypadki nawrócenia na politykę proizraelską. Senator Jesse Helms był z zasady przeciwny wszelkiej pomocy zagranicznej i z tej racji także pomocy dla Izraela. W roku 1984, w którym Percy przegrał walkę z lobby, Helms sam musiał prowadzić kosztowną walkę o ponowny wybór. AIPAC skierował poważne sumy na kampanię wyborczą jego rywala, który o mało co nie wygrał. Helms dostał lekcję. W następnym roku pojechał do Izraela i dał sobie zrobić zdjęcie, jak w jarmułce całuje Ścianę Płaczu. Podróż przyniosła też zdjęcie z izraelskim premierem Arielem Szaronem dla ozdoby ściany w jego biurze. Helms stał się zdecydowanym poplecznikiem Izraela aż do emerytury w roku 2002.

Czasem groźby bywają bezpośrednie. W 2006 roku posłanka do Izby Reprezentantów, Betty McCollum, liberałka do tej pory solidnie dbająca o Izrael, była przeciwna popieranej przez AIPAC tzw. Palestyńskiej Ustawie Antyterrorystycznej wprowadzającej drakońskie przepisy. Departament Stanu też był przeciwny ustawie, jak również konferencja biskupów katolickich i umiarkowane grupy proizraelskie. Jednak lobbysta AIPAC powiedział szefowi biura pani poseł, że „poparcie terrorystów nie będzie tolerowane". Posłanka zażądała przeprosin od szefa AIPAC i zakazała wstępu ich lobbystom do swego biura. Natomiast zwalczany przez lobby były prezydent Jimmy Carter stwierdził, że jest niemal politycznym samobójstwem kongresmana ubiegającego się o ponowny wybór, aby zająć jakieś stanowisko, które może być uznane za przeciwne polityce konserwatywnego rządu Izraela.

AIPAC zbiera informacje o tym, jak głosowali kongresmani. Nie dość przychylni Izraelowi mogą mieć pewność, że lobby skieruje strumień pieniędzy na kampanię wyborczą do ich rywali. To powszechnie znany fakt. Mimo to Federalna Komisja Wyborcza nie była w stanie, no po prostu nie mogła, dopatrzyć się „wystarczających dowodów", że AIPAC kontroluje ogólnokrajową sieć proizraelskich komitetów akcji politycznej, co jest sprzeczne z prawem.

Po wygraniu wyborów amerykańscy prezydenci nie są tak podatni na naciski lobby jak kongresmani, ale dopóki są kandydatami, muszą bardzo uważać na słowa. Pouczający jest przykład Howarda Deana, demokratycznego pretendenta do nominacji partyjnej w wyborach w roku 2004. Nieostrożnie powiedział, że Stany Zjednoczone powinny zająć „bardziej zrównoważone" stanowisko w konflikcie arabsko-izraelskim. Na co rywal Deana, Joseph Lieberman, wyznawca judaizmu konserwatywnego, oskarżył go o sprzedaż Izraela, a samo oświadczenie uznał za „nieodpowiedzialne". Co więcej, prawie wszyscy czołowi demokraci w Izbie podpisali się pod ostrym listem krytykującym Deana, a żydowscy działacze w całym kraju zostali zalani anonimowymi mejlami, które ostrzegały, że Dean jest groźny dla Izraela.

Histeria czy cynizm? Ofiara ataków jest wzorowym gojem. Dean dbał o interesy państwa żydowskiego. Jego komitetowi wyborczemu współprzewodniczył Steven Grossman, były prezes AIPAC, a poglądy też miał bliskie AIPAC. Co więcej, żona Deana jest Żydówką, swoje dzieci wychowują na Żydów. Dean nie kwestionował poparcia USA dla Izraela. Powiedział tylko, że Waszyngton powinien działać jako uczciwy pośrednik, by doprowadzić do zbliżenia obu stron konfliktu. Lobby zaś toleruje tylko odruchowe poparcie.

Wymuszaniu posłuchu służą nie tylko oszczercze zarzuty. Lobby organizuje także wpłaty na kampanie kandydata – lub jego przeciwnika, jeśli kandydat jest nieposłuszny. Stanowiący około 2 procent ludności amerykańskiej Żydzi dają nieproporcjonalnie duże dotacje obu partiom. „The Washington Post" oszacował, że demokratyczni kandydaci na prezydenta otrzymują od Żydów 60 procent funduszy pochodzących z prywatnych źródeł. Inne szacunki podają 20 do 50 procent dotacji na rzecz partii demokratycznej i jej kandydatów do Białego Domu. Ponadto wyborcy żydowscy są skupieni w kilku stanach kluczowych dla wyborów prezydenckich. W wyrównanym wyścigu tzw. głos żydowski ma decydujące znaczenie, tym bardziej że frekwencja żydowska w wyborach wynosi 80 procent, podczas gdy reszty ludności 50 procent. Jest to najbardziej aktywna politycznie i najlepiej zorganizowana grupa obywateli Stanów Zjednoczonych.

Cenzura debaty publicznej

Do głównych zadań lobby należy nadzór debaty publicznej, żeby miała przebieg korzystny dla Izraela. Amerykanie muszą być przekonani, że maleńkie państwo na Bliskim Wschodzie ma wyjątkową wartość strategiczną dla USA. Kto podważa owe „specjalne związki", tego się ucisza i oskarża o wrogość do Izraela lub antysemityzm. Szczera debata mogłaby zasiać Amerykanom wątpliwości co do polityki Waszyngtonu i sprowokować żądania, żeby bardziej służyła interesom USA. Lobby stara się więc wywierać naciski na dyskusje toczone w mediach, think-tankach i w środowiskach akademickich, bo mają decydujący wpływ na opinię publiczną.

W porównaniu z innymi demokracjami media amerykańskie są zdecydowanie proizraelskie. To nie znaczy, że Żydzi i ich lobby „kontrolują media" – uprzedzają autorzy zarzut antysemityzmu (antysemitą ma być ten, kto uważa, że Żydzi kontrolują media). Lobby musi nadzorować, co się pisze i mówi właśnie dlatego, że ich zdaniem nie ma kontroli. Nadzór lobby sprawił, że media zapewniają stałą dystrybucję proizraelskich doniesień i komentarzy. W USA brak wolnej dyskusji o polityce bliskowschodniej, jaka jest w Izraelu. Moim zdaniem różnicę łatwo pojąć. Lobby zdobywa poparcie amerykańskiej opinii dla używania potęgi Waszyngtonu po stronie Jerozolimy. Sprzeciw Amerykanów miałby groźne skutki dla państwa żydowskiego, ale izraelska opinia publiczna nie rozbroi własnego państwa.

W Ameryce debatę ekspertów bliskowschodnich dominują ludzie, którzy nie potrafią wyobrazić sobie, że mogliby krytykować Izrael. Medioznawca Eric Altman w roku 2002 wyliczył 65 komentatorów, którzy popierają to państwo odruchowo i bez zastrzeżeń; tylko pięciu stale krytykuje Izrael, a popiera Arabów. Informacje są mniej stronnicze od komentarzy, bo trudno wtedy przemilczać niewygodne fakty. Jednak lobby organizuje kampanie pisania listów protestacyjnych, demonstracje i bojkoty za doniesienia, które uważa za antyizraelskie. Pewien redaktor CNN powiedział, że czasami dostaje aż sześć tysięcy mejli w ciągu jednego dnia ze skargą na doniesienia niekorzystne dla państwa żydowskiego. Menachem Schalev z konsulatu izraelskiego w Nowym Jorku przyznał: „Oczywiście jest mnóstwo samocenzury. Dziennikarze, wydawcy i politycy pomyślą dwa razy, zanim skrytykują Izrael, gdy wiedzą, że dostaną tysiące gniewnych reakcji w ciągu godziny. Lobby żydowskie dobrze orkiestruje nacisk". Dotyczy to także prasy żydowskiej.

W sierpniu 2003 roku dziennikarz Jan Buruma napisał w magazynie „New York Times'a", że czasem trudno jest mówić krytycznie i beznamiętnie o Izraelu w Stanach Zjednoczonych. A co gorsza stwierdził, że „nawet uzasadniony krytycyzm wobec Izraela czy syjonizmu często jest szybko uznawany za antysemicki przez różne organizacje nadzoru". W odpowiedzi Bret Stephens, redaktor „The Jerusalem Post", a potem członek kolegium „The Wall Street Journal", napisał zjadliwy list otwarty, zaczynając od pytania do Burumy: „Czy jesteś Żydem?". I stwierdził, że „ktoś przynajmniej musi być Żydem, żeby powiedzieć gojom, jak mogą, a jak nie mogą mówić o Izraelu". Innymi słowy, nie-Żydom wolno mówić na ten temat tylko w taki sposób, jaki Żydzi uznają za stosowny. Szef ADL Abraham Foxman stwierdził przy innej okazji w tymże magazynie „NYT", że „prawda nie wygrywa dzięki swym własnym zaletom; rynek fałszerstw jest zbyt potężny". Czyli fałszerstwa wynikają z poważnej analizy więzi USA–Izrael i pozycji strategicznej oraz moralnej Izraela. ADL chce jej wnioski trzymać na marginesie debaty publicznej i nadać im status opinii bezpodstawnych.

Polityka amerykańska wykluwa się w think-tankach, eksperckich grupach obywatelskich i partyjnych. Lobby proizraelskie ma na nie poważny wpływ. Media tu zwracają się po analizy i komentarze, zamiast do instytucji rządowych. Większość think-tanków energicznie promuje swych ekspertów. Rozprowadza krótkie i łatwo przyswajalne memoranda dla kongresmanów i pracowników rządu, organizuje seminaria i śniadania robocze, zachęca swych analityków, by wysyłali artykuły do gazet. Ma to tworzyć pożądaną atmosferę ideową. Think-tanki dostarczają też doradców kandydatom w wyborach prezydenckich, a politykom, którzy przejściowo wypadli z gry, oferują u siebie schronienie w roli ekspertów.

W 1985 roku powstał Washington Institute for Near East Policy. WINEP twierdzi, że jest „obiektywny", prezentując „zrównoważoną i realistyczną" perspektywę na problemy

Bliskiego Wschodu. Ale został założony przez Larry'ego Weinberga, byłego prezesa AIPAC, i jego żonę Barbi. Instytut stara się przemilczać swoje związki z Izraelem. Jednakże w zarządzie zasiadają wyłącznie zwolennicy tego państwa. Lobby ma również ludzi w innych wpływowych „tankach", a w zasadzie brak krytyków poparcia USA dla państwa żydowskiego.

Kontrola debaty publicznej nie może obejść się bez nadzoru nad światem akademickim. Lobby ma tu największe trudności. Wielu profesorów zajmuje posady przyznane do emerytury, co zmniejsza skutki nacisków. Podważanie ustalonych przekonań w tym środowisku wysoko się ceni, a szacunek dla wolności wypowiedzi jest mocno osadzony w tradycji. Ale lobby nie daje za wygraną. Powstały grupy, jak Caravan for Democracy, które sprowadzają z Izraela mówców sławiących to państwo jako jedyną demokrację na Bliskim Wschodzie. Żydowska Rada Spraw Publicznych (The Jewish Council for Public Affairs) zaczęła szkolenia studentów, którzy pragną bronić na kampusach interesów Izraela. W tym celu powstała także organizacja Israel on Campus Coalition koordynująca kampanie propagandowe.

Najważniejszą organizacją w walce o kampusy jest AIPAC. Zajmuje się nadzorem i instruktażem debaty od końca lat siedemdziesiątych XX wieku. Między innymi najmował studentów co tropienia profesorów i organizacji uważanych za antyizraelskie. W tym czasie ADL także zbierała materiały na jednostki oraz organizacje podejrzane o niechęć do Izraela. Dyskretnie rozprowadzała broszurkę z „podłożem informacyjnym o proarabskich sympatykach działających na kampusach", którzy „używają swego antysyjonizmu jedynie jako zasłony dla głębokich uczuć antysemickich".

Daniel Pipes założył portal Campus Watch zbierający dane akademików o „złych" poglądach. Zachęcał studentów do raportowania uwag i zachowań niechętnych Izraelowi. Następnie z dwoma działaczami starał się przekonać Kongres, aby ograniczył lub wziął pod kontrolę fundusze na bliskowschodnie studia, które rząd przyznaje najważniejszym uniwersytetom. Ustawa miała zapewnić „zróżnicowanie perspektyw i pełny przekrój poglądów na regiony świata, obce języki i sprawy międzynarodowe". Świat akademicki ponoć za bardzo sprzyja Arabom. Nadzór miała sprawować rada przy sekretarzu departamentu edukacji. Gdyby ustawa przeszła, uniwersytety otrzymujące fundusze rządowe dostałyby mocny bodziec do zatrudniania badaczy, którzy popierają politykę rządu – a ta polityka jest zgodna z żądaniami lobby. Ustawa przeszła w Izbie Reprezentantów, lecz utknęła w Senacie. Było to o tyle dziwne, że rządowy nadzór nad życiem akademickim w interesie Izraela popierali AIPAC, ADL i Amerykański Żydowski Kongres.

Amerykańskie uniwersytety mają sto kilkadziesiąt programów studiów na tematy żydowskie. Mimo to wielu filantropów daje pieniądze na dodatkowe programy, aby zwiększyć na kampusach liczbę uczonych przyjaznych dla Izraela. Z podobnych powodów Sheldon Adelson, który zarobił miliardy dolarów na grach hazardowych, przekazał wielomilionową dotację dla Georgetown University na utworzenie centrum, gdzie „temat żydowski będzie paradygmatem stosunków międzynarodowych". Pierwszy dyrektor Yossi Shain (a zarazem szef Hartog School of Government na Uniwersytecie Tel Awiwu) stwierdził, że program w Georgetown jest ważny, „ponieważ jest to uczelnia jezuicka, ponieważ jest w Waszyngtonie i ponieważ jest to szkoła służby zagranicznej". Rabin uniwersytetu Harold White potwierdził, że nowe centrum jest ważne, gdyż „wielu absolwentów Georgetown trafia do Departamentu Stanu".

Lobby rozdyma incydenty antysemickie do groteskowych rozmiarów, zastraszając garstkę przeciwników. Latem 2002 roku proizraelskie grupy na Uniwersytecie Chicago poskarżyły się na „atmosferę zastraszania i nienawiści wobec żydowskich studentów na kampusie". Zdumiona i pewnie przerażona administracja uczelni wszczęła dochodzenie. Znalazła jedno antysemickie graffiti w akademiku i jeden dowcip na temat Auschwitz wysłany mejlem. Czy to „atmosfera prześladowań i odrzucenia", niech powie rozsądek. Ale na uniwersytet przybył konsul generalny Izraela, potem ambasador z Waszyngtonu, żeby zmusić rektora do poprawienia pozycji ich państwa na kampusie. Jednocześnie zbombardowano spamem skrzynkę mejlową historyka Rashida Khalidi, Palestyńczyka i członka fakultetu.

Próbuje się także uniemożliwić publikację prac naukowych krytykujących pewne poglądy. Na przykład w roku 1998 ADL zażądała od wydawnictwa Metropolitan Books wstrzymania publikacji książki „A Nation on Trial" Normana Finkelsteina i Ruth Bettina Birn, którzy napisali ostrą krytykę bestselleru Daniela Goldhagena „Hitler's Willing Executioners" (Chętni kaci Hitlera). Jego autor dowodził, że Holocaust był nie tylko wynikiem ideologii nazistowskiej i szaleństwa wodza III Rzeszy, lecz również zakorzenienia się wszechobecnej „ideologii eliminacyjnej" w społeczeństwie niemieckim sprzed epoki nazizmu. Obie książki zebrały pochwały oraz nagany szanowanych akademików. Jednak szef ADL Abraham Foxman oświadczył, że taka pozycja jak „A Nation on

Trial" nie powinna zostać wydana. Nie chodzi o to, czy Goldhagen ma rację, czy jej nie ma, ale o „uprawniony krytycyzm" i o to, że przekracza granice.

Wynalazek „nowego antysemityzmu"

Kto dostrzega wielki wpływ lobby proizraelskiego na politykę bliskowschodnią Waszyngtonu, może być oskarżony o antysemityzm, jeśli sam nie należy do lobby. AIPAC pyszni się swą siłą, również Konferencja Prezydentów Głównych Organizacji Żydowskich w Ameryce chwali się wpływami. Izraelskiej prasie wolno pisać o „lobby żydowskim" w Ameryce. Natomiast gojom chce się zakazać zwracania na nie uwagi. Służy w tym celu wynalazek „nowego antysemityzmu", który równa się krytyce Izraela. Termin ten ukuli Arnold Forster i Benjamin Epstein z ADL w swej książce „The New Anti-Semitism" wydanej w 1974 roku. Izrael stanął wtedy w obliczu żądań zwrotu ziem palestyńskich, zajętych w wyniku wojny siedem lat wcześniej.

Na początku lat osiemdziesiątych XX wieku Izrael najechał Liban. Zaczął rozbudowywać osiedla na Zachodnim Brzegu. Lobby sprzeciwiało się sprzedaży broni amerykańskiej do krajów arabskich. Przy tej okazji działacze ADL Nathan i Ruth Ann Perlmutter wydali książkę „Prawdziwy antysemityzm w Ameryce". Dowodem na jego istnienie miały być naciski na Izrael, żeby zawarł pokój, i sprzedaż Arabii Saudyjskiej samolotów wczesnego ostrzegania AWACS. Autorzy uznali, że działania „asemickie", czyli niemotywowane wrogością do Żydów, szkodliwe jednak dla Izraela, mogą odrodzić prawdziwy antysemityzm. Natan Szarański, były dysydent sowiecki, obecnie polityk izraelski, dowodził, że „nowy antysemityzm pojawia się pod maską «politycznej krytyki Izraela», a składa z dyskryminacyjnego podejścia i podwójnych standardów, kwestionując prawo tego państwa do istnienia". Każdy, kto krytykuje postępowanie państwa, sprzeciwia się jego istnieniu. Jest wrogiem Żydów. Czyli wrogiem Żydów są Żydzi, gdy krytykują swe państwo za łamanie ludzkich praw Palestyńczyków.

Zarzut antysemityzmu jest potężnym narzędziem, zwłaszcza w Stanach Zjednoczonych. Do kogo przylgnie, ten zostanie zmarginalizowany w życiu publicznym, a jego poglądy będą ignorowane. Politycy boją się osób tak oskarżonych, gdyż kontakty z nimi mogą zrujnować im karierę. A trudno udowodnić, że się nie jest antysemitą, krytykując politykę. W grę wchodzą tu motywy, a tych nie można ujrzeć bezpośrednio.

Oskarżenia o antysemityzm mają żywy oddźwięk wśród Żydów amerykańskich mimo ich sukcesów w każdej dziedzinie życia. Wielu sądzi, że zjadliwa nienawiść może wrócić w każdej chwili. Wiosną 2002 roku, gdy Izrael był krytykowany na całym świecie, Nat Hentoff napisał w tygodniku „The Village Voice", że „jeśli włączą się megafony i głos powie «wszyscy Żydzi mają zgromadzić się na Times Square», wcale nie będę zaskoczony". Ron Rosenbaum w „The New York Observer" napisał, że „drugi Holocaust" przeciwko Izraelowi jest prawdopodobny. Tego już nie wytrzymał Leon Wieseltier z „The New Republic": „Wspólnota tonie w podnieceniu – napisał – w wyobrażeniu katastrofy. Następuje utrata kontroli umysłu. Śmierć jest u każdych żydowskich drzwi. Strach dziki. Rozum wykolejony. Lęk największym dowodem autentyzmu. Niedokładne a podburzające analogie się mnożą. Wyobrażenia Holocaustu są wszędzie". Tytuł artykułu głosi „Hitler jest martwy: sprawa przeciwko żydowskiej panice etnicznej".

Oskarżenie o antysemityzm nie ominęło Jimmy'ego Cartera. A żaden prezydent amerykański nie zrobił więcej dla bezpieczeństwa Izraela niż on, gdy doprowadził do traktatu pokojowego z Egiptem w 1979 roku. Po zakończeniu kadencji w Białym Domu zajmował się dyplomacją obywatelską. W 2006 roku wydał książkę „Palestyna: pokój nie apartheid". Zarzucił w niej Izraelowi, że zasiedlając okupowane tereny, przeszkadza w uzyskaniu pokoju. Polityka Izraela jest „systemem apartheidu, z dwoma ludami zajmującymi tę samą ziemię, lecz kompletnie oddzielonymi od siebie, z całkowicie dominującą i dławiącą przemocą Izraelczyków, którzy pozbawiają Palestyńczyków podstawowych praw ludzkich". Wykazał zrozumienie dla sytuacji strategicznej państwa żydowskiego, ale stwierdził, że trudno w USA o szczerą dyskusję na ten temat. Polityk izraelski Yossi Beilin zauważył: „W krytyce Cartera wobec Izraela nie ma nic, czego nie mówiliby sami Izraelczycy". Pojęcie „apartheidu" też jest używane przez Izraelczyków krytycznych wobec okupacji terenów palestyńskich.

Mimo to ADL zaatakowała byłego prezydenta wielkimi ogłoszeniami w głównych gazetach. Abraham Foxman oznajmił, że angażuje się on w antysemityzm, a wydawca Martin Peretz napisał, że „przejdzie do historii jako nienawidzący Żydów"(!). Historyk Deborah Lipstadt napisała w „The Washington Post", że „Carter wielokrotnie – zapewne nieświadomie – popada w tradycyjne antysemickie pomówienia".

Taki los spotkał też autorów omawianej książki. Pierwotnie był to artykuł pt. „The Israel Lobby" w „London

Review of Books". ADL określiła to jako „klasyczną spiskową antysemicką analizę, która przywołuje pomówienia o żydowskiej władzy i żydowskiej kontroli". Nieco wielkoduszności okazał Shuel Rosner, pisząc w dzienniku izraelskim „Ha'aretz", że były prezydent i laureat Pokojowej Nagrody Nobla „nie jest tak antysemicki jak Walt-Mearscheimer". Pomni reakcji na artykuł o lobby izraelskim, autorzy dali w książce 1126 przypisów ze źródłami przytoczonych faktów i opinii; wiele przypisów odnosi się do kilku publikacji. Omówienie reakcji na ich książkę znajdziemy w Wikipedii pod hasłem „The Israel Lobby and US Foreign Policy".

Autorzy otrzymali sprzeciwy i pochwały, w tym od Osamy bin Ladena, chociaż jego poparcia wcale nie szukali. Powiedział, że „po lekturze książki będziesz znał prawdę i zaszokuje cię skala ukrywania przed tobą [faktów]". Chociaż Stephen Walt woli rekomendacje innych osób, to oświadczył, że bin Laden poparł książkę, „ponieważ pojmuje – razem z innymi ludźmi – że połączenie bezwarunkowego poparcia USA dla Izraela z brutalnym traktowaniem Palestyńczyków przez Izrael jest źródłem wielkiego niezadowolenia w arabskim i islamskim świecie". Owszem. Osama bin Laden podał amerykańskie poparcie dla Izraela jako motyw zlecenia zamachów z 11 września 2001, oprócz stacjonowania wojsk USA w Arabii Saudyjskiej, na świętej ziemi Mahometa.

Plan przesunięcia wojsk z Arabii do uwolnionego od dyktatora Iraku był jednym z powodów wojny z Saddamem Husajnem. A ta okazała się największą katastrofą militarną Ameryki od Wietnamu trzydzieści lat wcześniej. Zdaniem autorów nie doszłoby do niej, gdyby nie nacisk lobby i polityków izraelskich. Ich kraj odniósł sukces strategiczny bez wydatków, wystrzału i ani kropli krwi.

Kosztem Stanów Zjednoczonych pozbył się wroga, który dziesięć lat wcześniej uderzył rakietami SCUD na Tel Awiw w wojnie w Zatoce Perskiej. Waszyngton nie poprosił o pomoc w tej wojnie Izraela, ponieważ rozpadłaby się wtedy koalicja z udziałem kilku państw islamskich.

Decydującą rolę w rozpętaniu wojny odegrali neokonserwatyści, Amerykanie w wielkiej mierze żydowskiego pochodzenia, ale nie wyłącznie. Parli do ataku na Bagdad już od zamachów z 11 września 2001 roku. Obalenie Saddama Husajna miało być pierwszym krokiem w przekształceniu Bliskiego Wschodu przez demokrację wprowadzoną siłą. Ten ambitny plan był ściśle związany z troską o bezpieczeństwo Izraela.

Generał Wesley Clark, emerytowany dowódca naczelny NATO i kandydat na prezydenta, powiedział, że „ci, którzy popierają atak, przyznają szczerze i prywatnie, że prawdopodobnie Saddam Husajn nie jest zagrożeniem dla Stanów Zjednoczonych. Ale obawiają się, że w pewnym momencie może postanowić, jeśli będzie miał broń jądrową, użyć jej przeciwko Izraelowi". Są to słowa z sierpnia 2002 roku. Philip Zelikow, członek rady wywiadu zagranicznego przy prezydencie George'u W. Bushu i doradca sekretarza stanu Condoleezzy Rice, stwierdził we wrześniu 2002 roku, że Husajn nie zagraża bezpośrednio USA. Prawdziwą groźbą jest groźba dla Izraela. „A to jest groźba, która nie śmie wymienić swego imienia, gdyż Europejczycy nie przejmują się nią głęboko (...). A rząd amerykański nie chce na niej za bardzo polegać retorycznie, gdyż nie jest popularnym towarem". Były senator Ernest Hollings powiedział w maju 2004 roku, że inwazja na Irak nastąpiła, „gdyż pragniemy zabezpieczyć naszego przyjaciela – Izrael". Wiele ugrupowań żydowskich szybko nazwało go antysemitą, a zawsze czujna ADL stwierdziła, że jego uwaga „przypomina stare antysemickie oszczerstwa na temat żydowskiej konspiracji, kontroli i manipulowania rządem". Hollings odparł, że tylko stwierdził rzecz oczywistą, a sam przez długi czas zdecydowanie popierał Izrael.

Dziennikarz Robert Novak ujawnił w kwietniu 2007 roku, że w przededniu wojny premier Ariel Sharon na zamkniętym spotkaniu z amerykańskimi senatorami powiedział, że jeśli uda im się usunąć Saddama Husajna, to zapewnią bezpieczeństwo Izraela. I tak się stało. Wskutek inwazji zginęło pół miliona Irakijczyków i pięć tysięcy żołnierzy USA, a ponad trzydzieści tysięcy odniosło rany. Wojna kosztowała Amerykę co najmniej bilion sto miliardów dolarów. A Izrael pozbył się wroga bez strzału, bez kropli krwi, bez wydania jednego szekla!

Medialny wzór
„Gazety Wyborczej"

Wybitny udział Żydów w dziennikarstwie jest skutkiem wysokiej inteligencji werbalnej oraz poczucia pewnego wyobcowania i zagrożenia. To zmusza do czujnego śledzenia środowiska. Dlatego wydają najlepsze gazety. Jeśli „Gazeta Wyborcza" nazywana jest „żydowską gazetą dla Polaków", to „The New York Times" jest „żydowską gazetą dla Amerykanów". Pewne podobieństwa linii redakcyjnej obu tych dzienników są uderzające.

„NY Times" wyznaczył sobie misję oświatową, która jest zgodna z zasadą judaizmu „tikkun olam" – naprawy świata. Lecz na jaką modłę? Dziennik ten formuje umysł czytelnika w sposób trudny do wykrycia z dnia na dzień. Dopiero po latach widać, że nie bierze się go bezkarnie do ręki. Któregoś dnia zauważyłem tytuł „Druga przemiana transseksualnego ekonomisty. Mamy dowód, że płeć określa podejście do przedmiotu". Była to życzliwa opowieść o znanym badaczu, a w czasie studiów na Harvardzie graczu rugby, który przeszedł operację zmiany płci. Jako „nowa kobieta" pracuje nad feministycznym podejściem do ekonomii, które jest inne niż tradycyjne.

Tylko ciekawostka? Artykuł ukazuje główny motyw światopoglądu „NYT": człowiek jest wolny i musi sam się stwarzać, ponieważ Bóg umarł. Reszta to przypisy. Dziennik kroczy więc w czołówce postępu. Żąda odpowiedzialności władz przed obywatelami oraz większych praw dla Murzynów i biedaków. Wskazuje nowe horyzonty. Gazeta wychowuje Amerykę w duchu laickim. Popiera rozdział

Kościoła od państwa, ateizm i materializm naukowy. Broni wolności wypowiedzi, łącznie z bluźnierstwami przeciw chrześcijaństwu. Domaga się centralnej kontroli państwa nad oświatą, żeby w umysłach młodzieży nie bruździła „prawica religijna". Jest za aborcją i swobodą seksualną, pod warunkiem że nie szkodzi innym. Człowiek ma wyłączne prawo do swojego ciała. W ostatniej dekadzie postęp wolności przejawia się uznaniem dla homoseksualizmu i ciepłym stosunkiem do zmiany płci.

W sprawach społecznych dziennik lansuje socjaldemokrację po amerykańsku. Popiera biznes i wolny rynek, ale również związki zawodowe i silny rząd, który powinien zapewnić powszechne ubezpieczenia lekarskie oraz rozbudowany system zasiłków. Bezlitośnie zwalcza nadużycia zaufania publicznego w gospodarce, finansach i administracji. Rząd powinien energicznie chronić środowisko naturalne przed chciwością korporacji, a obywateli – przed łatwym dostępem do broni. Kara śmierci to barbarzyństwo. Gazeta ma też wizję urządzenia świata. To stopniowe ograniczanie suwerenności państw narodowych, łącznie z Ameryką. Mimo swej potęgi USA nie powinny działać w pojedynkę, mają natomiast szerzyć demokrację i bronić praw człowieka, opierając się na układach międzynarodowych. W odniesieniu do Stanów Zjednoczonych ten globalizm objawia się poparciem dla etnicznej różnorodności i energiczną obroną imigrantów, także nielegalnych. Na straży ładu i postępu świata ma stać wolność prasy.

„The New York Times"
to nie jest głos Ameryki

Program ten w wielu punktach wygląda na sympatyczny. Jednak „NYT" jest światopoglądowo wyobcowany z opinii publicznej. 95 procent Amerykanów twierdzi, że wierzy w Boga. Prawie dwie trzecie dopuszcza wiarę w celowe stworzenie świata i nie są przekonani do teorii ewolucji gatunków Darwina. Większość chce dopłat państwa do czesnego, by ubodzy rodzice mogli posyłać dzieci do szkół parafialnych, które są na ogół lepsze od publicznych, lecz płatne. Ale dla „NYT" dofinansowanie parafii jest niedopuszczalne, bo narusza rozdział Kościoła od państwa.

Ta tolerancyjna gazeta jest tolerancyjna wybiórczo. W walce z religią stosuje agresywną taktykę. Oto Brooklyn Museum of Art wystawiło obraz Marii Dziewicy namalowany łajnem słonia. Ówczesny burmistrz, katolik Rudolph Giuliani, nazwał to profanacją i zagroził muzeum odcięciem funduszy miejskich. „The New York Times" oskarżył burmistrza o atak na wolność wypowiedzi. A przez następne trzy tygodnie powracał do sprawy w 70 artykułach! Trzydzieści siedem broniło wystawy, atakując Gulianiego, dziewięć broniło chrześcijaństwa, dwadzieścia cztery zachowały neutralność w sporze. Ale komentarze redakcyjne były zawsze niepochlebne dla burmistrza. Pierwszy twierdził, że Giuliani naraża miasto na śmieszność. Odezwał się również dyrektor świetnego Museum of Modern Art, Glenn Lowry, twierdząc, że krytycy obrazu Marii są „nietolerancyjni" i nie mogą potępiać ludzi, których „nie rozumieją". Niemniej konserwatywny komentator dziennika William Safire ubolewał nad głupotą elity artystycznej Nowego Jorku, która, obrażając większość Amerykanów chrześcijan, naraża muzea na utratę funduszy publicznych. Przy okazji innej profanacji tradycji chrześcijańskiej (Jezus ukazany jako aktywny gej) redakcja stwierdziła, że „nie ma zasadniczej różnicy między tłumieniem produkcji kontrowersyjnej sztuki i tłumieniem form kultu". Czyli naruszaniem konstytucyjnej wolności wyznania. Ma być tolerancja.

Gdzie leży – według „New York Timesa" – ten klucz do lepszego świata? Klasyczne pojęcie tolerancji nakazuje pogodzić się z istnieniem przekonań i postaw innych niż własne. Dla „NYT" to za mało. Osoba tolerancyjna musi przyjąć, że wszystkie tradycyjne wiary są zasadniczo równe, podobnie jak kultury i style życia. Nikomu nie wolno nikogo nawracać. Wyjątek stanowi wiara „New York Timesa" w wolny rynek, demokrację i społeczeństwo liberalne, którą powinni przyjąć wszyscy Amerykanie, a z czasem cały świat. Kto przeciw temu protestuje, jest nietolerancyjny. U początków takiej postawy tolerancji radykalnej i relatywizującej był lęk przed antysemityzmem. Obecnie Żydzi nie mają czego obawiać się w Ameryce, zatem gazecie chodzi raczej o stworzenie wzoru społeczeństwa globalnego. Zamiast więc uważać, że moja wiara czy kultura jest najlepsza, trzeba przyjąć, że jest najlepsza – ale tylko dla mnie. Religia przypomina język. W jakim się wychowałeś, w takim ci najwygodniej. Wartości wynikają bowiem z wychowania i nie są absolutne. Wszystko staje się tymczasowe i może być przedmiotem negocjacji.

Czy wartości są względne? Zależy, jak głęboką przyjąć perspektywę. Z czasem wszystko mija. Ale czy w tak postrzeganym świecie lepiej ludziom żyć, raczej wątpliwe. Jest mniej konfliktów, lecz więcej poczucia pustki,

którą wypełnia masom konsumpcja materialna. A intelektualiści muszą obalać kolejne tabu, aby udowodnić,
że mają rację bytu. W takim świecie władza i przywileje
wpadają w ręce heroldów postępu, którymi są... zgadli-
ście, oświeceni Żydzi. Wszyscy ludzie są równi, lecz niektórzy równiejsi. Szlachetny na pierwszy rzut oka program gazety podejrzewam o subtelny egoizm. Urodzeni
przywódcy postępu chcą stworzyć globalne środowisko, gdzie zawsze będą górą. Dziś na horyzoncie walki
o wolność znajdują się prawa zwierząt. Jeden z cytowa-
nych przez gazetę ekspertów zaleca wytaczanie proce-
sów sądowych w imieniu szympansów, które powinny
być uznane za „osoby" pod ochroną konstytucji. Pogląd
ten na razie nie zyskał poparcia redakcji.

Wielu z tych nadużyć podanych wyżej i niżej nie za-
uważyłbym, gdyby nie dwie książki – Edwina Diamonda
„Behind the Times", wydana przez The University of
Chicago Press, oraz Williama Proctora „The Gospel
According to The New York Times", wydana przez
Broaddman and Holman Publishers – skąd cytuję fakty.

„New York Times" zaprzągł do naprawy rodzaju ludzkiego doskonały warsztat prasowy. Zachowuje pozory
równowagi i często jest bezstronny. Indoktrynacja liberalna odbywa się przez zaspokajanie ciekawości świata.
Dzięki tysiącu dziennikarzy powstaje świetny serwis krajowy i zagraniczny. Starannie rozdziela się materiały na
cztery kategorie. Jedne przedstawia się czytelnikom jako
czyste wiadomości, inne jako analizy faktów, jeszcze inne
jako opinie konkretnych komentatorów i w końcu „sanc-
tus sanctorum" – komentarz redakcyjny. Powstaje wrażenie, że za każdym razem ostrzega się czytelnika przy
przekraczaniu kolejnych progów subiektywizmu, więc
poglądów nikt mu nie narzuca.

Dziennikarstwo odpowiada na pięć pytań: kto, co, kiedy, gdzie, dlaczego. „NYT" można ufać, że pierwsze cztery odpowiedzi podaje prawdziwe. Błędy rzeczowe wyłapuje gęste sito. Materiał skierowany do druku czyta kierownik działu, następnie dokumentalista, który sprawdza fakty, wyszukuje sprzeczności i bada równowagę ujęcia w rozumieniu redakcji. Potem czyta redaktor wydania pod tym samym kątem i sprawdza gramatykę. Następnie starszy redaktor czyta każdy tekst przeznaczony na pierwszą stronę. a także materiały mające ponad 1200 słów. Trudno o przypadkowe błędy, choć się zdarzają. Dopiero przy odpowiedzi na piąte pytanie dziennikarskie – dlaczego? – otwiera się pole dowolności. Chodzi o motywy działania, a to jest interpretacja faktów. Obowiązuje tu światopogląd redakcyjny. Weźmy sprawozdania sportowe: zawodnicy często twierdzą, że zwycięstwo dała im modlitwa i pomoc Boga, co można usłyszeć w telewizji. „NYT" przemilcza takie wyjaśnienia, mimo że modlitwa poprawia skuteczność ludzkiego działania, choćby dlatego, że pomaga się skupić. Jej siłę sprawczą może uznać również agnostyk i ateista, traktując jako rodzaj medytacji. Dla „New York Timesa" byłby to argument na rzecz postawy religijnej. Łamie więc etykę dziennikarską, by postawić na swoim. Bóg umarł.

Dziennik traktuje siebie bardzo poważnie w sprawach dużych i małych. Dziesięć lat debatowano, czy wprowadzić kolumnę „opinions and editorials", czyli stałych felietonistów i przygodnych komentatorów. Przeciwnicy obawiali się, że to za blisko komentarzy redakcyjnych na sąsiedniej stronie. A dzisiaj jest to najciekawsza część gazety. Również dziesięć lat trwał spór, czy przed nazwiskiem kobiet stawiać „Ms", a nie „Mrs" lub „Miss". Kiedy po raz pierwszy pojawiło się „Ms", redakcję odwiedziła z kwiatami czołowa feministka Gloria Steinem. Tytuł podkreśla samodzielność kobiety, nic nie mówiąc o jej stanie cywilnym. Ten graniczący ze śmiesznością nabożny stosunek dla swej misji daje świetne rezultaty. Gazeta zdobyła ponad sto nagród Pulitzera, dwa razy więcej niż następna z kolei. Jest potężnym biznesem, ale głównym celem korporacji „New York Timesa" nie są pieniądze. Kapitał stanowi tylko narzędzie naprawy świata. Kto tego nie zrozumiał i chciał jedynie powiększać zyski, musiał odejść z budynku w sercu Manhattanu.

Priorytety dziennika ukazała afera „papierów Pentagonu", stawiając „NYT" na czele czwartej władzy w Ameryce, prasy, obok władzy ustawodawczej, wykonawczej i sądowniczej. Od tej pory żaden polityk czy obserwator świata nie może już ignorować „NY Timesa". 13 czerwca 1971 roku dziennik zamieścił pierwszy odcinek tajnego raportu analityków Departamentu Obrony o kolejnych etapach wplątywania USA w wojnę w Wietnamie. Wściekły prezydent Richard Nixon uzyskał sądowy zakaz dalszych publikacji, „The New York Times" złożył apelację i Sąd Najwyższy uchylił zakaz druku. Po innym wyroku gazeta zapłaciłaby miliony dolarów kary, a wydawcy groziłoby więzienie. Firma prawnicza dziennika sprzeciwiała się publikacji „papierów Pentagonu". Gdyby na czele korporacji stał tylko przedsiębiorca, posłuchałby tej rady. Trzeba mieć poczucie misji publicznej, żeby ryzykować dla jakiejś sprawy więzienie i ruinę. Jeszcze dziesięć lat później gen. William Westmoreland i dyrektor CIA William Colby twierdzili, że wojna wietnamska nie została przegrana w Wietnamie, lecz na pierwszej stronie „The New York Timesa". Publikacja „papierów Pentagonu" wzmocniła wolność prasy, dodając odwagi wydawcom w krytykowaniu rządu.

Rząd dusz zamiast żądzy pieniądza

Szefom korporacji NYT chodzi przede wszystkim o wpływy, a nie o pieniądze. Redakcję i biznes oddziela żelazna kurtyna. Tak przynajmniej twierdzą. Ale sekcje tematyczne planuje się z myślą o potrzebach reklamodawców. Dla ochrony niezależności dziennikarzy pracownikom z obu części korporacji nie wolno kontaktować się poniżej szczebla wysokich stanowisk podanych w stopce redakcyjnej. Wśród tysięcy komputerów korporacji tylko jeden ma dostęp do obu systemów: redakcyjnego i biznesowego. Jest to komputer wydawcy.

Sześćdziesięcioparolatek Arthur Ochs Sulzberger Jr. jest prezesem korporacji i wydawcą gazety. „NYT" sprzedaje w całej Ameryce ponad 1,8 miliona egzemplarzy w ciągu tygodnia i ponad 2,3 miliona w weekend (dane z marca 2013 roku). Korporacja jest właścicielem osiemnastu gazet regionalnych i „International New York Timesa" o nakładzie ponad 200 tysięcy egzemplarzy, który czyta światowa elita. Rozprowadza też artykuły i komentarze w syndykacie paru tysiącom odbiorców na pięciu kontynentach. NYT News Service ma setki odbiorców w ponad 50 krajach. Poglądy redakcji „New York Timesa" głosi machina medialna, która na całym globie nie ma sobie równej wpływem.

Korporacja jest spółką akcyjną pod kontrolą rodziny Sulzbergerów. Posiadają oni akcje klasy B, które uprawniają do wyboru 70 procent członków zarządu. Prawo pierwokupu akcji B mają tylko członkowie rodziny, a potem NYT Co. Jeśli nie będzie nabywcy, akcje wolno sprzedać na rynku, ale po zamianie na klasę A, pozbawioną przywileju wyboru zarządu. Porozumienie o podziale akcji ma obowiązywać jeszcze 21 lat po śmierci ostatniego dorosłego członka rodziny, czyli praktycznie do połowy bieżącego stulecia. Akcje klasy B stanowią znikomy ułamek wszystkich akcji. Daje to Sulzbergerom nadzór nad wielkim majątkiem kosztem innych udziałowców, którzy praktycznie nie mają wpływu na skład kierownictwa. Komu to się nie podoba, nie kupuje udziałów w korporacji. Zaś kilkanaście osób – o skądinąd skromnym stylu bycia – kontroluje narzędzie przemiany globalnej świadomości.

Rodzinne imperium założył Adolph S. Ochs, syn Juliusza, urodzonego w Niemczech Żyda zajmującego się handlem domokrążnym. Adolph jako chłopiec czyścił ramy zecerskie w drukarni gazet w Tennessee. W roku 1878, w wieku 20 lat, zaczął wydawać za pożyczone 37 i pół dolara „Chattanooga Times". Po latach kupił udziały kontrolne nowojorskiego „Timesa", gazety poważnej, acz na krawędzi bankructwa. W sierpniu 1896 roku, gdy Ochs został wydawcą, nakład wynosił 9 tysięcy egzemplarzy. Jego pierwszym posunięciem było trzykrotne obniżenie ceny. Gdy umierał w 1935 roku, nakład wynosił 400 tysięcy. Wśród wielu goniących za sensacją dzienników Ochs uczynił z „NYT" gazetę szanowaną i bezstronną. Nie chciał komiksów i krzykliwych tytułów. Wiedział jednak, że czytelnicy lubią zbrodnie, przemoc i seks, zamieszczał je więc pod pretekstem „socjologii miasta". Był także dalekowzroczny. Wszystkie zyski – po zaopatrzeniu siebie i rodziny – inwestował w środki zbierania informacji.

Ochs na wszelkie sposoby zdejmował z „NYT" łatkę „żydowskiej gazety". Podczas I wojny światowej nakazał, by „nie dawać za dużo miejsca" pomocy Żydów amerykańskich dla pobratymców w Europie. Nie lubił Żydów z Europy Wschodniej, uważając ich za „niepożądanych", bo kulturowo stali niżej od niemieckich. Podczas II wojny dziennik pomniejszał rozmiary Holocaustu. Dopiero w 1996 roku przyznał się do winy. Na wystawie z okazji 100. rocznicy zakupienia „NYT" przez rodzinę Ochsów pojawiła się dwuzdaniowa notka: „«New York Times» był krytykowany za poważne zlekceważenie Holocaustu. Chociaż niektóre doniesienia zostały wyraźnie podane, to wystawa pokazuje, że krytyka była uzasadniona". Obok znalazł się wycinek artykułu z 1942 roku o „milionie Żydów zabitych przez nazistów", który pojawił się dopiero na stronie siódmej. Według innego doniesienia Hitler zabił „400 tysięcy Europejczyków". Słowo „Żyd" pojawiło się w siódmym akapicie tego artykułu. Aż do końca lat sześćdziesiątych XX wieku w kierownictwie gazety nie było żadnego Żyda. Dopiero wtedy zastępcą naczelnego został Abraham Michael Rosenthal, ale podpisywał teksty tylko inicjałami imion, podobnie jak inni żydowscy dziennikarze. W tamtych czasach redakcja sprawdzała miarką długość szpalt poświęconych Żydom i Arabom, aby pod koniec tygodnia bilans wyszedł na zero. Miało to świadczyć o obiektywnym podejściu do konfliktu bliskowschodniego.

„The New York Times" odrzucił antysyjonizm dopiero po wojnie sześciodniowej w 1967 roku. Wielki sukces wojskowy Izraela rozbudził w Ameryce żydowski nacjonalizm i dziennik musiał dotrzymać kroku swoim czytelnikom. Trzy lata później Rosenthal został pierwszym redaktorem naczelnym żydowskiego pochodzenia. Obecny wydawca Arthur O. Sulzberger Jr. należy do Kościoła episkopalnego po matce i ojczymie. Religijnie obojętny – jako wyznanie podaje „The New York Times". Jednak judaizm reformowany zbyt silnie zakorzenił się w rodzinie i redakcji, by wyparował z wiarą. Bóg umarł, lecz pozostał judaizm bez wiary. Deklaracja Arthura Jr. brzmi: „To, co nas łączy, to nie wspólny poziom religijnego kultu; to, co nas łączy, jest raczej zaangażowaniem w «tikkum olam», w uzdrowienie i naprawę świata".

Multikulti kontra prawda

Na czym konkretnie polega uzdrawianie świata? Najważniejszy dziennik Stanów Zjednoczonych drwi z patriotyzmu i pragnie naród amerykański rozcieńczyć. Sprzyja wrogom kraju. Lansuje rozwiązłe obyczaje. Ukrywa fakty, które są sprzeczne z propagandą lewicy, manipuluje i kłamie. W pozie wyższości moralnej poucza Amerykanów, że powinni zmienić swą tożsamość.

Arthur Ochs Sulzberger Sr. „Punch", zmarły 29 września 2012 roku, emerytowany prezes NYT Co., może już tylko przewracać się w grobie, gdy jego syn Arthur Jr. wyprawia te szkaradzieństwa. Dwadzieścia lat temu oddał mu kontrolę nad gazetą, a pięć lat później pełną kontrolę w roli prezesa nad całą korporacją z 18 dziennikami regionalnymi. Imperium to stworzył „Punch" na bazie dziennika, kiedy został szefem w 1963 roku.

Był czas, gdy „NYT" oddzielał starannie ustalane fakty od liberalnych poglądów redakcji. Dzisiaj narzuca polityczną poprawność. Nie tylko swoim czytelnikom, ale też odbiorcom prasy, radia, telewizji, Internetu, bo wszyscy producenci informacji i opinii głównego nurtu czytają „NY Timesa". Ciągle ma znakomite materiały i jest dobrze redagowany. Ale przypomina starszą panią zadającą się z kolorową młodzieżą, by nie wypaść z obiegu.

Na przykład z Barackiem Obamą. Prezydent po zapowiedzi ujarzmienia wiatru i energii słonecznej dostał taki komentarz naukowego reportera: „poczułem jak blask wiosennego słońca omywa me policzki i niemal mogłem sobie wyobrazić, że słyszę muzykę mieczy przekuwanych na lemiesze". Tak pisało się u nas o Stalinie.

Rozkład etosu „The New York Timesa" ukazał William McGowan w książce „Gray Lady Down". („NYT" był przezywany Szarą Damą z racji eleganckiej solidności i unikania koloru na stronach). Dziennik wyniósł na szczyty autorytetu ostatni redaktor naczelny, który walczył w II wojnie światowej, Abe M. Rosenthal. Uważał kontrkulturę lat sześćdziesiątych za siłę niszczycielską. Aż nastąpiła zmiana Nowy wydawca z pokolenia Woodstock po objęciu rządów w 1992 roku obrał kurs wielokulturowy. Arthur Osch Sulzberger Jr. uznał, że za następne dziesięć lat wśród nowych pracowników zatrudnionych w kraju 80 procent będą stanowiły kobiety, mniejszości rasowe i imigranci w pierwszym pokoleniu. „NYT" przetrwa, jeżeli przykroi obraz świata do horyzontu umysłowego tej populacji.

Wydawca zaczął faworyzować Murzynów, Latynosów i gejów, chociaż starsi dziennikarze narzekali, że promuje niedouczonych. Dla większej poczytności wśród gorzej wykształconych mas czytelników żądał szerszej obsługi popkultury, więcej błahostek lifestylowych. Przystosował dziennik do poziomu zgłupienia Ameryki, na jaki zepchnęła ją ulgowa edukacja publiczna, masowa imigracja z Trzeciego Świata i przedwczesne awanse mniejszości rasowych. Niedzielny magazyn „NYT" zaczął publikować prowokacyjne materiały. W Święto Niepodległości 4 Lipca zamieścił np. zdjęcie faceta w plenerowej latrynie z opuszczonymi spodniami, z amerykańską flagą w jednej ręce, a z drugą ręką uniesioną w znaku pokoju. „W «NY Timesie» kosmopolityczny postnacjonalizm przeważa nad tradycyjnym pojęciem amerykańskiej wspólnoty", komentuje McGowan.

Komentarze redakcyjne opuściły osobną kolumnę i pojawiają się teraz wszędzie w gazecie. Walczą o zróżnicowanie rasowe, etniczne i równe prawa gejów. Lansują feminizm. Wpajają Ameryce poczucie winy za niewolnictwo i białą rasę. Słabe argumenty pokrywają lapidarną prozą i pogardą dla myślących inaczej. W pracy i walce wybija się noblista, ekonomista, felietonista Paul Krugman. Świetne opanowanie języka i niekiedy pozorną logikę wywodu używa stronniczo w interesie partii demokratycznej. Wydawca Arthur Jr. wpuścił opinie na strony informacyjne. W latach sześćdziesiątych XX wieku „NYT" miał tylko czterech komentatorów, czterdzieści lat później ma ich już ponad czterdziestu w różnych sekcjach gazety.

Redakcja pragnie przemilczać wszystko, co wzbudza nieufność do mniejszości rasowych. Jak przejęte przez FBI memorandum Bractwa Muzułmańskiego w Ameryce, stawiającego sobie za cel zwalczanie zachodniej cywilizacji od wewnątrz. Napisała o tym „Chicago Tribune", ale nie „NYT". W wypadku muzułmanów gazeta ociera się o zdradę stanu. Ameryka prowadzi wojnę z islamskim terroryzmem, a „NY Times" żąda od władz rozbrojenia wewnętrznego. Ledwie rok po zamachach z 11 września redakcja kilka razy potępiła wysyłanie tajnych agentów FBI do meczetów, które sprzyjają terrorystom! Potępiła także pobranie odcisków palców od młodych mężczyzn po przylocie do USA z krajów ryzyka. Skarciła Sąd Najwyższy za utrzymanie zakazu pomocy humanitarnej, jeśli trafia do terrorystów za granicą. Ujawniła śledzenie bankowych operacji wbrew prośbie prezydenta G.W. Busha, choć program był legalny i sprawny w wykrywaniu zamachowców. Natomiast spisek czterech muzułmanów planujących wysadzenie w powietrze terminali i zbiorników z benzyną na nowojorskim lotnisku JFK dziennik ukrył wewnątrz numeru na 30 stronie, choć zagrażał rodzinnemu miastu redaktorów. Sprawa trafiła za to na pierwsze strony dzienników innych miast: „The Washington Post" i „Los Angeles Times".

„NYT" energicznie poparł projekt budowy ośrodka islamskiego w okolicy Ground Zero, choć na sąsiednią ulicę spadali ludzie skaczący z płonących wieżowców WTC. Tej budowie sprzeciwiało się dwie trzecie Amerykanów. Ale „NYT" z pogardą odniósł się do obaw przed triumfem islamu na grobie wroga. Ścigając upiory islamofobii w Ameryce, dziennik był twardy również dla żołnierzy amerykańskich walczących za granicą, „przedstawiając ich głównie jako zabójców cywili i dręczycieli więźniów". Weteranów wojny w Iraku ukazuje jako psychopatów o morderczych skłonnościach. Ale w rzeczywistości proporcja zabójstw wśród weteranów jest sześć razy mniejsza niż dla całej ludności Stanów. „NYT" rutynowo też poniża armię. Stwarza wrażenie, że żołnierze wywodzą się z nizin społecznych, z niewykształconych męskich szowinistów i z mniejszości etnicznych, czyli stanowią siłę najemną o fałszywej świadomości. Realia są dokładnie odwrotne, jak wykazał raport konserwatywnej The Heritage Foundation.

Walka „NY Timesa" z rasizmem prowadzi do promocji Murzynów aż do kompromitacji dziennika. Tak było z plagiatami i dziesiątkami zmyślonych materiałów Jaysona Blaira, który nie wytrzymał zbyt szybkiego awansu. Gazeta pada ofiarą czarnych oszustów, którzy udają

pokrzywdzonych. Tak było z prostytutką oskarżającą
o rzekomy gwałt białych studentów Duke University, co
im groziło linczem. Jednak redakcja bywa obojętna na
zbrodnie, gdy je popełniają kolorowi na białych, a przestępców przedstawia jako ofiary społeczeństwa.

Wydawca Arthur Jr. i jego zespół uznali, że pełna swoboda homoseksualizmu stanowi kolejne prawo człowieka,
o które trzeba walczyć, jak kiedyś o prawa obywatelskie
Murzynów. Dziennik zaczął żądać prawa zawierania mał-
żeństw dla gejów i adopcji przez nich dzieci. Stwierdził
w komentarzu redakcyjnym, jakoby nie było mocnych
dowodów, że dzieci korzystają na wychowywaniu przez
dwoje naturalnych rodziców. Milczał, kiedy pięciolatkom
dawano do podpisu coś w rodzaju „lojalki", że będą popierać gejów, lesbijki, biseksualistów i transgenderów,
choć sprawa oburzyła cały kraj. „Lawendowe oświecenie"
gazety nastąpiło po odejściu Abe M. Rosenthala, który był
homofobem. Obecnie trzy czwarte ludzi decydujących,
co trafi na pierwszą stronę gazety, jest gejami, wyznał reporter „NYT" na zjeździe gejowskich dziennikarzy.

To tylko garść przykładów z wielkiego aktu oskarżenia korporacji o zdradę prawdy, a może i zdradę stanu
według potocznej miary. Ameryka dla redaktorów „NY
Timesa" jest „zagranicznym miejscem, gdzie mieszkają
patriotyczni Amerykanie, a które «Times» uznał za wrogi
teren", pisze McGowan.

Moim zdaniem liberalna linia redakcyjna nadaje się
do obrony w pewnych granicach. Role seksualne stają
się płynne w naszej cywilizacji wszelkich wygód. Skoro
cel życia stanowi „samorealizacja" zamiast służby wspól-
nocie przez prokreację, to czemu nie robić tego, co się
lubi. Ale naganne jest kłamstwo w służbie swobody. Reszta
programu „NY Timesa" także jest słuszna warunkowo.

Awans mniejszości rasowych – tak, ale nie kosztem zasług umysłu i charakteru, bo powoduje to zgłupienie kraju. Ochrona muzułmanów przed ślepą nienawiścią – tak, ale nie za cenę bezpieczeństwa państwa. Otwarcie na imigrantów – tak, ale nie kosztem ładu publicznego. Za to dziennik stoi wzorowo po stronie sprawiedliwości, kiedy tropi przestępstwa bankierów i broni demokracji przed oligarchią finansową. W tym przypadku „The New York Times" rzeczywiście uprawia „tikkun olam".

Ameryka była inna, kiedy Arthur Sulzberger Sr. został wydawcą dziennika w 1963 roku. Do elity władzy wchodziło pokolenie, które walczyło w II wojnie światowej z nazizmem, a potem na wojnie koreańskiej z komunizmem. Jeszcze wierzyło w etykę wyrzeczeń dla dobra wspólnego. Nie przeszło za młodu rewolucji seksualnej i ruchu praw obywatelskich Murzynów. To następne pokolenie Woodstock rozszerzyło ideały praw mniejszości na gejów i nielegalnych imigrantów. Arthur Sr. służył podczas obu wojen w komandosach, ale największe zwycięstwo odniósł w 1971 roku, gdy opublikował „papiery Pentagonu". Z tajnego studium wojen w Wietnamie w latach 1945–1967 wynikało, że administracja prezydenta Johnsona okłamywała Kongres i opinię publiczną. Gdy prezydent Nixon zażądał wstrzymania publikacji, Sulzberger się nie ugiął. Ryzykując wielkie kary finansowe i wolność osobistą, przeszedł do legendy, bo Sąd Najwyższy przyznał mu rację. Potem już żadna administracja nie próbowała otwarcie zakazywać żadnej gazecie publikacji dla ochrony bezpieczeństwa państwa.

Jego syn Arthur Sulzberger Jr., za młodu aktywista antywojenny, ma inne priorytety: Nie możemy dłużej oferować naszym czytelnikom białej, hetero, męskiej wizji wydarzeń, oświadczył zespołowi dziennika. Na swój sposób realizuje zmierzch Zachodu, odrzucając część wartości, które stworzyły naszą cywilizację. Czy to jeszcze „tikkun olam"?

Amerykański badacz judaizmu Kevin MacDonald wyodrębnił kilka celów, jakie jego zdaniem nowożytny judaizm stawia sobie wobec kultury chrześcijańskiej w Stanach Zjednoczonych:

1. Wpoić poczucie winy za kulturę przeniknietą antysemityzmem, która umożliwiła Holocaust.
2. Ośmieszać i zwalczać Kościół katolicki jako najpotężniejszą instytucję chrześcijaństwa winną wpojenia masom antysemityzmu i wykluczania Żydów.
3. Całkowicie oczyścić z chrześcijaństwa przestrzeń publiczną.
4. Podważać spoistość społeczeństwa chrześcijańskiego przez szerzenie indywidualizmu i relatywizację wartości, gdyż tylko w takim społeczeństwie mniejszość żydowska czuje się bezpiecznie.
5. Propagować wielokulturowość i masową imigrację z powodu jak wyżej.
6. Kwestionować dumę narodową kraju gospodarza jako przejaw patologicznego nacjonalizmu, też z powodu jak wyżej.
7. Propagować swobodę obyczajową, zwłaszcza seksualną, i podążanie za przyjemnościami, bo taki jest popyt mas, a można na tym skorzystać, powiększając swą przewagę.

Ten program jest realizowany pod szlachetnymi hasłami uniwersalnego humanizmu. Trzeba pamiętać o długiej i zawinionej przez Kościół tradycji prześladowań Żydów oraz upokorzeń, dla których brak nam wyobraźni. To usprawiedliwia atak na instytucje wrogiej przez większość dziejów kultury chrześcijańskiej. Zapominamy, że krzyż jest znakiem ich własnej, odwiecznej

i realnej męki, zamiast – jak dla nas – mitycznej ofiary od-
ległego i ich zdaniem fałszywego Boga.

Kevin MacDonald twierdzi w dziele „The Culture
of Critique", że w podanych wyżej celach zawarta jest
strategia ewolucyjna przetrwania Żydów jako odrębnej
grupy etnicznej wśród innych narodów świata. Osłabia
bowiem pozycję nie-Żydów w rywalizacji o władzę polityczną, pieniądze i wpływ na wyobraźnię mas. Ten rodzaj
kultury wywołuje rozbicie społeczne i rozkład rodziny –
ale mniej szkodzi Żydom, gdyż mają głębiej wpojoną
spoistość grupową i wartości rodzinne, m.in. dzięki przekonaniu o swej wyższości moralnej i umysłowej nad innymi ludźmi, co potwierdzają nadzwyczajne osiągnięcia
w nauce, sztuce i biznesie.

MacDonald zastrzega, że nie ma dowodów, aby po-
prawa konkurencyjności była zamierzonym skutkiem
stworzonych przez Żydów wywrotowych nurtów umysłu: marksizmu, radykalnej lewicy, psychoanalizy i szkoły
frankfurckiej badań społecznych, które przeniknęły kulturę całego Zachodu. Taki jednak mają skutek rzeczywisty
i dla nich korzystny. Antychrześcijańska rebelia odbywa
się pod hasłami wolności i tolerancji, lecz rebelianci realizują własne interesy, nieświadomie mamiąc siebie i innych szlachetnością motywów.

„Gazeta Wyborcza" a kod kulturowy judaizmu

Czy mi się wydaje, czy to wygląda na linię redakcyjną
„Gazety Wyborczej"? Dzięki jej staraniom sprawy w Polsce toczą się podobnie jak w Ameryce.

Sąd uniewinnia Dorotę Nieznalską w sprawie wywieszenia na krzyżu fallusa. Rozumiem, to sztuka krytyczna, jak wywodzi Dorota Jarecka w „Gazecie". Ale dlaczego pani Nieznalska zaraz potem nie zawiesi fallusa na głowie Mojżesza? Byłaby to krytyka przez sztukę patriarchalnej kultury judaizmu; patriarchat to coś złego dla artystów tego nurtu. W programie Jakuba Wojewódzkiego w TVN rysownik Marek Raczkowski i aktor Krzysztof Stelmaszyk z Teatru – a jakże – Narodowego wsadzają polską flagę w psie kupy. Do braw publiczności. Także protest. Czemu nie wsadzą flagi izraelskiej w proteście przeciwko represjom Izraela wobec Palestyńczyków? Konflikt bliskowschodni ma wielkie znaczenie dla świata. To oczywiste pytania dla mojego – także krytycznego – umysłu. Zresztą na YouTube pojawiła się przeróbka filmiku z tego programu, gdzie polska flaga została wymieniona komputerowo na izraelską. Filmik został usunięty jako niezgodny z wytycznymi społeczności YouTube. Ale polską flagę wolno znieważać.

Nie sądziłem, że ja, liberał nowojorski, przemielany przez to niesamowite miasto od ponad dwudziestu lat, będę bronił z Manhattanu chrześcijaństwa i polskości. Robię to z rozsądku. Żaden naród nie przeżyje w pogardzie dla siebie i rozbiciu. A Polacy na pewno nie zgodzą się na ciągłe poniżenia. Mogą też zareagować gwałtownie, co nikomu nie wyjdzie na dobre. Nasz okręt, nawa państwowa, jak kiedyś się mówiło, płynie kursem grożącym katastrofą. Lepiej, żeby zawczasu przyszło opamiętanie.

Pragnę Polski nowoczesnej, wyrafinowanej intelektualnie, kulturalnej, przedsiębiorczej, ścigającej się z innymi narodami o bogactwo. „Gazeta Wyborcza" ma tu wiele zasług. Pamiętajmy także o rewolucyjnej roli judaizmu w rozwoju cywilizacji. Wyjdźmy poza bieżący konflikt etniczny. Bierzmy też pod uwagę tę straszną cenę, jaką co pewien czas płacą Żydzi za odmowę całkowitej asymilacji dla roztopienia się w reszcie ludzkości. Utrzymaniu własnej spoistości etnicznej służy wywoływanie konfliktów z otoczeniem. Właśnie dzięki temu mogą ciągle nas zasilać nowymi ideami. Nauczmy się patrzenia na świat także z ich punktu widzenia. Owszem, powodują forsowną, ale jednak uniwersalizację ludzkości. Czyli braterstwo, nawet jeśli sami niechętnie się bratają.

Żydzi weszli do elity intelektualnej Stanów Zjednoczonych i nadają kierunek dzięki wysokiej inteligencji (ich przeciętny wskaźnik IQ wynosi 107, przy przeciętnej dla reszty 100), kreatywności i niestrudzonej pracy. Mają więc zasłużoną pozycję, zdobytą na wolnym rynku idei i w wolności politycznej. Jak wygląda to u nas?

Równie dobre rzeczy można powiedzieć o Polakach żydowskiego pochodzenia. Są bardzo inteligentni, wykształceni, pracowici i kreatywni. Z jednym zastrzeżeniem: wielu z nich wysoką pozycję zawdzięcza nie tylko talentom. Część zwana „żydokomuną" została brutalnie narzucona Polakom etnicznym przez ZSRR jako nowa elita. W roli przywódczej osadziło ich NKWD po wyniszczeniu tradycyjnej elity przez nazistów i komunistów. To nieprawe pochodzenie pewnej części obecnej elity polskiej bardzo utrudnia swobodną debatę, budząc zrozumiały lęk przed rozliczeniami.

Czy „Gazeta Wyborcza" realizuje strategię przetrwania judaizmu w polskim otoczeniu? Ciekawa hipoteza, gdy spojrzeć na siedem podanych wyżej za Kevinem MacDonaldem celów nowożytnego judaizmu. Wyglądają znajomo z łamów „Gazety". Ale to tylko hipoteza, przeniesiona z wieloetnicznego społeczeństwa amerykańskiego.

Nie musi być prawdziwa w etnicznie jednorodnej Polsce. Trzeba by zbadać środowisko, którego „Gazeta" jest emanacją, oraz przeanalizować wizję społeczeństwa, jaką usilnie stwarza w naszym kraju. Zbadać światopogląd i program kierownictwa, źródła inspiracji, finanse, okoliczności utworzenia redakcji i jej życie wewnętrzne. Dopiero po starannym udokumentowaniu wyników wolno je będzie poddać ocenie polskiej opinii publicznej. Jako wzór niech posłuży opasły tom „The Trust", monografia „The New York Timesa", za którą autorzy Susan E. Tifft oraz Alex S. Jones dostali nagrodę Pulitzera. Kto w Polsce napisze takie dzieło o „Wyborczej"?

Pod względem wpływu na bieżącą politykę i stan naszej świadomości „Gazeta" była jeszcze niedawno zjawiskiem bez precedensu. Może w czasach rewolucji francuskiej wychodził dziennik o podobnym znaczeniu. Może leninowska „Prawda" w okresie wczesnego bolszewizmu była tak ambitna w tworzeniu „nowego człowieka", choć tylko jako tuba partii. Natomiast „Wyborcza" to samodzielny ośrodek władzy, który próbuje stworzyć nowego Polaka. Owszem, ma być inteligentny i racjonalny, ale także przepojony poczuciem winy za Jedwabne, Marzec '68 i pogromy, o których nie wolno mu zapomnieć. Powinien, ba! musi puścić w niepamięć zbrodnie lewicowego aparatu władzy i jego żydowskich beneficjentów. Ma być wstydzącym się własnego narodu, letnio religijnym, swobodnym seksualnie indywidualistą i Europejczykiem ślepym na etniczne różnice interesów, choćby ze złym dla siebie skutkiem w rywalizacji o wpływy. Były pracownik gazety Michał Cichy udzielił wywiadu, ponoć nieautoryzowanego, Cezaremu Michalskiemu z „Dziennika" na temat życia wewnętrznego i celów jego byłej redakcji. Wywiad wstępnie potwierdza domysł realizacji przez „Gazetę" ewolucyjnej strategii judaizmu, którą narzuca innym mediom kraju. Dzieje się to z udziałem Polaków przekupionych, przestraszonych lub niedoinformowanych.

„Gazeta" powstała w 1989 roku jako organ Solidarności. W świetle powyższej hipotezy zarzuty zdrady narodowej i społecznych ideałów Solidarności pod adresem „Wyborczej" wydają się chybione, bo nie mogło być inaczej. Żydzi gorzej czują się w narodzie tubylczym, natomiast dużo lepiej radzą sobie na wolnym rynku towarów i idei. Stąd „zdrada". Żydowscy potomkowie byłej żydokomuny heroicznie wychodzili z komunizmu w latach 1970 i 1980, wiele dobrego robiąc dla Polski, jednak musieli obawiać się rozliczenia przez część Polaków. A co najmniej lękać się podważenia pozycji przywódczej przez niedobitki elity narodowej, które uszły z pogromu nazistowskiego, a po wojnie z pogromu UB. Moim zdaniem obawy Adama Michnika są uzasadnione. Dlatego „Wyborcza" próbuje stworzyć nowego Polaka według programu judaizmu, który przytoczyłem na przykładzie Stanów Zjednoczonych. Nie wiadomo, czy to program podświadomy, czy w pełni celowy. Stawiam hipotezę wymagającą sprawdzenia w rzetelnych badaniach naukowych. To także zadanie dla wydziałów dziennikarstwa polskich uniwersytetów. Skoro utrzymuje je państwo, to powinny podjąć ten problem medialny, związany z racją stanu.

Czy istnieje możliwość pełnej rekonkwisty przestrzeni publicznej przez polską elitę narodową? Moim zdaniem – nie. Wymagałaby ona sytuacji, których nie należy pragnąć. Obecnie próba rekonkwisty grozi śmiałkom polityczną śmiercią lub kalectwem. Obawa utraty pozycji jest powodem nieubłaganej wojny kulturowej, wydanej PiS przez media i „salon". A nie można wbrew tym środowiskom rządzić krajem należącym do Unii Europejskiej. PiS spróbowało odzyskać teren zawłaszczony przez żydowskich i lewicowych prominentów byłego systemu. Poważyło się na to pomimo słabości politycznej i intelektualnej partii i braku szerokiego mandatu społecznego dla takiej rewolucji. Wydaje się oczywiste, że naród dominujący liczbowo na swoim terytorium nadaje ton kulturze. Jednak tę niepisaną zasadę obaliły w Polsce ciężkie straty, zadane w czasie wojny i rządów lewicowych warstwie ludzi dojrzałych umysłowo.

Obalić Michnika
z pomnika

Nie byłoby „Gazety Wyborczej", jaką znamy, bez Adama **[111]**
Michnika. Uważam go za polskiego bohatera narodowego, który zdaniem wielu zbłądził po 1989 roku. Ale
patrząc z jego punktu widzenia, wcale nie popełnił
błędu. Czy mógł postąpić inaczej? Mój opis tej postaci,
zamieszczony poniżej, jest spekulacją psychologiczną
uprawnioną przy pisaniu scenariusza filmu fabularnego.
Taką zatem przyjąłem formułę dla większej swobody. Czy
opis jest prawdziwy, to kwestia sporna.

Film fabularny oparty na wątkach życiorysu Adama
Michnika byłby nośną metaforą wyjścia Polski z komunizmu. W tej postaci skupia się sens naszej transformacji.
O tak głębokiej przemianie bohatera marzy każdy scenarzysta. Były marksista wprowadza kapitalizm. Inteligent
ateista wybija się na plecach katolickich robotników.
Czy im służył, czy się nimi posłużył w bardzo ryzykow-
nej grze o wielkość, kiedy działał w KOR? Czy robotników w końcu zdradza, czy na nich się obraża, że woleli
od niego Wałęsę? Buntownik staje się głównym graczem
w oficjalnej polityce państwa. Ale o co gra? Były przyjaciel ludu zostaje ojcem duchowym spółki akcyjnej, war-
tej w pewnym okresie prawie miliard dolarów. Jaką ma
ideologię? Jednak tę zasadę obalili naziści, a potem komuniści, zadając ciężkie straty warstwie Polaków dojrzałych umysłowo.

Czemu bohater opozycji antykomunistycznej stał się
współtwórcą i obrońcą postkomunizmu, który niszczy
państwo?

Trzeba zdemistyfikować Michnika. Jego młodzień-
czy okres bohaterski okrywa romantyczna mgła, kryjąca
twardą walkę o władzę nad nami tu i teraz. Cele tej walki
nie są całkiem jasne. Czy chodzi o pomyślność Polski?
Zapewne, lecz należałoby pokazać, jak owa pomyślność
rozkłada się w różnych grupach. Kto wygrał, kto przegrał, kto rządzi.

Dobrym punktem odniesienia dla filmu o Michniku
może być „Obywatel Kane" w reżyserii Orsona Wellesa,
uznawany za najlepszy film wszech czasów. Welles
i scenarzysta Herman Mankiewicz przeprowadzili bez-
względną demistyfikację magnata prasowego Williama
Randolpha Hearsta, który podawał się za obrońcę prostego człowieka, używając dzienników bulwarowych
o luźnym stosunku do prawdy. Podobieństwa Hearsta
i Michnika są uderzające. Obaj pochodzą z establishmentu, z którym potem podejmują walkę. Mają wielkie ego, używają prasy dla wpływu na świadomość publiczną i obaj są wyobcowani z klasy będącej obiektem
ich troski. Co miliarder Hearst mógł wiedzieć o życiu robotników, a co wie intelektualista, polityk Michnik, wyzbyty problemów codziennych, o życiu zwykłych ludzi?
Obaj mają protekcjonalny stosunek do swych społeczeństw. Hearst zbierał dzieła sztuki; Michnik zbiera ludzi jako narzędzia wpływu. Obywatel Kane chciał zostać
prezydentem USA, lecz trafił na barierę, którą uważał za
podłość. Michnik nigdy nie będzie prezydentem Polski,
co może uważać za wpływ „ciemnogrodu". Spętana am-
bicja stwarza wielkie napięcie wewnętrzne, nadając dynamikę obu tym postaciom.

Film Wellesa jest arcydziełem nie tyle z powodu fabuły,
co środków formalnych, ale jedno zależy od drugiego.
Forma to nie jest coś, w co się „ujmuje" treść, jak ciasto.

W „Obywatelu Kane" forma wynika z treści. Konflikty
w życiu Hearsta zostały przełożone na napięcia fabuły
i obrazu. Świetne zdjęcia Gregga Tolanda i scenogra-
fia Van Nest Polglase wyraziły pełne pychy ego bohatera,
pasję i mrok, używanie ludzi dla swych celów. Taka postać, inspirując wyobraźnię, daje szansę na film wybitny,
również pod względem formy. Czy film o Michniku wy-
magałby innej stylistyki?

Wielki Reżyser nie zrobi tego filmu

W fabule musi pojawić się wątek Wielkiego Reżysera,
który wziął kiedyś Michnika pod skrzydła na swe nieszczęście artystyczne. To twórca „Popiołu i diamentu",
najważniejszego filmu o początku epoki komunistycznej i innych, z których wiele wyznaczało etapy rozwoju
polskiej świadomości. Nie zauważył, że zbliżając się do
„Adasia", traci temat najważniejszego filmu o początku
nowej epoki demokracji, powiedzmy „Obywatela M.".
Przyjaźń ograniczyła swobodę Wielkiego Reżysera w po-
traktowaniu ulubionego materiału – romantycznej opowieści narodowej z mnóstwem okazji dla malarskiego
obrazowania. Do nich należałby apel w obronie „Dziadów" zdjętych przez cenzurę, odczytany u stóp pomnika
wieszcza. Michnik zaczerpnął wtedy energię od tamtego
Adama. Potem strajk sierpniowy w Stoczni Gdańskiej
z polskim papieżem jako patronem, z marzenia innego
romantyka, Słowackiego. Odsłonięcie pomnika poległych stoczniowców, kiedy nad granicą czołgi sowieckie grzały silniki do inwazji. Stan wojenny, krzyże ukła-
dane z kwiatów i świec pod kościołami, rzewne pieśni

narodowe i wycie milicyjnych syren. Okrągły stół ustawiony w – gdzieżby indziej – byłym pałacu namiestnika rosyjskiego. Jawne rozmowy pod okiem kamer reżimowej telewizji na użytek mas i tajne rozmowy w Magdalence. Wybory czerwcowe z plakatem wyborczym Solidarności, na którym widnieje samotny szeryf z filmu „W samo południe". No i wreszcie biznes największego dziennika w kraju, jak z „Ziemi obiecanej": Ja nie mam nic, ty nie masz nic, zakładamy gazetę! To wszystko składa się na obraz początków III Rzeczpospolitej.

Wielki Reżyser nie zauważył w porę, że całe życie szykował się do takiego filmu. Aż stało się za późno, by zerwać ograniczające artystycznie więzy przyjaźni. Bo Wielki Reżyser musiałby też osądzić komunizm, a tego Michnik zabronił. Musiałby obalić mit „etosu" kosztem swego patrona i przyjaciela. Obalić tabu ujawniania roli tzw. żydokomuny, raz jej złych, innym razem dobrych wcieleń, w najnowszej historii kraju. Wielki Reżyser pragnął, by wstąpił w niego duch narodu, i to mu się udało, ten duch w nim zamieszkał. Dlatego uwiąd jego talentu po roku 1989 wyraża straconą szansę rozwoju świadomości polskiej. Ten wątek też powinien znaleźć się w „Obywatelu M.".

Film Wellesa powstał u kresu wpływów Hearsta, choć ten ciągle był potężny. Michnik też wszedł obecnie w okres zmierzchu, wyczerpuje się jego bohaterska legenda. Kiedy charyzmę zastępuje naga władza, powstaje klimat dla chłodnej analizy.

Czym ryzykował, walcząc z komuną? Wieloletnim więzieniem, jednak w warunkach stosunkowo lepszych w porównaniu z innymi więźniami. Przecież pisał tam książki. Od początku zabiegał o kontakty na świecie, aż stał się zbyt znany, by PZPR mogła go zabić. Korzystał z potężnej ochrony zza granicy. Ale pokusa zabójstwa Michnika powinna pojawić się w fabule. Musiała istnieć w aparacie partyjnym, a ryzyko wzmacnia dramat oraz oddaje sprawiedliwość postaci. Tak czy inaczej, wykazał bohaterstwo, chociaż daleko mu do przywódców polskiego podziemia zamordowanych po wojnie przez komunistów, w tym przyrodniego brata Stefana, za pracę dla narodu. Poniekąd zmazywał winę swej własnej formacji.

Po zwycięstwie wynosi swe bliskie otoczenie do bogactwa i władzy, lecz sam rezygnuje z bezpośredniej własności. Nie bierze 130 milionów złotych w akcjach Agory. Tylko czy ich potrzebuje? Przy takiej ambicji i długu wdzięczności całego otoczenia, ba! całej formacji, pieniądze nie muszą być motywem działania. Ważniejsza jest władza. Ta zasada panuje też w korporacji „The New York Timesa", która jest wzorem dla guru Agory. Pieniądze służą „NYT" do zdobywania wpływu na Amerykę i przekształcania świata według własnej wizji kosmopolitycznej, nie odwrotnie. Również Michnik chce przekształcić Polskę. Ale w imię jakich racji? Jaką ma wizję kraju?

Jego najbliższa współpracownica, Helena Łuczywo, kiedyś działaczka podziemia, wzięła te miliony. Mówi, że z Róży Luksemburg stała się Margaret Thatcher. Podobnie jak reszta jego otoczenia. W spółce akcyjnej jeden święty wystarczy. Wychowanek marksistów stał się promotorem kapitalizmu w Polsce. Czy zarówno w opozycji, jak i teraz kierował się tylko wyczuciem koniunktury historycznej, tego co możliwe, aby się wybić do roli przywódcy? Nie wiem, ale myślę, że chęć przewodzenia jest najgłębszym motywem. Ideologie to narzędzia „etapu", by się posłużyć pojęciem stalinowskim, które on dobrze zna. Na początku miał wpływ w wąskiej grupie opozycjonistów. Potem wpływ na wielką Solidarność. W końcu sięgnął po masy, chcąc dokupić telewizję do swego koncernu.

A może zaszła w nim zmiana filozofii w wyniku dojrzewania, a nie tylko z powodu zmiany koniunktury? Hipoteza: chodziło mu o władzę wskutek właściwego Żydom przymusu przywódczego. Jego matka była współautorką podręcznika historii Polski, tworząc jej nowy obraz. On historię tworzył.

Michnik należy do grona najwybitniejszych Polaków. Czy polskość jest dla niego tylko formą, czy należy do najgłębszej treści osobowości? Trzeba by ułożyć ranking intelektualistów politycznych w polskiej historii i określić jego w nim miejsce. Jak Mochnacki? Piłsudski? A może jak Dmowski? To ostatnie porównanie wydaje się horrendalne, ale nie chodzi o treść idei, lecz metody i wielki zasięg wpływu. Dmowski użył niechęci do Żydów dla pobudzenia w ludzie świadomości polskiej. Najlepiej określamy się wobec wroga, którego trzeba stworzyć. Podobnie Michnik używa pojęcia „ciemnogrodu" jak klucza do otwarcia polskiej mentalności na świat i ochrony własnego zaplecza. Za to obywatel Kane/Hearst szczuł prostych ludzi na bankierów. Dmowski i Michnik zmanipulowali polską świadomość, by narzucić Polakom swe koncepcje narodu, choć ojciec endecji miał ją ekskluzywną, naczelny „Wyborczej" – inkluzywną. Myśl jest dla obu bardziej narzędziem działania niż poznania.

Ale Michnik nie ma rangi żadnego z tych myślicieli. Bo gdzie przedstawił spójny projekt państwa i narodu? To działacz polityczny, nie chłodny intelektualista. Z poświęceniem pracował w niewoli dla narodu, czy raczej „społeczeństwa", jednak boi się Polaków. Zapobiegł dojściu do głosu pełnej gamy sił politycznych, więc nie wiadomo, jaki jest ich potencjał. Nawet jeżeli zrobił to dla dobra Polski, znowu pojawiają się pytania: kto wygrał, kto przegrał, kto rządzi?

Cień Jerzego Urbana

Nie wiem, co leży na dnie duszy Michnika, dlatego stawiam znowu hipotezę: Jest Polakiem, ale chce zachować dynamikę Żyda. Autor tych słów pragnie osiągnąć podobny rezultat niejako od drugiej strony – jako Polak nieco mentalnie zjudaizował się z przekonania, iż to lepsza dziś dla Polaka forma polskości. Tyle że aby u nas zdobyła uznanie, trzeba dla niej stworzyć szerszą duchowo Polskę. Myślę, że o to zabiega też Michnik. Taka Polska będzie nagradzała nienasyconą ciekawość, ryzykowną kreatywność, pomoże nam przystosować się do wielkiego świata. Mówi się o Żydach, że są tacy jak wszyscy, tylko bardziej. Także bądźmy „bardziej". Trzeba w tym celu podnieść temperaturę życia umysłowego kraju.

Michnik odegrał wielką rolę jako Polak żydowskiego pochodzenia. Ten fakt wyraża relację między Polakami a Żydami. Mają większe od Polaków skłonności przywódcze, organizacyjne i dynamikę umysłową. W rezultacie powstały wśród Polaków zawiść, gniew i podejrzliwość. Unikam pojęcia „antysemityzm", bo zostało zniekształcone przez Żydów w taki sposób, żeby próba polemiki nabierała posmaku zachęty do Zagłady, co paraliżuje myślenie analityczne.

Czy Michnik należy do najwybitniejszych Żydów, którzy pojawili się na polskim terytorium, czy tylko do wybitnych? Wielcy myśliciele i działacze judaizmu są praktycznie nieznani polskiej publiczności. Tkwili zamknięci w gettach. A przecież z Polski wyszli ci, którzy stworzyli po II wojnie światowej państwo Izrael. I ci, którzy przekształcają świacomość Ameryki przez kino, prasę, telewizję, uniwersytety, politykę. Na ile są obecni jako wzór w psychice naszego bohatera? Na pewno posiada ich energię. Ale nie wolno podsycać zawiści wobec Żydów. Natomiast trzeba stawiać za przykład ich szacunek do wiedzy, ambicję, wytrwałość, umiejętności organizacyjne, wnikliwość psychologiczną i zdolność adaptacji do każdych warunków.

Michnik przyjaźni się z Jerzym Urbanem, który nie kryje pogardy dla Polaków. Chyba w ten sposób szuka dopełnienia, ponieważ sam na pogardę nie może sobie pozwolić lub nie chce dopuszczać tak niskiego uczucia. Przez tę pozornie dziwaczną przyjaźń wyraża to, co zostało w nim stłumione. Urban stanowi archetypowy cień Michnika według psychologii głębi C.G. Junga. Z wroga uczynił swego przyjaciela, aby się dopełnić. Uświadomienie sobie własnego zła jest, zdaniem Junga, warunkiem rozwoju wewnętrznego. To też wyjaśnia głębszy powód zbratania naczelnego „Wyborczej" z Jaruzelskim i Kiszczakiem. Obaj generałowie wyrażają pewne aspekty osobowości naszego bohatera. Mógł ich użyć bez tych serdeczności, ale jemu chodzi o spójność wewnętrzną. Oprócz osiągnięcia celów politycznych prawdopodobnie chce być po prostu dojrzałym człowiekiem. A to znaczy, że musi uświadomić sobie i zgodzić się na własne zło pod pozorem przebaczenia wrogom.

Tysiące lat prześladowań wywołało u Żydów chęć upodobnienia się co środowiska, by uniknąć napaści. Musimy to szanować, jeśli jesteśmy dobrze wychowani. Chyba że ktoś z własnej woli publicznie podnosi problem swego pochodzenia, jak uczynił to Michnik, mówiąc w wywiadzie, że wywodzi się z „liberalnej żydokomuny". Uważa, że ma to znaczenie. Co nie zmienia faktu, iż należy do wybitnych Polaków.

Zjawisko „żydokomuny" ma mocne korzenie w żydowskim mesjanizmie, który wydał zatrute owoce. Żydzi czują się powołani do naprawy świata. Robią to przez aktywność poznawczą, wyczulenie moralne i rozbudowaną filantropię. Jednak ich część, zwłaszcza biedota w Europie Wschodniej, chciała ulepszać świat przemocą. Liczenie Żydów w Radzie Komisarzy Ludowych ZSRR, NKWD, Kominternie, KPP, KC PZPR, UB i podobnych placówkach postępu nie jest tylko przejawem ludowego antysemityzmu. Jest również warunkiem rzetelności badawczej historyka. Tak, może mieć przykre skutki dla zainteresowanych. Ale spytajmy ich ofiary, co myślą o krzywdzie. Niewielu zdobyło się na odrabianie swego udziału w winie żydokomuny, jak uczynili to w PRL z nawiązką Michnik i jego krąg przyjaciół.

Urban jest, w moim przekonaniu, archetypowym cieniem Michnika w ujęciu psychologii głębi. Każdy człowiek ma cień. Musi pokonać bardzo wiele odruchów natury ludzkiej. Są to stłumione pragnienia i prymitywne impulsy, motywy moralnie niskie, dziecięce fantazje i resentymenty. Jak powiada C.G. Jung: „Proces godzenia się z Innym jest naprawdę wart zachodu, ponieważ w ten sposób poznajemy aspekty naszej natury, których nikomu nie pozwolilibyśmy sobie pokazać i do których nigdy byśmy się przed sobą nie przyznali". Jest to wypisz wymaluj oferta psychoterapeutyczna redaktora „Nie" dla redaktora „Gazety Wyborczej".

Cień jest nie tylko brudną podszewką naszej osobowości. To także „instynkty, zdolności i pozytywne cechy moralne, które dawno zostały pogrzebane lub nigdy nie były świadome" Cień może być też jasny! Urban jest „czarnym" cieniem Michnika, lecz Michnik jest „białym" cieniem Urbana, czyli lepszej, ale niezrealizowanej strony tego brutalnego cynika. Nasz bohater był długie lata nosicielem marksistowskiego idealizmu, który Urban porzucił.

Natomiast Urban wyraża cyniczną pokusę Michnika. Czy jej ulega? Musi być mocna, jeśli po zwycięstwie ten drugi wszedł z „komisją historyków" do archiwum Służby Bezpieczeństwa. Miał tam dostęp, poza ewidencją, do tajnych materiałów. Nie ogłosił publicznie sprawozdania z zakresu „badań historycznych" w kartotekach SB. To, co zobaczył w teczkach wielu działaczy opozycji antykomunistycznej, w tym własnych przyjaciół, musiało być ciosem dla idealisty.

Każdemu politykowi ciężko zwalczyć pokusę, żeby brudnej wiedzy nie używać w bieżącej polityce. Taka powściągliwość wymaga od Michnika heroizmu na co dzień. Załóżmy, że umie sprostać temu wyzwaniu moralnemu. A tego właśnie brakuje Urbanowi. W rezultacie jeden przyciąga drugiego. I tak fascynują się nawzajem swymi stłumionymi cechami. Potrafią je dojrzeć, ale tylko w drugim. Stąd, jak podpowiada wiedza o ludzkiej psychologii, wynika ich pozornie dziwaczna przyjaźń.

Scenarzysta może przyjąć założenie metafizyczne, czego nie może zrobić publicysta. Michnik i Urban są emanacjami pewnego bytu, który rozdwoił się na przeciwieństwa, by rozpoznać w walce swój potencjał. Następnie łączy obie opozycje, lecz już na wyższym poziomie świadomości. Faza łączenia przeciwieństw następuje dzisiaj. Michnik i Urban wiedzą o sobie chyba wszystko. Obu wydaje się, że kierują własnym losem,

a w gruncie rzeczy pchają ich siły po części nieświa-
dome. Pomiędzy nimi szamotali się Jaruzelski i Kiszczak,
jak marionetki wielkiego procesu psychicznego. A my
oglądamy ten spektakl ze zdumieniem.

Urban tak mocno dał się nam we znaki, a Michnik tak
zawiódł po 1989 roku, że powinniśmy poznać ich najskryt-
sze motywy. Trzeba w tym celu zdjąć ich maski związane
z oficjalną rolą. Demaskacja psychiczna może być szokująca w publicystyce, ponieważ ta analizuje tylko społeczne
działania, oceniając teatr życia publicznego. W tym te-
atrze nie wypada zaglądać pod maski aktorów. Ale w literaturze i kinie demaskacja postaci jest rzeczą zwykłą i konieczną. Trzeba to robić ze współczuciem, jak Federico
Fellini, który czytał Junga, kochał swoich bohaterów i dobrze na tym wyszło jego kino. Realizatorzy „Obywatela M."
muszą więc polubić nie tylko Michnika, ale i Urbana.

Scenariusz upadku

Umysłowość Michnika jest piorunującą mieszanką talmu-
dyzmu, romantyzmu oraz stalinizmu na służbie – dzisiaj –
liberalizmu. Talmudyczne zawieszenie etyki wobec opo-
nentów, romantyczne mierzenie sił na zamiary w młodości
i stalinowski pragmatyzm w eliminacji wrogów na „danym
etapie". Właśnie stąd bierze się siła grupy uderzeniowej
„Gazety Wyborczej". To nie jest dziennik informacyjny, ale
lobby polityczne w formie gazety bulwarowo-intelektual-
nej i sieci rozgłośni radiowych, a w przyszłości również
telewizji o zasięgu krajowym.

Trzeba też pokazać wielką rolę „Gazety Wyborczej"
w modernizacji kraju. Dopiero potem retrospekcje, jak

Michnik doszedł do wiodącej roli w Polsce i stworzył sobie machinę propagandy. Najpierw trzeba uświadomić widzom rozmiar jego stawki do zdobycia – władzy nad umysłami. Dopiero potem pokazać przebieg niebezpiecznej gry naszego bohatera. Czy przewidywał aż tak ogromny sukces? Jeśli nawet, to tylko w największej głębi duszy.

Głównym punktem zwrotnym fabuły powinien być najważniejszy moment działalności publicznej Michnika, gdy rozstrzygnął swą przyszłość. Wszystko prowadzi do tego punktu i z niego wychodzi. Jego wielkość ujawniła się, kiedy wbrew opinii przyjaciół, autorytetów narodowych i Kościoła, uparł się w więzieniu w 1984 roku, że nie wyjedzie z Polski. Jaruzelski z Kiszczakiem chcieli pozbyć się uwięzionych przywódców opozycji. Wszyscy dali się przekonać do rozmów o wyjeździe dla dobra kraju. On odmówił, zatrzymując tym kolegów. Dzięki temu chyba przyspieszył demontaż komunizmu.

Trzeba pokazać strażników wyprowadzających go siłą z celi więziennej i rozpaczliwy opór przed przyjęciem wolności, by zachować ją przez to, że pozostanie więźniem. Była to śmiertelna próba, przez którą przechodzi bohater mityczny. W tym momencie zdecydował o swym życiu politycznym lub zgonie. Chyba również uzyskał moralne prawo zawłaszczenia „Gazety Wyborczej", przyznanej przecież przez komunę całej opozycji antykomunistycznej, a nie tylko „lewicy laickiej", skupionej wokół niego.

Dobry dramat ma trzy punkty zwrotne. Zaparcie się nogami i rękami w więziennej celi stanowi główny, drugi punkt zwrotny fabuły. Zostaje wtedy politycznym natchnieniem narodu. Pierwszy punkt zwrotny to protest przeciwko zdjęciu „Dziadów" przez cenzurę, odczytany w dzień lutowy 1968 roku pod pomnikiem Mickiewicza. Wtedy przymierza się do odegrania wielkiej roli. Czytając tekst protestu, zerka na cokół dla wieszcza. Trzeci i ostatni punkt zwrotny stanowi skryte nagranie rozmowy z Lwem Rywinem. To potwierdzenie wyboru, jakiego Michnik dokonał pod pomnikiem romantycznego poety w 1968 roku, dając impuls dla tzw. wypadków marcowych – zdobycia władzy nad umysłami bez względu na koszty. Postromantyczny bohater narodowy dostaje propozycję dania łapówki postkomunistom za ustawę, która pozwoli kupić telewizję. Byłby to wielki krok w kierunku pełni władzy nad umysłami mas, jaką w innej epoce miał Mickiewicz przez poezję. W tym momencie aż prosi się retrospekcja sceny odczytania apelu w obronie „Dziadów" pod pomnikiem tamtego Adama. Wtedy wzniosłe słowa, teraz knajacka gwara. Była ofiara SB potajemnie nagrywa rozmówcę, który okazał mu zaufanie jako koledze z ich „towarzystwa". Ciekawe, że Michnik uczynił to 22 lipca, w dniu rocznicy ogłoszenia Manifestu PKWN, który po wojnie otworzył jego rodzinie drogę do establishmentu w Polsce. W takich niby przypadkowych zbieżnościach ujawnia się podskórny ład świata. C.G. Jung nazywa to synchronicznością.

Włączając magnetofon, nasz bohater schodzi z cokołu własnego pomnika. Może użyć nagrania Rywina dla kilku celów: 1. Uzyskania korzystnej dla siebie ustawy bez dawania łapówki dzięki szantażowi, że to ogłosi; 2. Obalenia premiera i rozbicia SLD dla założenia nowej partii wokół prezydenta; 3. Wywołania reformy państwa. Zapewne chce osiągnąć te trzy cele. Nasz bohater nie jest jednoznaczny. Wykazuje mnóstwo troski o dobro zbiorowości, lecz też wiele osobistej motywacji, którą trzeba śledzić.

Rywin ujawnił, co się stało z Michnikiem. Romantyk został przedsiębiorcą politycznym. Można z nim targować się o ustawy za pieniądze, przynajmniej w opinii grupy trzymającej władzę, uważającej, że dobrze zna naszego bohatera. Czy to tylko wyraz rzekomej „bezczelności", braku szacunku dla herosa podziemia antykomunistycznego? A może raczej wiedzy o innych targach, których już nie poznamy? Na przykład nowelizacji ustawy giełdowej, dziwnie korzystnej dla posiadaczy uprzywilejowanych akcji Agory.

Najważniejszym elementem fabuły jest finał ukazujący sens całej opowieści. Finał kariery Michnika wydaje się odległy, ale nasz bohater działa w ramach spółki akcyjnej, a więc podlega prawom rynku. Czy dalej jest zasobem Agory, czy już obciążeniem?

Stracił wiarygodność moralno-polityczną. Skompromitował go postkomunizm. Współtworzony przez niego system okazał się tym, czym był komunizm bez przedrostka w PRL, rajem cyników, oportunistów i przestępców. Nasz heros przestał być potrzebny postkomunistom, kiedy ich wprowadził na europejskie salony. Zarząd Agory może dojść do wniosku, że Michnik stał się obciążeniem. Kapitał umie pozbywać się nie takich bohaterów. Jednak nie będzie z nim łatwo. Wprawdzie zrezygnował z 34 milionów dolarów w akcjach spółki, ale zadbał o nieusuwalność. Nie można go zwolnić z funkcji redaktora naczelnego „Gazety Wyborczej". Może tylko sam odejść. W pertraktacjach w tej sprawie zarząd wysunie argumenty. Wtedy okaże się, że jego uprzywilejowana pozycja ma wartość finansową.

Trzeba pokazać w finale, jak prezes zarządu kładzie mu na biurku czek. Obywatel M. patrzy na wypisaną na nim kolosalną sumę, przenosi wzrok na twarz Wandy

Rapaczyńskiej, przyjaciółki z młodości, której dał zostać multimilionerką. Wyczuwa, że użyła psychologii, by skorzystać z prywatnej wiedzy o nim dla oszacowania wielkości pokusy. Bierze czek do ręki. Czy schowa do portfela? Czy raczej podrze, uniesie się honorem, jak Piłsudski jadąc do Sulejówka, wstanie od biurka naczelnego i odejdzie z niczym? Zakończenie może być otwarte. Pointą jest liczba.

Jego umysł, bohaterstwo, odwaga, strach, ból, więzienie, złe gry, wyrzuty sumienia i przyjaźnie zostały sprowadzone do szeregu zer. Jest to ostatni rozdział dziejów honoru w Polsce.

Przemiana Michnika wyraża sens naszej transformacji ustrojowej. Film daje szansę wielkości autorom. Scenarzysta musi ująć metaforycznie życie jednego z największych Polaków naszych czasów. Reżyser może określić się wobec Wielkiego Reżysera, który ulągł się tego tematu. Ktoś powiedział: zwierzę musi zabić drugie zwierzę, aby przeżyć, natomiast człowiek musi drugiego zdefiniować. To samo dotyczy artystów.

Film fabularny o Michniku zdejmie kilka ograniczeń krępujących kulturę od 1989 roku. To zakaz moralnego rozliczenia komunizmu. Zakaz krytycznej refleksji nad Okrągłym Stołem w kulturze masowej. Odsłonięcia korzeni elity panującej w Polsce od końca II wojny światowej. Refleksji nad uwłaszczeniem nomenklatury w zamian za oddanie władzy nad umysłami odszczepieńcom rewizjonistycznym, dzieciom stalinistów. Ci dzisiejsi liberałowie chodzą na groby rodziców komunistów leżących w Alei Zasłużonych na Powązkach. Dzieci przeszły przemianę, lecz na ile głęboką? Jaka będzie ich dalsza ewolucja?

Kto zabawia świat z Allenem i Polańskim

Muzeum Żydowskie w Nowym Jorku zadało pytanie: Kto **[129]** zabawia Amerykę? Odpowiedziało wystawą pod tytułem „Żydzi w filmie, radiu i telewizji". Żydami są prawie wszyscy szefowie wytwórni, podobnie scenarzyści, producenci, rzadziej reżyserzy i aktorzy.

Jak to się stało, że biedni imigranci z zacofanej Europy Wschodniej stworzyli kwintesencję kultury kraju najbardziej rozwiniętego cywilizacyjnie? Zrealizowali w ten sposób najśmielsze marzenia o asymilacji. Przetworzyli siebie na podobieństwo bogatych jankesów, przejmując ich obyczaje, a potem wpływy polityczne. Dali na ekranie wyidealizowany obraz Nowego Świata i po trosze zjudaizowali Amerykę, narzucając wszystkim swe wartości przez kino. Stąd bierze się w filmach sympatia dla słabszego, kult matki, ale także żądza sukcesu za wszelką cenę, rewolucja obyczajowa, fascynacja seksem i przemocą oraz skłonność do sentymentalizmu.

Żydzi mają coś, czego brakuje innym, skoro odnieśli tak wielkie powodzenie, lecz nie lubią się tym chwalić. Nawet Marlon Brando został zmuszony do przeprosin, gdy miał nieostrożność powiedzieć w telewizji: „Hollywood rządzą Żydzi".

Burzę wywołał również artykuł Williama Cashmana „Królowie interesu" w angielskim „Spectatorze". Cashman wydrwił elitę Hollywood chodzącą w dresach i białych skarpetkach. Zarzucił jej mentalność klanową i dyskryminację gojów. Powołał się na książkę Neila Gablera „Ich własne imperium. Jak Żydzi wynaleźli Hollywood".

Gablera też oskarżano, że ujawnia za dużo, ale i doceniono, gdyż pisał z sympatią dla biednych nowobogackich. Natomiast Cashman szydził, dlatego „Spectator" został obrzucony zarzutami o antysemityzm, choć naczelny pisma jest Żydem, wydawca jest właścicielem „Jerusalem Post", a tygodnik pisał wcześniej kąśliwie o Francuzach i Polakach.

Minęło kilka lat od artykułu Cashmana i wywiadu Brando. Zainteresowani widocznie poczuli się pewniej i dlatego przemówili szczerzej. Przy okazji wystawy wyszedł katalog, który nie zostawia cienia wątpliwości, kto rządzi Hollywood i jak do tego doszło. Gdzie jak gdzie, ale w Muzeum Żydowskim w Nowym Jorku na pewno nie znajdzie się antysemityzmu. Przez ten grząski teren niech nas prowadzi Gwiazda Dawida. Streszczam zatem po prostu katalog „Entertaining America. Jews, Movies and Broadcasting" zredagowany przez J. Hobermana i Jeffreya Shandlera.

Nickelodeon, czyli bajzel dla ludu

Kamerę filmową skonstruował Thomas Edison, czyli jankes, ale trzeba było talentu w odkrywaniu potrzeb rynku, by z ciekawostki technicznej zrobić wielki biznes. Przy okazji zaszła rewolucja w kulturze. Masy biedaków uzyskały dostęp do sztuki dramatycznej i przez kino narzuciły swój gust klasie wyższej w Ameryce i na całym świecie.

Pierwszymi kinami w miastach Wschodniego Wybrzeża były lokale sklepowe przerobione na miejsca rozrywki dla proletariatu. Prostacy nie mieli dotąd kontaktu z teatrem dramatycznym. Dla nich powstały nickelodeony.

Nazwa pochodzi od słowa „nickel", gwarowego określenia pięciocentówki. Tyle wynosiła cena biletu wstępu. Na początku XX wieku była tych lokali ponad setka w nowojorskiej dzielnicy Lower East Side. Mieszkała tam półmilionowa społeczność imigrantów z Europy Wschodniej. Nowa rozrywka trafiła w jej upodobania, skoro w roku 1908 działało już ponad pół tysiąca tych przybytków.

Wśród właścicieli nickelodeonów aż 60 procent stanowili Żydzi, dwa razy więcej niż wynosił ich liczbowy udział w populacji Dolnego Manhattanu. Włosi i rodowici Amerykanie mieli taką samą proporcję wśród kiniarzy, jaką wśród mieszkańców. Ale porządni Niemcy wyraźnie brzydzili się filmem, mając pięciokrotnie mniej kiniarzy, niż wynosiła ich procentowa reprezentacja wśród mieszkańców dzielnicy. O Polakach nie mówi się wcale. Szemrany biznes nie był dla poczciwych chłopów czy zacnych inteligentów ze szlachty.

Skąd różnice etniczne w podejściu do pierwocin kina? Nickelodeony stanowiły interes w sam raz dla ludzi bystrych, mających więcej żądzy zysku sukcesu niż skrupułów. Sale kinowe przypominały bardziej miejsca rozpusty niż namiastkę teatru. Spotykali się tam po ciemku brudni mężczyźni, rozwiązłe kobiety i dzieci bez nadzoru dorosłych. Towarzystwo Pomocy Dzieciom spowodowało areszt właściciela kina, który wpuścił nieletnich na film o morderstwie na tle seksualnym. Chrześcijańscy duchowni atakowali „jawną deprawację" w nickelodeonach. Również porządny Żyd nie wziąłby się za tak mętny interes jak kino w powijakach.

Programów dostarczała francuska wytwórnia Pathé, dopóki kiniarze z Nowego Jorku sami nie zaczęli produkować filmów. Potem przenieśli się do wiecznie słonecznej Kalifornii. Tak powstało Hollywood, założone przez nowojorskich krawców z gett Rosji i Polski. A cóż takiego miał krawiec, że nadawał się na filmowca? Umiał schlebiać tanim gustom, wyczuwał nastroje publiczności i miał talent do stwarzania iluzji za grosze.

Były krojczy, 35-letni William Fox, aspirujący do roli nowego lidera kulturalnego Ameryki, podpisał się w 1914 roku pod manifestem kina: „Filmy tchną duchem, na którym ten kraj został założony, wolnością i równością. W kinach nie ma podziału klasowego. Każdy wchodzi do środka tym samym wejściem. W filmach bogaci ocierają się o biednych i tak być powinno. Film jest wyraziście amerykańską instytucją". Aby ten program został zrealizowany, należało stworzyć masową produkcję wielkich wzruszeń, podważając panowanie anglosaskiej elity kulturalnej.

Chociaż Żydzi rządzili nowym przemysłem, sami rzadko występowali w filmach. Pojawiali się czasem jako groteskowi chciwcy, skrojeni według antysemickiego szablonu. Nie raziło to jednak ani żydowskich producentów, ani żydowskiej publiczności. Pierwsze gwiazdy filmu, jak Theda Bara, ukrywały żydowskie pochodzenie. Największy gwiazdor wczesnego kina Charlie Chaplin był powszechnie uważany za Żyda, chociaż nim nie był i nie występował w takiej roli aż do fryzjera w „Dyktatorze". Skąd ta pomyłka publiczności? Ze stworzenia typu biednego rebelianta o wielkim sercu, który był zgodny z ówczesnym stereotypem Żyda.

Po pierwszych rolach genialnego komika pismo branżowe „Variety" narzekało, że „na ekranie nie pojawiło się dotąd nic bardziej brudnego". Gdy minął pierwszy szok, zaczęły się analizy. Chaplin wcielił żydowski stereotyp w szlachetniejszej odmianie. Postać małego włóczęgi to miejski biedak bez korzeni, który współczuł pokrzywdzonym. Filozofka Hannah Arendt była przekonana, że źródłem jego popularności jest żydowskość. Uważała, że był Żydem, gdyż cierpiał i zwyciężał. Dzieciństwo w londyńskich slumsach nauczyło go lęku przed policjantem uosabiającym wrogi świat gojów. Wyrażał „bezczelność biednego żydka, który nie uznawał porządku klasowego, bo nie widział w nim ani porządku, ani sprawiedliwości". Innymi słowy, miał hucpę.

Krytyk Sig Altman uważa, że żydowskie cechy Chaplina to nędzna elegancja oraz niepewna godność, zdumiewająca zręczność i upodobanie do ośmieszania pompatyczności. Pasuje on do biblijnej tradycji obalania fałszywych bożków. Widział w komiku Dawida, który triumfuje nad nadętym Goliatem, ale zauważył też jego bezczelność. Włóczęga o nieugiętym duchu przypominał krytykowi postać Mendla z opowiadania Alejchema, który przybył do Odessy, aby zostać milionerem, bez cienia wątpliwości, że bogactwo i władza mu się należą. „Światła wielkiego miasta" zaś to metafora losu tego narodu w Europie. Oto pijany milioner zaprzyjaźnia się wieczorem z trampem, ale porzuca go rano, gdy trzeźwieje. Tak samo Żydzi zostali wkrótce porzuceni, gdy nadeszła Zagłada.

Pod koniec I wojny światowej przemysł filmowy przeniósł się z Nowego Jorku do Kalifornii, skupiając się w kilku studiach. Założyli je imigranci z gett Europy Środkowej i Wschodniej. Opinia publiczna przezwała ich „mogołami", czyniąc aluzję do despotów mongolskich okupujących Indie. Ciekawe, że anglosascy twórcy kina Thomas Edison i D.W. Griffith byli określani z szacunkiem jako „pionierzy", natomiast producenci, którzy po nich przyszli, budzili odrazę i lęk.

Amerykanie początkowo uważali Hollywood za obce źródło zepsucia moralnego i dywersji. „New Yorker" opisał w 1925 roku „celuloidowego księcia" Samuela Goldwyna, ukazując go jako bezwzględnego prostaka, choć inspirującego dla twórców. Wyglądał na dżentelmena, póki nie otworzył ust. Wtedy wykrzykiwał polecenia za pomocą ledwie dziesięciu słów. W warszawskim getcie odkrył filozofię życia, którą zhumanizowała dopiero demokracja amerykańska. A cóż to za filozofia? „Obedrzeć bliźniego wszelkimi sposobami, byle tylko nie trafić do więzienia", stwierdza „New Yorker". Goldwyn miał kolosalną energię i ambicję. Doskonale umiał rozpoznać talenty. Łączył spryt finansowy z wyczuciem potrzeb widowni, które zaspokajał bez skrupułów.

Najsławniejszym krytykiem dominacji Żydów w kinematografii był wielki przemysłowiec i postać kontrowersyjna, Henry Ford. W lipcu 1938 roku, kiedy cele nazizmu były już znane, przyjął on od Hitlera najwyższe odznaczenie dla cudzoziemców na swe 75. urodziny. Z tego powodu jego krytyka Hollywood traci sporo na wiarygodności. Wygląda jak antysemickie zaślepienie, chociaż wyraża zrozumiały niepokój anglosaskiej elity o kulturę.

Ford porównał kino do narkotyku, który Żydzi wykorzystują w celu propagandy rewolucji społecznej. Uważał, że medium filmowe szerzy rozwiązłość i obniża standardy estetyczne. Sądził, że zasady produkcji masowej, które sam wprowadził w przemyśle, nie pasują do sztuki, gdyż poddają twórczość naciskowi rynku i trywializują. Niestety, Ford nie postawił sobie prostego pytania, czy to Żydzi byli winni trywializacji, czy tylko pierwsi dostrzegli, jak zaspokoić przez kino popyt masowej widowni na trywialną rozrywkę. Całkiem podobnie sam odkrył drzemiącą w ludziach potrzebę przemieszczania się i zrealizował ją, wypuszczając na rynek swe tanie auto, również zmieniając tym Amerykę, ale czy na lepsze, to rzecz do dyskusji.

Zrównoważoną debatę o społecznym wpływie kina utrudnił fakt, że Hollywood dokonało przemiany kultury, obalając tabu seksu i przemocy. Te pierwotne popędy angażują widzów w akcję bez żadnego wysiłku z ich strony, więc są łatwe i pokupne. A czym wyjaśnić promocję przemocy przez żydowskich filmowców? Można sądzić, że to skryte marzenie ofiary ciągłych represji. Ten, kto stale zbiera baty, pragnie przejść na drugą stronę i symbolicznie wcielić się w mocarza.

W komiksach i kreskówkach łatwiej wyrazić swe fantazje niżeli w konwencji realnego świata. Weźmy Supermana. Wymowne, że pojawił się jako bohater komiksu tuż po „nocy kryształowej", pogromie Żydów w Niemczech w listopadzie 1938 roku. Krytyk Jeff Salamon sądzi, że jego twórcy, Siegel i Schuster, posłuchali wezwania syjonizmu, aby stworzyć nowe pokolenie Żydów, imponujących fizycznie „Muskeljuden". Ich bohater ukrywa nadludzką moc pod postacią łagodnego reportera Clarka Kenta. Dziennikarz Kent stanowi właśnie antysemicki stereotyp, który według jego twórców i syjonizmu ma ustąpić ideałowi mocarza. Jest tchórzem w okularach, zakochanym w „Aryjce", ale nie umie przyciągnąć jej uwagi. Jako dziennikarz wykonuje zawód „pasożytniczy", o co zawsze oskarżano Żydów, uważając, że podejmują zawody nieprodukcyjne, tylko pośrednicząc w wymianie towarów i idei. Superman był również szczytem fantazji imigrantów o asymilacji w Ameryce. I wcale nie pochodził z planety Krypton, jak powiada komiks. Jego duchowa ojczyzna to żydowskie getto w białoruskim Mińsku.

Odpowiednik Supermana stanowiła superwoman Betty Boop, niezwykle popularna w latach trzydziestych XX wieku. Rysownik Max Fleischer nakreślił ideał kobiety niezależnej, seksownej i zdobywczej. Betty unikała tuczącej żywności, która by ją zmieniła w „jidishe mame". Kłóciła się z rodzicami z getta o styl życia. Weszła w świat jako zaradna seksbomba. Czyż nie była prababką Moniki Lewinsky, która oczarowała prezydenta Billa Clintona? Betty chciała nawet zostać prezydentem Stanów Zjednoczonych pod hasłem darmowych kabaretów i szampana dla obywateli. Przekraczała granice przyzwoitości, jak przystało na Żydówkę wyzwoloną z tradycji. W owym czasie stanowczo nie był to anglosaski ideał kobiety, chociaż został potem przejęty przez WASP-ów.

Ducha rebelii najpełniej wyrażały komedie braci Marx. Byli zawsze gotowi do ataku, używali żartu jako broni, wulgarności jako maski, okrucieństwa jako ochrony dla własnej wrażliwości. Ci hucpiarze wciskali się w anglosaskie wyższe towarzystwo, zepsute i ogłupiałe, które nie zdawało sobie sprawy, co bracia z nim wyprawiają i czym to się dla towarzystwa skończy.

Kino przekształcało mentalność Ameryki, ale głównym motywem producentów filmowych była żądza zysku, nie żaden spisek. A najlepiej sprzedawał się i sprzedaje zakazany owoc seksu i przemocy. Jednak tym Hollywood podważyło pracę kościołów, które każą sublimować pierwotne popędy. Wprawdzie judaizm również zaleca pewną sublimację, lecz publiczność była i jest głównie chrześcijańska. Ułatwiło to przeniesienie sporu obyczajowego z producentami filmów na teren religijny, choć kino robili ateiści albo agnostycy. Wilbur F. Crafts wezwał wręcz Kongres i Kościół katolicki, aby „wybawiły film z rąk diabła i 500 Żydów".

Kodeks Hayesa

Większość stanów Ameryki zamierzała wprowadzić cenzurę. Przestraszeni mogołowie filmu uprzedzili ten cios i sami powołali stowarzyszenie producentów, stawiając na czele protestanta Williama Hayesa. Ogłosił on kodeks, który od 1930 roku narzucał kinu obyczaje klasy średniej jankesów. Ostrzejszą wersję kodeksu napisał cztery lata później Daniel Lord, jezuita. „Żydzi myślą tylko o robieniu pieniędzy i użyciu seksualnym", pisał cenzor Joseph I. Breen, katolik, który poznał od podszewki Hollywood jako reporter. Kodeks Hayesa został zniesiony dopiero w roku 1967 na skutek rewolucji obyczajowej, przeprowadzonej – jakżeby inaczej – pod kierunkiem także liberalnych Żydów.

Oto kilka wypisów z kodeksu Hayesa:

- ukazanie technik morderstwa nie może pobudzać do naśladownictwa;
- zemsta we współczesnych czasach nie może być usprawiedliwiona;
- nie należy pokazywać picia alkoholu w USA, jeśli nie wymaga tego fabuła lub charakterystyka postaci;
- należy podtrzymywać świętość małżeństwa i rodziny;
- nie można sugerować, że niskie formy związków seksualnych są akceptowane lub powszechne;
- namiętność należy pokazywać tak, aby nie pobudzać niższych i podłych uczuć;
- uwiedzenie i gwałt mogą być tylko sugerowane i tylko wtedy, gdy jest to niezbędne dla fabuły. Nie wolno wyraźnie ukazywać ich sposobów;
- uwiedzenie i gwałt nie mogą być tematami komedii;
- zakazane są zboczenia seksualne i aluzje do nich;

- zakazane są stosunki seksualne między białą i czarną rasą;
- nie wolno ukazywać scen porodu;
- żaden film lub epizod nie może wyśmiewać jakiejkolwiek wiary religijnej;
- nie wolno pokazywać kapłanów w roli postaci komicznych lub łajdaków;
- nie wolno produkować filmów, które pobudzałyby nietolerancję czy nienawiść między ludźmi różnych ras, religii lub pochodzenia narodowego.

Amerykanie mieli za złe żydowskim filmowcom nie tylko fascynację seksem i przemocą czy sympatię do komunizmu. Zarzucali im też wrogość do nazizmu, gdyż przed II wojną światową Hitler był popularny w Ameryce jako wróg bolszewików.

Wspomniany cenzor Breen odradzał producentom robienie filmów antynazistowskich. Uważał, że opinia publiczna odbierze to jako popychanie do wojny w interesie obcych, co z kolei może wywołać antysemityzm. Joseph P. Kennedy, ojciec JFK, ówczesny ambasador USA w Anglii, a także były dyrektor wytwórni RKO, przestrzegał wprost: W Anglii właśnie z tego powodu obciąża się Żydów winą za konflikt z III Rzeszą, uznając, że pchają kraj do wojny z Niemcami we własnym interesie.

Aż do wybuchu II wojny światowej mogołowie obawiali się używać kina do walki przeciwko Hitlerowi. Dopiero atak na Pearl Harbor usunął przeszkody dla propagandy antynazistowskiej. Zaś ujawnienie Holocaustu sprawiło, że po II wojnie ustały ataki na filmowców za żydowskie pochodzenie. Przeciwnicy Hollywood podnieśli wtedy alarm czerwonego zagrożenia z ich strony.

Komisja Kongresu do Badania Działalności Antyamerykańskiej pod kierunkiem senatora Josepha McCarthy'ego prowadziła przesłuchania w sprawie komunistycznej infiltracji kina. Dziesięciu filmowców poszło do więzienia za odmowę odpowiedzi, czy należeli do partii komunistycznej. Wielu innych dostało zakaz pracy w filmie. Większość represjonowanych była Żydami. Zarzucano im tworzenie antagonizmów rasowych w społeczeństwie amerykańskim i podburzanie mniejszości rasowych. Wtedy była to dywersja ideologiczna, ale dziś równość rasowa i duma etniczna weszły do głównego nurtu kultury w Ameryce. Po latach zwycięstwo przypadło zatem żydowskim ofiarom represji, bo wpoiły amerykańskiej publiczności swoje przekonania.

Żydzi w Ameryce stali się częścią elity władzy nie do ruszenia w dającej się przewidzieć przyszłości. Już nie mają interesu grupowego, aby podważać porządek społeczny, skoro przestał stawiać im przeszkody w karierze, choć niektórzy dalej mają ideały. Z przekraczania dozwolonych granic została w kinie promocja przemocy i seksu, bo dobrze się sprzedaje. Krytyk Michael Medved zarzuca dziś rodakom z Hollywood, że stworzyli „fabrykę trucizny". Propagują wulgarność, plugawy język i pogardę dla autorytetów. Wykazują też „wściekłą antyreligijność, która poniża ludzkiego ducha". Zachęca, aby zwrócili się do wartości opartych na religii.

Myślę, że zalecenia Medveda to mrzonka. Wprawdzie judaizm mógłby dać kinu solidną bazę moralną – w końcu z niego pochodzi Dekalog. Jednak filmowcy porzucili rodzimą wiarę nie po to, by wejść w kulturę chrześcijańską. Zresztą nie zarobiliby na moralizowaniu. Jak widzą siebie dzisiaj? Odpowiedź daje przykład gwiazdora ostatnich lat Adama Sandlera. Nie jest przesadnie neurotyczny ani za bardzo wygadany. Stroni od krytyki społecznej, ma dużą pewność siebie. W rankingu żydowskich bohaterów dzieci ze szkoły na Manhattanie Sandler zajął drugie miejsce. Czwarte przypadło Bogu.

Kto stanął na szczycie? Jerry Seinfeld – dość podobny do Sandlera bohater sitcomu, gdzie talmudyczne dzielenie włosa na czworo pomaga rozwiązywać problemy życia w wielkiej metropolii. Na przykład, czy prawo do miejsca na parkingu ma kierowca, który wjeżdża przodem, czy który wjeżdża tyłem? Po czym następuje wymiana subtelnych argumentów.

Spełnia się żart, że „Żydzi są jak wszyscy, tylko bardziej". Chociaż nie całkiem. Wśród stu członków establishmentu mediów zajmują pierwsze dwanaście pozycji. A wiecie, jak Internet został odkryty dla biznesu? Pewien żydowski adwokat dał w sieci reklamę. Wywołał oburzenie internautów, że profanuje domenę wolnej informacji. Internet był wtedy dziedziną bezinteresownych pasjonatów wiedzy, więc komercyjne ogłoszenie łamało przyjęte reguły. Ale dzisiaj Internet jest gałęzią gospodarki i kultury wartą biliony dolarów, a to zaledwie początek. Przejawia się tu znany od tysiącleci motyw przekraczania dozwolonych granic, często z żądzy zysku.

Podobnie Żydzi stworzyli przemysł filmowy bez oglądania się na przyzwoitość i dobry smak anglosaskiej klasy wyższej. Podbili masową publiczność, schlebiając niskim gustom dla zysku. Całkiem mimochodem stworzyli podstawy wielkiej sztuki, w której również osiągnęli znakomitość. Elita anglosaska blokowała im awans na Wschodnim Wybrzeżu Ameryki. Założyli więc własne imperium światowe, z pyszną stolicą na Zachodnim Wybrzeżu, w Hollywood.

Woody Allen, zgroza neurozy

Najbardziej żydowskim artystą filmowym jest dziś Woody Allen. – Jestem inteligentnym facetem, mam 165, 170 IQ – powiada jako emerytowany reżyser w „Zakochani w Rzymie". – Ale tylko, jeśli liczyć w euro – ripostuje żona. Oto cały on, świetny mózg i autoironia. Dziennik „The Los Angeles Times" porównał jego sposób mówienia do zacinania się prezydenta Baracka Obamy, kiedy zabiera głos bez telepromptera. Ich umysły pracują tak szybko, że słowa za nimi nie nadążają.

Umysł Allena to fabryka paranoika: nakręcił 46 filmów i napisał kilka sztuk teatralnych o grozie życia, utrzymując się na szczycie przez 40 lat. Osiągnął to wszystko na niemieckiej maszynie do pisania Olympia, która według gwarancji sprzedawcy „będzie działała także po jego śmierci". Żałuje, że nie ma talentu do tragedii, ponieważ w tragedii doświadcza się bezpośrednio rzeczywistości, natomiast komedia próbuje ją wyśmiać. Już w wieku pięciu lat zgorzkniał; uświadomił sobie wtedy własną śmiertelność. Tak twierdzi w dokumencie „Reżyseria: Woody Allen" w realizacji Roberta Weide. To Camus komedii, przekonuje życzliwy ksiądz do kamery. Życie jest koszmarem bez sensu, tylko czemu trwa tak krótko? – dziwi się groteskowy egzystencjalista.

Ale cóż, „funny is money", zarabia się na tym, co zabawne. To żelazna reguła w show-biznesie. Dorobił się 65 milionów dolarów. Zaczął od pisania za pieniądze dowcipów dla uznanych komików w szkole jako uczniak. Potem występował na estradzie ze swymi monologami, dławiąc się tremą. Jego agent poradził mu, że powinien najpierw stać się znany za wszelką cenę. Dlatego w telewizyjnym widowisku nie wstydził się nawet boksowania z kangurem. Grał jazz na klarnecie w wielkich salach koncertowych. W końcu stał się genialnym artystą kina. Wyrównał rekord Orsona Wellesa, którego „Obywatel Kane" zdobył cztery najważniejsze (i dwie inne) nominacje do Oskara, tyle samo, ile „Anny Hall" w 1977 roku. Ostatecznie film Allena zdobył cztery Oscary, a nie tylko nominacje. I odmienił gatunek komedii, tworząc kino dla publiczności myślącej.

Jego filmy z ostatnich lat nie są już tak dobre ani świeże, jak te z lat siedemdziesiątych i osiemdziesiątych ubiegłego wieku. Po „Życie i cała reszta" sądziłem, że się skończył. Jako 70-latek na ekranie starał się wpoić postaci młodego pisarza żydowską paranoję, szykując młodzieńca do katastrofy na miarę Holocaustu, bo „rekordy są po to, żeby je pobijać". Stworzył tu stereotyp nowojorskiego intelektualisty Askenazim. Interesuje się wszystkim, ma stanowczą opinię na każdy temat, wszędzie widzi antysemityzm i zagrożenie dla życia. Młodzieńcowi każe kupić karabin i latarkę, która nie tonie w wodzie. Mówi, że światu ciągle grozi koniec, jakby czuł, że sam się kończy i ma przekazać następnemu pokoleniu sposoby przechowania żydowskiego kodu kulturowego.

A jednak się nie skończył. Pobił rekord kasowy swoich filmów, gdy „O północy w Paryżu" zgarnęło 57 milionów dolarów w Ameryce i 151 milionów na całym świecie, przy budżecie 17 milionów dolarów. To małe sumy w porównaniu do produkcji Hollywood. Jednak on pracuje dla innej publiczności. Kręci dla neurasteników i paranoików oraz ludzi inteligentnych, którzy potrafią dostrzec w dziwactwach swój los. Nie lubią go zwykli Amerykanie, ponieważ jest zaprzeczeniem zdrowego rozsądku, o urodzie nie mówiąc. No i kto to widział w Ameryce, żeby celebryta miał tak kiepskie zęby. Lecz Francuzi noszą go na rękach, aż im odpłacił w „Końcu Hollywood" o niebywałej hucpie. Niewidomy reżyser kręci film i oczywiście wychodzi bełkot, jednak przeintelektualizowana krytyka francuska dostrzega w tym świeże spojrzenie na kino. Kochają go także Niemcy, co przyjmuje z ironicznym zdziwieniem. Wszak jest archetypowym Żydem z nazistowskiego stereotypu, czyli nadpobudliwym seksualnie mimo brzydoty osobnikiem o podejrzliwym, wywrotowym umyśle.

Kluczem do twórczości Woody'ego Allena jest jego pochodzenie. „Żydzi są tacy jak wszyscy, tylko bardziej" głosi znane powiedzonko. On drąży to „bardziej", aż „wszyscy" wrażliwi widzowie poczują się rozbrojeni absurdalnym poczuciem humoru i w pokracznym paranoiku ujrzą swoje problemy. Jakże trafnie Martin Scorsese chwali go za wielką wiedzę o życiu. Jest to wiedza tak gorzka, że daje się skonsumować łatwiej jako dowcip. Widać mądrość gromadzoną przez tysiąclecia.

Na szczyt wprowadził go film „Annie Hall", gdzie poruszył problem swego pochodzenia. Uporczywie tu powraca do demaskatorskiego dokumentu Marcela Ophulsa „Smutek i litość" na temat okupacji Francji i kolaboracji Francuzów z nazistami. Gra komika telewizyjnego Alvy Singera, który zakochuje się w Annie (Diana Keaton), dziewczynie pochodzącej z WASP-ów, białych anglosaskich protestantów. Podczas wizyty u rodziny Anny jej antysemicka babka widzi w nim chasyda z brodą, pejsami, w chałacie i kapeluszu. Allen chce wskazać kontrast między swą wulgarną a pełną życia rodziną i WASP-ami, którzy są kulturalni i powściągliwi, lecz ze skłonnością samobójczą, jak zwierza mu się brat Anny. Natomiast Alvy nie chce żydowskiego szaleństwa ani chłodu WASP-ów. Chce być nowojorskim intelektualistą dla pieniędzy rozśmieszającym publiczność i suflującym tematy do przemyśleń.

Ten film o szukaniu miłości w kosmopolitycznym mieście rankingi uznają za jedną z najważniejszych komedii wszech czasów. Anna i Alvy są całkowicie różni. Ona to uczuciowa i niezbyt rozgarnięta piękność. On jest rozpustnym (starotestamentowe „idźcie i rozmnażajcie się" puszczone samopas) i przesadnie podejrzliwym brzydalem. Podzielony ekran podczas ich jednoczesnej, ale oddzielnej sesji psychoterapeutycznej pozwala pokazać, jak różnie oceniają te same sytuacje. On kocha Manhattan, stolicę kulturalną świata. To niezwykłe miejsce, gdzie można wyciągnąć zza stojaka żywego Marshalla McLuhana, żeby skorygował błędną interpretację swych idei przez faceta w kolejce na film Ingmara Bergmana „Twarzą w twarz". Ona woli Los Angeles. Tam w kinach grają brednie w rodzaju „Mesjasza zła", a do telewizyjnych sitcomów dają śmiech z puszki, co Alvy uważa za tak niemoralne, że aż dostaje migreny.

Film rozluźnił formę fabularną przez zwracanie się aktorów wprost do kamery i wywiady z ludźmi na ulicy. Tamże Alvy usłyszy, na czym polega sekret szczęścia. Trzeba nie mieć poglądów i być pustym. Ciekawe, że tak twierdzi para pięknych, młodych WASP-ów. Jeszcze ciekawsze, że w tych latach zaczęli wyraźnie tracić elitarne pozycje na rzecz bystrzejszych, acz znerwicowanych Żydów. – A miłość ginie z czyjej winy? – pyta Alvy. – Ależ z niczyjej, po prostu sama mija – wyjaśnia starsza, a więc doświadczona kobieta.

„Annie Hall" to film gadających ludzi, nawet podczas uprawiania seksu. Mówią bezustannie, jak we wszystkich jego filmach. Jeśli kluczem do twórczości Allena jest jego zaplecze kulturowe, to też wyjaśnia ich formę. Są to filmy nieładne. On nie dba o to. Zresztą wie, że jego sposób na przetrwanie i sukces nie może polegać na urodzie, ale na bystrej obserwacji. Mało tu pięknych ujęć, dużo ważniejszy jest polot inteligencji werbalnej. Co jest zgodne z badaniami. Przeciętne IQ Askenazim wynosi 107 (według innych badań 115), przy ogólnej przeciętnej 100. Ale inteligencja werbalna wynosi 125 (u zbadanych studentów jesziwy; reżyser skończył jeszcze lepsze studia). Natomiast wizualno-przestrzenna IQ 98 wypada poniżej średniej (szerzej o tym w rozdziale „Jak powstał «żydowski łeb»"). I właśnie tak przystoi „narodowi Księgi" z zakazem czynienia wizerunków istot żywych. Natomiast z przymusem czujnej analizy zagrożeń z otoczenia i przystosowania się do każdych warunków. No bo jaką sztukę uprawiają ich wielcy krawcy i kosmetycy? W gruncie rzeczy sztukę kamuflażu.

Genialna zdolność adaptacji jest tematem komedii „Zelig". Kto będzie twierdził, że nie chodzi o Żydów zamieszkujących w ponad stu kulturach świata, ten nie ma oczu do patrzenia. Zelig jest konformistą jak każdy człowiek, tylko bardziej. Nie darmo Agnieszka Holland wybrała do filmu „Europa, Europa" aktora niebieskookiego i pszenicznowłosego, by zagrał żydowskiego chłopaka, który ukrywał się w szeregach Hitlerjugend. Wybitna zdolność adaptacji obejmuje nie tylko to, czego można się nauczyć, jak język, kultura i obyczaj. Obejmuje również cechy fizyczne, co w życiu realnym wymaga pracy kilku pokoleń w mieszanych małżeństwach. Zelig nie potrzebuje aż tyle czasu. Postać grana przez Allena upodabnia się natychmiast do grubasów, do Murzynów czy Chińczyków, do każdego, z kim przestaje.

Jeśli komuś taki klucz do twórczości Allena wyda się wytrychem, niech pamięta, że to nie jest reguła prostego

wynikania. Trzeba mieć też dużą niechęć do siebie.
Gdyby Steven Spielberg lub George Lucas byli równie brzydcy jak nasz smutny komik, to może też kręciliby kwaśne komedie o sobie i grali w nich główne role.
Chodzi tu o niewygodę bycia sobą. Niechaj to oceni rabin Arthur Hertzberg, były prezes Amerykańskiego Kongresu Żydowskiego:

„Woody Allen (urodzony w 1935 roku Allen Stewart Koningsberg) wcześnie buntował się przeciw światu żydowskiemu i swej młodości na Brooklynie w Nowym Jorku. Jest oczywiste – co wynika z filmów i publikowanych wywiadów – że Woody Allen unikał zachowań i obyczajów swych żydowskich rodziców. «Ich wartości to Bóg i wykładziny podłogowe», zauważył. We wczesnych filmach «Bierz forsę i w nogi» i «Bananach» gra siebie jako jęczącego, żydowskiego nieudacznika, który przynosi wstyd rodzicom. Późniejsze filmowe autoportrety są ciemniejsze, punkt ciężkości przenosi się z parodii na ból. W «Przejrzeć Harry'ego» jego «ojciec» noszący jarmułkę jest w piekle za mentalne okrucieństwo; oskarżył syna o śmierć żony przy porodzie. Jednak jest tak samo tragiczne i niesprawiedliwe oskarżać swego ojca o spłodzenie Żyda".

I dalej: „Zdaniem Woody'ego Allena Bóg zawiódł świat. Judaizm i chrześcijaństwo są bez znaczenia. Woody jest zdeklarowanym wielbicielem Groucho Marxa, który rzucił sławny żart «Nie chciałbym przyłączyć się do klubu, który miałby mnie za członka». Najwyraźniej dla Allena tym klubem są «Żydzi». W «Przejrzeć Harry'ego» przedstawia wyraźnie żydowskie postaci jako przesądnych fanatyków dążących do tworzenia wykluczających klubów i «narzucających idee Innego, żebyś dobrze wiedział, kogo masz nienawidzić». (...) Wykazał jasno w «Przejrzeć

Harry'ego» z nieubłaganą zaciekłością, że jakikolwiek pozytywny wyraz żydowskiej tożsamości jest, w najlepszym razie, naiwny. Na szczęście dla Woody Allena i dla nas, przez te wszystkie lata na kozetce terapeuty nie stracił poczucia humoru – odwetu słabych". („Jews. The Essence and Character of the People"; współautor Aron Hirt-Manheimer).

Jeśli Woody Allen wolałby nie być Żydem, to kim? Nie amerykańskim WASP-em, którym chyba gardzi. Chciał być i został nowojorczykiem. Komedia „Manhattan" jest peanem na cześć miasta. Film zaczyna suita obrazów: wieżowców, ulic w różnych porach roku, ludzi, pięknych kobiet na tle „Błękitnej rapsodii" Gershwina. Bohater impulsywnie rzucił pracę w głupiej telewizji, by napisać powieść o mieście. Na początku szuka właściwego tonu dla miłosnej pieśni dedykowanej temu miastu w kilku wersjach wstępu do swej książki. Przystaje na wątek kryzysu kultury, który rzuca się w oczy.

W następnym ujęciu Allen siedzi w swej ulubionej knajpie Elein's z parą przyjaciół i swoją kochanką (Muriel Hemingway). On ma 42 lata, ona 17. Chce się jej pozbyć. Nawiązuje romans z kochanką żonatego przyjaciela (Diane Keaton). Ona wraca do żonatego kochanka, więc on próbuje odzyskać dziewczynę. Druga, była żona, zostawiła Allena dla kobiety, a teraz pisze książkę o ich małżeńskim pożyciu, nie przemilczając niczego. W finale przyjaciele odczytują fragmenty gotowego dzieła, ku zakłopotaniu jego bohatera. Allen w zakończeniu chce zatrzymać młodziutką dziewczynę, wiedząc, że ją krzywdzi. Jak na wstępie uprzedzał z offu: „okulary w grubej, czarnej oprawie są maską seksualnego drapieżnika".

Egoizm, egocentryzm, bezwstyd zostały tu podane na ciepło, ze zrozumieniem dla ludzkich, acz głównie własnych słabości. Allen wygłasza moralizatorskie kazanie skierowane do przyjaciela dlatego, że ten odebrał mu – swoją własną – kochankę. Czyni to na tle szkieletów w sali wykładowej, wskazując, że tacy kiedyś będziemy i trzeba, by następne pokolenia myślały o nas dobrze. Tymczasem planuje zepsuć życie ledwie wchodzącej w życie dziewczynie. Postaciom Allena psychoanaliza zastąpiła sumienie. Ktoś niewprowadzony w temat mógłby się dziwić, jak można chodzić na psychoterapię przez kilkanaście lat. Czyż to nie dowód, że jest nieskuteczna? Ale nie po to nowojorczyk chodzi do psychoanalityka, żeby ten go uleczył, lecz by uwolnił pacjenta od poczucia winy, przez proste wysłuchanie jego wyznań. „Nie potępiam cię, skoro nie wyrzucam ze swego gabinetu". Za to bierze pieniądze.

Woody Allen jest wybrykiem natury czy kultury? Ta wybitna inteligencja to wynik dziedziczenia czy wychowania? Potrafił swym umysłem oczarować najpiękniejsze kobiety. Całuje się na ekranie z uroczą Diane Keaton i świeżutką Muriel Hemingway. Przez wiele lat był partnerem ujmującej Mii Farrow, która musiała go porównywać do swego byłego męża, Franka Sinatry, jednak nie uciekała z krzykiem. To on od niej uciekł dwadzieścia lat temu z przybraną córką Scon-Yi Previn lat 19, on wtedy 56.

Na Manhattanie bije serce świata. To nie tyle centrum finansowe, które Allena nie interesuje, ale serce przetaczające krew kultury w muzeach, galeriach, redakcjach, uczelniach, czy nawet w pogardzanej przez niego telewizji. Środowisko, w którym się obraca, nie wytwarza nic materialnego; ale tworzy i odczytuje symbole i znaki. Biegłość w tym procederze wyznacza towarzyską rangę. Łatwo tu o intelektualne nadużycia, które sam ośmiesza, choć bierze w nich udział. Dialog z filmu „Zagraj to znów, Sam": Allen: – Co ci mówi Jackson Pollock? – Kobieta: – Potwierdza negatywność wszechświata. Ohydną, samotną pustkę egzystencji. Nicość. Położenie człowieka zmuszonego do życia w nagiej, bezbożnej wieczności jak maleńki płomień tańczący w ogromnej pustce niczego prócz jałowości, grozy i poniżenia, tworzącego bezużyteczny, ponury kaftan bezpieczeństwa w czarnym, absurdalnym kosmosie. – Zaintrygowany Allen: – Co robisz w sobotę wieczór? Kobieta: – Popełniam samobójstwo. Allen: – A w piątek?" To się nazywa inteligencja werbalna! Interesowna i sprytna.

Nasz Mefisto

Gdy Woody Allen uczy Amerykanów życia bez wzniosłych złudzeń, to Roman Polański oswaja Polaków z demonizmem. W tutejszym kulcie dla „wielkiego rodaka" śmieszy mnie to, że poczciwcy starają się nie widzieć, o co chodzi. Polański pociąga nas fascynacją złem, która czasem przybiera postać paktowania z diabłem. Niemcy wymyślili Mefista, który kusi Fausta. Nie mamy artysty formatu Goethego, za to mamy Polańskiego. Przeżywamy z nim dramat upadku na dno udręki, wejścia na szczyt sławy i spojrzenia w otchłań.

Metafora diabła wyraża zakazaną wiedzę i wyklętą siłę. Rojenia o pakcie wynikają z frustracji duchowej wielkości, że świat nie pozwala jej rozwijać się i wywierać należnego wpływu. Gdy Goethe pisał „Fausta", rozdrobnione Niemcy miały wspaniałą kulturę, lecz były karłem politycznym. Natomiast Polacy nie wierzą w swą wielkość. Ale mamy za to „naszych" Żydów z imponującym,

choć mało u nas znanym dorobkiem moralnym i umysłowym gromadzonym w gettach. Gdyby Polański był prostym Polakiem-katolikiem, to nie miałby pokusy paktowania z diabłem, co odsłania w filmach. Jednak jako polski
reżyser żydowskiego pochodzenia może w głębi duszy
pragnąć mocy za wszelką cenę. Jest to naturalne pragnienie u ofiary. Na ile ulega tej groźnej chęci, wie tylko
on sam. Możemy się jedynie domyślać z różnych poszlak,
że jednak ulega. Ale trzeba przyznać, że badając w kinie
ciemne zakamarki swojej duszy, wyprowadza z zaścianka
nasze polskie myślenie.

Rodzice Polańskiego mogli pozostać przed wojną we
Francji i zachować nazwisko Liebling. Jego twórczość nie
należałaby wtedy do kręgu kultury polskiej. Byłaby kinem
zepsutego Francuza. Ale w 1937 roku przyjechali do Polski na swoje nieszczęście, ale naszą korzyść, jak miało się
okazać. Matka Romka zginęła w obozie, ojciec przeżył.
On sam uciekł z getta, przechował się u chłopów. Punkt
widzenia ofiary przyjął już jako dziecko. Resztę życia poświęcił relacji ofiara–oprawca i próbie ustalenia, w jaki
sposób zamienić się rolami. – „Dwaj ludzie z szafą" to
mój jedyny film, który coś znaczył – powiedział w jakimś
wywiadzie. – Był o nietolerancji społeczeństwa dla kogoś, kto jest inny. – A mnie się wydaje, że Polański stara
się zacierać ślady, jak każdy uciekinier. Jego wszystkie
prace mają głębszy sens i wcale nie poczciwy. Czaro-
dziej formy jest przewrotnym myślicielem.

Uległość, dominacja i seks jako źródło władzy, to
główne motywy jego wczesnych filmów. „Wstręt" i „Mat-
nia" ukazują, że podział na mężczyzn i kobiety ma dla
niego mniejszą wagę niż podział na gwałcicieli i ofiary
gwałtu, w miarę możności z zamianą ról. W wieku trzydziestu paru lat, gdy dynamika płci należy do spraw

najważniejszych w życiu, wyłożył swój pogląd na popęd służący przetrwaniu gatunku. Wcale nie chodzi o płodzenie dzieci. „Wstręt" dzieli świat na dwa wrogie obozy: pub, gdzie mężczyźni snują plany polowań na kobiety, i salon piękności, gdzie kobiety opłakują swoje straty czci i serca oraz knują odwet. Choć z natury seks stanowi źródło rozkoszy, jest pasmem udręki. Catherine Deneuve pragnie mężczyzny i brzydzi się tym pragnieniem. Żyje między siostrą, która hałaśliwie kopuluje za ścianą z żonatym kochankiem, a klasztorem żeńskim za oknem, przypominającym sygnaturką o cnocie celibatu. Dziewczyna posuwa kościelny zakaz do szaleństwa – ze wstrętu do seksu morduje starającego się o nią uczciwego młodzieńca, a potem obleśnego kamienicznika. Natomiast pociesza się fantazją o brudnym brutalu gwałcącym ją co noc. Wreszcie trafia w objęcia kochanka swej siostry, który wynosi ją z miejsca zbrodni, z ujawnioną spojrzeniem na jej ciało ochotą na stosunek seksualny. Film kończy zbliżenie zdjęcia bohaterki z okresu pokwitania. To wszystko wyjaśnia. Dziewczyna ma uraz z dzieciństwa.

W takiej wizji seksu Polańskiego nie dziwi jego obsesja kastracji. Cóż innego znaczy obdarte ze skóry cienkie truchło królika, symbolu płodności? Wygląda na talerzu jak wyrwany z ciała penis. Dziewczyna odcina królikowi łeb, który chowa do eleganckiej torebki. Podświadomie marzy o penetracji pochwy, której symbolem jest torebka, przez „łeb" męskiego członka. Natomiast dla mężczyzny to symbol lęku przed uzębioną waginą, znanego psychiatrom. Podobny lęk widać w komedii „Nieustraszeni zabójcy wampirów", gdzie odnosi się wprost do reżysera. Obsadził się tam w roli symbolicznie kastrowanego co chwilę młodzieńca.

Chwiejność męskości widać także w „Matni". Młoda żona przebiera starszego męża za kobietę tuż przed przybyciem do ich domu gangstera, który przejmuje nad nimi kontrolę. Mąż przejdzie serię upokorzeń, a mimo to próbuje nawiązać przyjazny kontakt z oprawcą – taktyka wypróbowana przez stulecia prześladowań Żydów. Mąż stracił siłę na samym początku, wypadając z męskiej roli. Odwaga, lojalność, władza, nawet moralność należą do oprawcy. Gangster jest panem sytuacji, a musi zagrać rolę służącego tylko wtedy, gdy nagle przybywają goście. Mąż w końcu go zabije, lecz straci godność i żonę. Role seksualne zależą od układu sił, a nie od biologii. A przecież zgnojony przez gangstera mąż był bohaterem wojennym! Wniosek: nie można wierzyć heroicznej reputacji, nasza pozycja w grze życia zależy od okoliczności.

Igraszki z diabłem

Trzydzieści lat później, gdy osłabnie popęd, a wzmocni się umysł, seks nabierze dla reżysera sensu metafizycznego. W filmie „Dziewiąte wrota" powierza swojej własnej, o połowę młodszej żonie rolę opiekuńczego diabła. W końcowej scenie naga Emanuelle Seigner siada okrakiem na kochanku (John Deep) i gwałci go na tle płonącego zamku. Wcześniej było widać, że nosi ona skarpetki nie do pary, czerwoną i niebieską: kolor żeński i męski. Płeć jest dla Polańskiego nie tyle faktem biologicznym, co psychologicznym może zależeć od naszego wyboru i sytuacji. Człowiek gra bierną rolę wobec tych podświadomych sił, a kiedy da się posiąść pięknemu diabłu, przeżywa orgazm absolutny.

Polański zyskał światową sławę filmową adaptacją powieści Iry Levina pod niewinnym tytułem „Dziecko Rosemary". Pokazuje tu zdolnego artystę, któremu kariera się nie układa. On sam wówczas długo czekał na propozycje, ale warto było – producent Robert Evans dał ten scenariusz „małemu Polakowi", jak go żartobliwie nazywał. W filmie główny bohater Guy również daremnie czeka na propozycje pracy twórczej. Aż w końcu dostaje ofertę wypożyczenia żony diabłu w celu zapłodnienia. Artysta zgadza się i kariera rusza z miejsca. Rosemary zachodzi w ciążę, poznaje przerażającą prawdę, a w końcowej scenie śpiewa dziecku kołysankę. W tle fabuły przybywa do Nowego Jorku niedołężny papież.

Jeśli reżyser myślał, że pobawi się pustą formą kultury religijnej, to zrobił błąd. Symbol zła okazał się żywotny. Jeszcze na planie filmu Mia Farrow (Rosemary) dostała list rozwodowy od oburzonego Franka Sinatry, swego męża i włoskiego katolika. Po kilku miesiącach kompozytor sławnej kołysanki Krzysztof Komeda potknął się na chodniku i zabił. Banda Mansona zamordowała ciężarną żonę Polańskiego Sharon Tate i jego przyjaciół. Ale kariera ruszyła, chociaż z oporami. Polański musiał tylko najpierw przetrawić swą tragedię osobistą, ekranizując „Makbeta".

Jego interpretacja tragedii Szekspira wygląda na samousprawiedliwienie: zbrodnia wynika z wyroku losu, a nie z wolnego wyboru człowieka. Makbet jest nie tyle sprawcą, co wykonawcą wyroczni. W planie metafizycznym nie ponosi winy, gdyż nie ma wolnej woli. Uwierzył wróżbie czarownic i tylko wyciągnął z niej wnioski, idąc po trupach do tronu. Wie, z kim współpracuje: określa czarownice mianem diabła. Niestety, zawarł pakt bez wiedzy o wszystkich jego skutkach. W krytycznym momencie chce ujrzeć swą przyszłość. W grocie czarownic wypija ohydny napój, wśród którego składników jest „język bluźnierczego Żyda". A to skądinąd szekspirowska ocena roli Żydów w rozwoju ludzkiej świadomości. Znaczy, że ich bluźnierstwa dają nam wiedzę, a mają tragiczne skutki. Polański zachowuje to w tekście, chociaż mógł wyciąć. Na końcu dodaje odsuniętego od tronu syna Duncana, pokazując jak podchodzi do siedliska czarownic, podsłuchując ich głosy, czyli powtórzy zbrodnie Makbeta. Od losu nie można uciec.

Film jest bardziej krwawy niż oryginał. Wprowadza scenę mordu króla, której nie ma w sztuce. W scenach zabójstw reżyser używa wielokrotnych pchnięć sztyletem; podobnie zginęła żona i przyjaciele. Pracą nad inscenizacją oczyszczał wyobraźnię z koszmarów i poczucia winy, poddając je trzeźwej ocenie świadomości. W „Tragedii Makbeta" ukazuje piekło żądzy władzy i sławy. Takim piekłem, acz w wulgarnej wersji, jest również Hollywood. Aby zrobić tam wielką karierę, trzeba czasem zawrzeć pakt z diabłem. Zaś u boku dobrze mieć Lady Makbet, choć zapłaci życiem za udział w ambicjach męża.

Oczyszczony z poczucia winy, na ile to możliwe, Polański po paru latach nakręcił znakomite „Chinatown". I ostrzega krytyków: Szukanie prawdy w cudzym życiu prywatnym prowadzi do katastrofy. Przed kamerą pojawia się jako mały bandzior sam reżyser, aby zagrozić symboliczną kastracją Jackowi Nicholsonowi za wściubianie nosa w nie swoje sprawy i rozciąć mu nożem nozdrze. Odniósł tym filmem wielki sukces. Ale musiał uciekać z Ameryki, oskarżony o gwałt na nieletniej. Czyżby to diabeł upomniał się o swój udział? W każdym razie podsunął mu gotową formę działania. Bo przecież pedofilii, a także kazirodztwa, dopuścił się patriarcha rodu w „Chinatown". Bezdzietny wówczas Polański przynajmniej nie popełnił incestu. Tym razem sukces wypadł taniej niż w przypadku „Dziecka Rosemary".

Idea bluźnierczej powieści Levina brzmi echem „synagogi Szatana" – antysemickiej obelgi. Fanatyczni chrześcijanie tak wyrażali się w średniowieczu o Żydach. Autor powieści stanowi przykład ofiary, która przejmuje punkt widzenia oprawcy. W tym wypadku to katolicki pogląd na „bluźnierczych Żydów". Ta powieść jest mniejszym skandalem w mocno zjudaizowanej kulturze amerykańskiej, aniżeli w polskiej kulturze katolickiej. Pasuje do tradycji swobodnej spekulacji religijnej judaizmu w celu przebadania różnych możliwości. Reżyser pilnuje, żeby sataniczni spiskowcy mieli rysy twarzy uważane za semickie. A u artysty tak świadomego formy nie ma przypadków obsadowych. Co w ten sposób nam mówi? Moim zdaniem jego przesłanie brzmiało: Kościół traci panowanie nad światem. Jest sklerotyczny i wrogi, ale Żydzi szykują kolejną odnowę duchową i zapewne odwet. Kiedyś dali światu Jezusa Chrystusa. A teraz dadzą Adriana Antychrysta. Oto sens tego filmu, jeżeli ktoś ma odwagę wyciągnąć wniosek. Przesłanki podał nam sam Polański w pełnym świetle reflektorów.

Próbuję zrozumieć motywy reżysera. To był rok 1968. Kościół katolicki przeżywał kryzys uwiądu. Od początku istnienia wpajał światu nienawiść do Żydów za to, że „zabili Chrystusa". Dobre skutki Soboru Watykańskiego II jeszcze się nie ujawniły w pełni, w tym zaniechanie walki z judaizmem i próba dialogu. Dopiero po 10 długich latach miał pojawić się dynamiczny Jan Paweł II, wydobywając z chrześcijaństwa wigor. Może Polański nie wziąłby się do realizacji „Dziecka Rosemary" za pontyfikatu polskiego papieża, ponieważ sam jest także

Polakiem. Wtedy jednak świat wyglądał inaczej. Na początku lat sześćdziesiątych XX wieku liberalni Żydzi stanęli na czele młodzieżowej rewolucji politycznej i seksualnej. W takim zamęcie szerzyły się idee radykalne, cyniczne i naiwne. Kult Antychrysta mógł wydawać się usprawiedliwiony jako opozycja wobec kultu Chrystusa. Ten ostatni kult spowodował przecież ponadtysiącletnią mękę Synagogi, zadawaną przez Kościół, o czym nigdy nie wolno nam zapominać. Zamiana ról oprawcy i ofiary nasuwała się sama.

Film wprowadza punkt widzenia, jaki nie pojawiłby się w polskiej świadomości bez udziału Romana Polańskiego. Polak-katolik nie odważyłby się na to, nawet gdyby w ogóle umiał w ten sposób pomyśleć. Sześć lat później znarowiony katolik Andrzej Żuławski nakręcił w Polsce „Diabła", ale jego bohater unika kontaktu z wcieleniem zła, ono samo do niego przychodzi, a stawką nie jest panowanie nad światem.

Polański wraca do motywu paktu z diabłem 30 lat później. Film „Dziewiąte wrota" to znów opowieść o pragnieniu mocy. Reżyser ma już 66 lat i inny problem. Tym razem chodzi nie o globalną stawkę, a ocalenie osobiste. Fabuła pokazuje wybawienie jednostki z ciemnoty i śmierci poprzez tajemną wiedzę. Trop prowadzi do myślenia kabalistycznego, choć Kabała uczy raczej kontaktu z Bogiem, a nie Jego przeciwnikiem. A co robi Polański? Diabła nie pokazuje jako złego i destrukcyjnego demona. Daje mu postać Lucyfera z królestwa światła, samoświadomości, wiedzy, zaciekle zwalczanej przez Kościół w średniowieczu. W filmie autor księgi drogowskazów do diabła został żywcem spalony na stosie, choć ta droga prowadzi do dobra! Nie ma co do tego wątpliwości, skoro w szczęśliwym zakończeniu bohater wchodzi

w światło, które nigdy nie jest kojarzone ze złem. Polak-
-katolik nie zrobiłby takiego filmu, nie tylko dlatego, że
nie żywi wrogości do katolicyzmu. Nie wyszłoby mu, ponieważ w polskiej kulturze nie ma kultu wiedzy. „Dziewiąte wrota" są dla nas czczą zabawą. Ale w kulturze
żydowskiej studiowanie ksiąg, czy to świętych, czy świeckich, jest obowiązkiem każdego człowieka.

Dlaczego Polański fascynuje Polaków, chociaż bywa
odrażający i w gruncie rzeczy polskiej kulturze obcy?
Nie dlatego, że jest wybitnym filmowcem, bo takich jak
on znajdzie się wielu. Owszem, imponuje nam światową pozycją. Daje poczucie, że sami jesteśmy niemal
w Hollywood. Przecież to nasz „Romek". Ale przykuwa
tym, że będąc pozornie jednym z nas, jest kimś więcej. Wprowadza obrazy diabelskiego zła do naszej wyobraźni, na co niemal nikt z Polaków by sobie nie pozwolił. Więc nasz Mefisto wywołuje w widzach – oprócz
grozy – poczucie psychicznej pełni, bo równoważy dobro jego przeciwieństwem. Przez niego poznajemy okrucieństwo i demoniczną stronę seksu tłumione przez katolicyzm, ale żywo obecne w naturze każdego człowieka.
Okruch swej tragicznej samowiedzy rzucił nam pod
nogi, grając Papkina w „Zemście" u Andrzeja Wajdy.
Nie jest tu zwykłym błaznem, lecz bystrym słabeuszem,
który może przeżyć między mocarzami tylko dzięki hucpie. Honor szlachecki, przyzwoitość, prawdomówność,
bogobojność są pustymi formami kultury potężniejszych
głupców. A głupcy nie mają pojęcia o cenie przetrwania
Żyda we wrogim świecie chrześcijaństwa. I o tym, jak odnieść sukces na przekór wszystkiemu.

Nowi Żydzi w kinie

Czy w filmach Hollywood przejawia się mentalność żydowska? To temat do dyskusji, poczynając od tego, czy
istnieje wspólna Żydom wrażliwość, skoro mieszkają w stu
kilkudziesięciu krajach globu. Uważam, że istnieje geniusz
Żydów, wykształcony przez wieki studiów tych samych tekstów religijnych, doświadczania podobnych prześladowań oraz znajomości świata nabytej w rozproszeniu.

Powiedzonko „Żydzi są tacy jak wszyscy, tylko bardziej"
to bezradność wobec bogactwa typów, jakie przybrali
w diasporze. Jedynym wyróżnikiem staje się ich intensywność bytu. Są jak wszyscy, tylko „bardziej", a reszta
cech zanika w oczach. Każde stwierdzenie można zbić
przeciwnym. Są mądrzy? Ależ skąd, to wyjątkowi głupcy!
Chciwi? A gdzie tam, to pasjonaci dobroczynności! Więc
może kreatywni? Nie, rozkwitają w otoczeniu gojów, ale
zostawieni sami sobie, zapadają się w siebie. Aż w końcu
namysł nad ich specyfiką traci sens. W rzeczywistości jest
inaczej. Powstałe typy ludzkie są zależne od doświadczeń. Jedne są odwieczne, inne zmieniają się w czasie.
I wszystkie występują w kinie.

Żydzi zdominowali kino, lecz go nie wynaleźli. Dopiero po 1910 roku przejęli własność pierwszych sal pro-
jekcyjnych – nickelodeonów – i produkcję. Od tamtego
czasu kontrolują własny wizerunek. Wcześniej byli ste-
reotypowo odrażający. W tych niemych, krótkich filmach
pojawiały się postaci podludzkie: prostackie, skąpe,
kłamliwe i wywrotowe. Żyd był „obcym", którego należało
się obawiać w roli chciwego kapitalisty i gwałtownego,

antykapitalistycznego reformatora, stwierdza Nathan Abrams w książce „The New Jew in Film. Exploring Jewishness and Judaism in Contemporary Cinema".

Obraz Żyda zmienił się po roku 1910, kiedy powstał Hollywood. Adolph Zukor, Jesse Lasky, Marcus Loew, Joseph Schenck, Samuel Goldwyn, Louis B. Mayer, bracia Warner, Carl Laemmle, Irving Thalberg, William Fox i inni zdominowali wytwarzanie filmów. Na ekranie pojawiły się postaci sympatyczne. Przełom uczynił dobroduszny lichwiarz, który ratuje gojowską matkę z dzieckiem w filmie „Old Isaacs, Pawnbroker" (reż. D.W. Griffith, 1908). Odrażające stereotypy ustąpiły sympatycznym: Surowego Patriarchy, który pilnuje tradycji, Buntowniczego Syna, cierpiącej Matki Żydowskiej i pięknej Róży z Getta. Żydzi ukazali się światu jako zabawni, egzotyczni obcy, choć dalej wykonywali wzgardzane zawody lichwiarza, krawca, handlarza ulicznego.

Szczyt ciepłego nurtu przyniósł pierwszy film dźwiękowy „The Jazz Singer" (reż. Alan Crosland, 1927), ukazując Syna Zbuntowanego, który odrzuca dziedzictwo kulturowe ojca rabina, kantora w synagodze. Zamierza w pełni zasymilować się z Ameryką, lecz w ironiczny sposób dla kogoś, kto pragnie wtopić się w społeczeństwo amerykańskie. Staje się zawodowym śpiewakiem jazzowym, udając Murzyna w czarnej charakteryzacji. Czyli nadal pozostaje obcy wobec białego społeczeństwa.

Zmiany masek

Od tej chwili zaczyna się odpływ jawnych Żydów z ekranu. W połowie lat trzydziestych stali się nieobecni, gdy Hollywood przyjęło strategię całkowitej asymilacji. Żydowscy aktorzy zmieniali nazwiska na anglosaskie również z powodu groźnych wypadków w Europie. III Rzesza uzasadniała antykapitalistyczną retorykę walką z „plutokracją", głównie żydowską. Pobudzało to antysemityzm w Ameryce przechodzącej akurat Wielki Kryzys, o który też winiono plutokratów. Publiczność filmowa, w przeważającej części biała i robotnicza, nie chciała oglądać w kinie Żydów i ich dziwnych problemów. Ideał głównej postaci fabuły musiał mieć rysy twarzy i charakter typowy dla zachodniej i północnej Europy. Właśnie wtedy nastąpił szczyt kariery Niemki Marleny Dietrich, Szwedki Grety Garbo oraz ich partnerów z tego samego kręgu kulturowego czy puli genetycznej.

Żydzi wrócili na ekran podczas II wojny światowej w propagandowych filmach o braterstwie broni, jako jeden ze składników mieszanki etnicznej w wojsku amerykańskim. Propaganda wojenna pomniejszała rolę różnic etnicznych, rasowych i religijnych, aby podkreślać wspólnotę walki z nazistowskim wrogiem.

Po wygranej wojnie nastał dla nich złoty wiek w Ameryce. Walka z Hitlerem sprawiła, że przedwojenny jawny antysemityzm stał się źle widziany. Zastąpiła go dużo subtelniejsza forma „porozumienia dżentelmenów" o niedopuszczaniu Żydów na pewne pozycje społeczne. Ale i to zanikło w miarę spadku ograniczeń w przyjęciach do pracy, na uczelnie, w biznesie, bankach. Żydzi amerykanizowali się dla karier w wolnych zawodach. Przeprowadzili się na przedmieścia i weszli do klasy średniej. Mimo awansu wcale nie stali się bardziej widoczni na ekranie. Panowała doktryna „tygla etnicznego", w którym rozmaite rasy mieszają się i przyjmują wzór Amerykanina o kulturze i obyczajach Białego Anglosaskiego Protestanta.

Nie zostali całkiem ukryci, a „odjudaizowani", przekształceni na wzór gojów. Żydowskim postaciom usunięto cechy charakterystyczne, a ich role grali nieżydowscy aktorzy, np. Gregory Peck w „Gentelman's Agreement" (reż. Elia Kazan, 1947), występujący jako Philip Schuyler Green. Żydzi stali się tacy jak wszyscy. Zresztą film ten powstał w Twentieth Century Fox, jedynej wówczas wytwórni, gdzie nie mieli swego szefa.

Rewolucja obyczajowa lat sześćdziesiątych XX wieku i walka o równe prawa Murzynów w Ameryce wprowadziła modę na mniejszości rasowe. Pochodzenie etniczne inne niż WASP-owskie przestało być obciążeniem. Żydzi skorzystali na ruchach mniejszości – wyzwolenia kobiet, gejów, Latynosów i Indian – bo ukrywali własną odrębność w pełnym słońcu wielokulturowości. Ruchy te zyskały nie tylko ich poparcie, ale i kierownictwo. Działali w przekonaniu, że sprawiedliwie walczą o równość praw dla wszystkich ludzi, a nie o bezpieczeństwo w tłumie innych „odmieńców". Zwycięstwo Izraela w wojnie sześciodniowej w 1967 roku dodało im dumy etnicznej. Śmielej wtedy wyszli z cienia, zaczęli zdejmować maski asymilatorów. Żydowscy filmowcy wzięli na warsztat rozpoznanie swej etnicznej tożsamości. Na ekrany weszły typy Żydowskiej Matki, rozpuszczonej Żydowskiej Amerykańskiej Księżniczki oraz neurotycznego szlemiela, czyli kolosalnego głupca i zarazem kolosalnej ofiary. Ten ostatni typ doprowadził do perfekcji wczesny Woody Allen.

W centrum uwagi znalazła się także fizyczność Żyda. Wbrew tysiącletniej tradycji cherlawych wymoczków, którzy ślęczą przy świecach nad księgami, stała się pociągająca seksualnie nawet dla gojek. A co więcej, wpłynęła na pojmowanie seksualnej atrakcyjności w całej kulturze amerykańskiej; rysy semickie uznano za pożądane. Najbardziej żydowski z wyglądu aktor Dustin Hoffman dokonał rewolucji erotycznej, grając w „Absolwencie" (reż. Mike Nichols, 1967) partnera seksualnego Ann Bancroft. Aktorka ta pochodziła z rodziny katolickich Włochów, ale miała WASP-owską prezencję ekranową. Po kreacji Hoffmana pojęcie przystojnego mężczyzny nieco się zmieniło. By tak rzec, blondyni poczęli ustępować brunetom.

Żydzi poczuli się w Ameryce bezpiecznie i wygodnie. Obecnie w przytłaczającej większości pochodzą z zamożnych przedmieść i nie doświadczyli antysemityzmu w młodości, mającej decydujący wpływ na wrażliwość człowieka dorosłego. Ich własne środowisko już nie wywiera na nich presji, by trzymali się religii. Młode pokolenie żydowskich filmowców nie musiało, jak rodzice i dziadkowie, asymilować się i walczyć o równe traktowanie. Osiągnęli wiek dorosły w okresie fantastycznego sukcesu i uznania dla swej grupy etnicznej. Zwykle z wyższym wykształceniem, często po szkołach filmowych i z dostępem do pieniędzy w Ameryce i zagranicą, uzyskali łatwość wyrażania siebie. Im bardziej wchodzą w główny nurt społeczny, tym bardziej chcą demonstrować, na czym polega ich tożsamość. Inaczej straciliby poczucie wyjątkowości.

Zaglądając w ciemne zakamarki swojej duszy zbiorowej, filmowcy przestali obawiać się antysemickiej reakcji. Umieszczają Żydów w fabułach, czy jest ku temu powód w opowiadanej historii, czy go nie ma. W przeszłości można było zobaczyć Żyda na ekranie jedynie wtedy, kiedy temat był wyraźnie żydowski. Obecnie taki motyw, postać, aluzja znajduje się w filmie dla czystej radości jawnego istnienia. Nie cała publiczność orientuje się, że bierze udział w podwójnej grze. Ale dostrzegają to Żydzi oraz ci widzowie, którzy znają ich kod kulturowy. Filmowcom nie zależy, żeby goj odczytał przekaz, bo nie jest dla niego przeznaczony. Ale Żyd zauważy charakterystyczne dźwięki, znaki, reakcje uczuciowe, sposoby mówienia, intonację, fryzurę, niepokój z powodu konfliktu tradycji z nowoczesnością. Niewtajemniczeni widzowie uznają to za oznaki wielkomiejskiego dziwactwa, a nie wyraz żydowskiej specyfiki – stwierdza Nathan Abrams. Zapytano Davida Mameta, czemu używa symboli judaizmu, skoro większość publiczności tego i tak nie zauważy. Odpowiedział: „Kto zauważy, ten zauważy, kto nie zauważy, ten nie zauważy". Również nie każdy zauważy, że użył parafrazy słów Majmonidesa, wielkiego uczonego z XIII wieku.

Mężczyzna, który uwalnia się od miesiączki

Lata dziewięćdziesiąte ubiegłego wieku to okres dorastania ekranowego Nowego Żyda do męskości. Wcześniej ich męskość została zakwestionowana. Sami podzielili się na dwie kategorie: jedna to twardy bojownik syjonizmu, pionier, który zagarnia i zagospodarowuje ziemię Palestyny i jest daleki od intelektualizmu. Druga to mięczak z diaspory, zniewieściały intelektualista, uległy, pokorny i uważny. Nie używa rąk do pracy, nie ćwiczy fizycznie, nie dba o ciało, jak Askenazim w Europie Wschodniej poświęcający życie studiowaniu Tory, bierni i słabi, podatni na histerię z braku zdrowej aktywności na powietrzu. Lecz kultura Askenazi ceniła właśnie te cechy w ideale bladego uczonego, wyłączonego z pracy i wojny. Powstały typy ludzkie: „nebbish", czyli prostaczek bez znaczenia; uczony z jesziwy; wspomniany „shlemiel", kolosalny nieudacznik, i „mensch", czyli rzetelny, pewny siebie, odpowiedzialny i ujmujący mężczyzna; wreszcie „heredi", często utożsamiany z chasydem. Jednak wszystkie te postaci były miękkie i fizycznie bierne. Abrams i inni autorzy używają dla ich określenia terminów „sissy" i „queer", które w Ameryce odnoszą się do homoseksualistów, bo jeden i drugi typ ludzki ma skłonność do nadpobudliwości seksualnej, melancholii i pasywności. Żyd to histeryk, zniewieściały Inny, właściwie nie mężczyzna, który w pewnym sensie menstruuje z powodu obrzezania, ogłasza Nathan Abrams.

Pasywność Żydów, czy raczej brak agresywności w diasporze, nie wynikała z cechy genetycznej. W Biblii są opisy ich przemocy godne największych zbójów w historii, dopóki żyli na swoim terenie. Pasywność była skutkiem wygnania między obcych. Została narzucona przez okoliczności. Musieli być bierni, bo nie mogli sobie pozwalać na otwartą wrogość wobec dominującej liczbowo i politycznie większości społeczeństwa, w którym zamieszkali. Ale nadali wycofaniu pozytywną wartość. To świadomy wybór łączności z Bogiem w studiowaniu Tory, jako głównego celu żydowskiego życia.

Kto jest bohaterem? Ten kto zwalcza swe pragnienia, powiada przysłowie. Judaizm rabiniczny odrzucił więc noszenie broni, jazdę konną, pojedynki, łucznictwo i zapasy, czyli etos męskiej rywalizacji fizycznej. Zygmund Freud w „Mojżeszu i monoteizmie" ujął to słowami: „Skłonność Żydów przez dwa tysiące lat do prac duchowych miała oczywiście skutek: pomogła im wznieść tamę dla brutalności i podatności dla przemocy, które zwykle znajdują się tam, gdzie ideałem dla ludzi jest rozwój atletyczny. Harmonijny rozwój duchowy i cielesny osiągnięty przez Greków został odmówiony Żydom".

Kino amerykańskie odchodzi od typu zniewieściałego, histerycznego osobnika, ofiary prześladowań bez
powodu. Nawet w filmach o Zagładzie występuje motyw zasłużonej kary, czasem z ręki rodaków. W opar-
tym na faktach z historii filmie „Szara strefa" (reż. Tim
Blake Nelson, 2001) o obozie zagłady działa Sonder-
kommando składające się z Żydów. Pomagają nazistom w realizacji „ostatecznego rozwiązania". Są lepiej
ubrani, mają lepsze jedzenie i kwatery niż ofiary. Dochodzi do starcia z nowo przybyłym. W kolejce do gazu
żydowski więzień zarzuca kłamstwo jednemu z kolabo-
rantów: „Powiedz mi, ty pierdolony nazisto, powiedz, że
będę żył!". W odpowiedzi kolaborant katuje współple-
mieńca na śmierć gołymi pięściami ze wstydu i nienawiści do samego siebie. Scenie przygląda się niemiecki
strażnik z uśmieszkiem na twarzy. Granica między ofiarą
a sprawcą Zagłady zostaje zatarta. Żyd kolaborant nazistów pozbawia się nie tylko zniewieścienia, ale również godności ludzkiej. Roman Polański w „Pianiście" też
nie idealizuje Żydów jako ofiar. Jedni są odważni i al-
truistyczni, inni jednak współpracują z nazistami, żeby
się wzbogacić. Reżyser nie chce badać tego wątku. Widzimy więc żydowskich policjantów, jak pędzą swych rodaków do pociągu jadącego do Auschwitz, ale motywy
ich postępowania nie zostały zgłębione.

Wizerunek zniewieściałego Żyda z diaspory podważa postać Davida Levinsona w „Dniu Niepodległości"
(reż. Roland Emmerich, 1996), którą gra Jeff Goldblum.
Nosi imię króla Dawida, który pokonał Goliata, a on sam
przyczynia się do zniszczenia kosmitów zagrażających
Ziemi. Wraca do domu, do ujmującej żony gojki, paląc
wielkie cygaro, symbol falliczny, czego nauczył się od
nieustraszonego towarzysza walki, Murzyna (Will Smith).

Wcześniej nie palił. Odrzucił jednak hipochondryczne żydowskie obawy o zdrowie, zostając w pełni mężczyzną, jak goj.

Filmy gangsterskie często ukazują Żydów jako ofiary, które wszakże poniosły zasłużoną karę. Na ogół dlatego, że pozują na twardych, ale ostatecznie nie potrafią zdobyć się na konieczną przemoc. Są także odrażający fizycznie i moralnie. Morri Kessler w „Chłopcach z ferajny" (reż. Martin Scorsese, 1990) brata się z włoskimi i irlandzkimi gangsterami. Ale za ciągłe żądanie pieniędzy dostaje cios w szyję szpikulcem do rozbijania lodu. W „Ścieżce strachu" (reż. Joel i Eathan Coen) Bernie jest rzezimieszkiem i gejem. Nikt go nie lubi jako oszusta bez żadnej etyki. Jest potrójnie obcy: wyrzutek, gej i Żyd. Mówią o nim „szmata". To stereotypowy łajdak i zniewieściały histeryk. Wykonawca tej, roli John Turturro, określa tę postać jako „faceta, który próbuje przeżyć, ciągle jest w ruchu. Co jest jak żydowska historia". Zabijają go za zdradę trzykrotną: kochanka, bosa i kolegi gangstera, który się nad nim ulitował i nie wykonał wyroku śmierci.

Do lat dziewięćdziesiątych Żydzi w kinie byli ofiarami gojów, prawie nigdy pobratymców. To się zmieniło w nowszych filmach. Normalizacja w „takich jak wszyscy" zajęła miejsce idealizacji ofiar. Stając się podobni do gojów, tracą potrzebę ochrony swego wizerunku.

Przy ogólnym zniewieścieniu mężczyzn poczynając od lat dziewięćdziesiątych to, co kompromitowało w poprzednich dekadach, teraz świadczyło o postępie wielokulturowości. Niemęski według tradycyjnych pojęć, a mimo to pożądany okazał się osobnik wrażliwy, czuły, kochający, wszelako z ciałem wytrenowanym na siłowni. „Queer" Żyd pasował tu doskonale, jeżeli zadbał o siebie. Przybrał też całą gamę form, od twardziela do mięczaka.

Pojawiły się postaci zabawne, czasem oburzające, a ukazane przez żydowskich filmowców bez żadnego zażenowania. Na ekran weszli narkomani, samotnicy, brutale. Ciało Żyda z diaspory, do tej pory przedmiot cierpień i upokorzeń, stało się potwierdzeniem tożsamości i seksualnej sprawności.

„Mensch" lepszy od „mena"

Nowy Żyd okazuje „menschlikayt". To wersja męskości, która przedrzeźnia wartości „goyim naches", gojowskich twardzieli. Wyraża wyższość, wbrew antysemityzmowi odrzucając agresywność. Saul Silver (James Franco) w „Pineapple Express" (reż. David Gordon Green, 2008) jest handlarzem narkotyków o miękkim sercu. Sprzedaje marihuanę, by zarobić na dom spokojnej starości dla ukochanej babci. Chuck Levine (Adam Sandler) w „Państwo młodzi: Chuck i Larry" (reż. Dennis Dugan, 2007) bierze ślub z kolegą, żeby mu zapewnić ubezpieczenie. Obaj są strażakami, czyli z zawodu uosobieniem męstwa, a Chuck nie jest gejem.

W „Poznaj moich rodziców" (reż. Jay Roach, 2004) Bernie Focker (Dustin Hoffman) porzucił karierę prawnika, aby w domu wychowywać syna (Ben Stiller). Chwali się tym, że Gaylord jest mierny, zajmuje dziesiąte miejsca w różnych konkursach i stracił cnotę z latynoską służącą. To kontrast z konserwatywną, sztywną gojowską rodziną Byrnesów, w którą wżenia się jego syn. Jack Byrnes (Robert de Niro) czuje się nieswojo, gdy Bernie chce go objąć i ucałować. Fockerowie drwią z WASP-owskich męskich rozrywek, jak polowanie. „My nie strzelamy do kaczek", mówi Roz (Barbra Streisand). Grają w futbol, by poprawić szanse syna u Byrnesów, lecz sabotują zasadę rywalizacji, bawiąc się piłką, zamiast walczyć o zwycięstwo. Luzacki Bernie, w różowej koszuli rozpiętej do pasa, podważa etos rywalizacji gojowskich twardzieli na rzecz żydowskiego „menschlikayt".

Na przełomie XIX i XX wieku syjonizm wytworzył ideał „Żyda muskularnego", własną wersję feudalnego rycerza. Był twardy, odważny, lojalny, zdyscyplinowany i gotów do poświęceń. Stanowił zaprzeczenie lękliwego słabeusza z diaspory. Osadnicy w Palestynie stworzyli zaś postać opalonego kibucnika, który uprawia kolektywnie ziemię. Kolejnym krokiem na drodze ku męskości był spadochroniarz izraelskich sił zbrojnych oraz agent Mosadu, w Ameryce twardy gangster i bokser. Na przełomie lat sześćdziesiątych i siedemdziesiątych ubiegłego wieku pojawiły się w amerykańskiej popkulturze muskularne typy Żydów, którzy zabijają wrogów i biorą sobie ich kobiety bez cienia neurozy. Ale mają żydowską potrzebę zachowania etycznego nawet w zbrodni.

Przełomem było „Monachium" Stevena Spielberga. Agenci Mosadu są przystojni, skrupulatni, dobrze wychowani. Ich dowódca Avner jest synem ocalonego z Zagłady, co odwraca stereotyp ofiary. Teraz on szuka ofiar dla swego gniewu. Eric Bana nie jest Żydem, a został wzięty do roli chyba dlatego, że wyrobił sobie aurę mistrza mordu; zdobył sławę jako psychopatyczny zabójca w australijskim filmie „Chopper" (reż. Andrew Dominik, 2000), następnie zagrał żołnierza amerykańskich sił specjalnych w „Helikopterze w ogniu" (reż. Ridley Scott, 2001) oraz groźnego potwora w „Hulku" (reż. Ang Lee, 2003). Natomiast w „Monachium" (2005) występuje nie tylko jako doskonały wojownik, ale i kochający mąż.

Musi czasowo zostawić rodzinę dla misji zemsty na palestyńskich terrorystach, ponieważ zabili zawodników izraelskich podczas olimpiady w Monachium w 1972 roku. Avner grany przez Erika Banę jest jedynym członkiem grupy zabójców pokazanym nago, gdyż wciela syjonistyczny ideał „muskularnego Żyda". Mimo to płacze albo z powodu rozłąki z rodziną, albo przymusu zabijania na rozkaz. Widzimy go również w scenie seksualnej z piękną żoną. Urodzone dziecko stanowi dowód jego męskiej potencji.

Oprócz stereotypu mięczaka „Monachium" podważa opinię, że Żydzi bardziej dbają o pieniądze niż o ludzkie koszty swego postępowania, stwierdza Abrams w książce „The New Jew". Agenci Mosadu mają „głęboko żydowską potrzebę etycznego zachowania", czego wyrazem jest rzetelność finansowa. Avner dostaje polecenie brania rachunków za choćby najmniejsze wydatki, a członkowie oddziału zastanawiają się nad ceną zabójstw. Pierwsza ofiara, Carl, kosztuje 352 tysiące dolarów. Jeden z agentów użala się nad sobą: „Mamy być sprawiedliwi, to piękna rzecz, żydowska. To jest to, co wiem, czego mnie nauczono, a teraz to tracę, z tym tracę wszystko, a to moja dusza". Interes własnego państwa nie daje się pogodzić z przykazaniem „nie zabijaj". Łatwej było przestrzegać je w diasporze, kiedy Żyd nie mógł pozwolić sobie na przemoc wobec przeciwników.

Satyryczne ujęcie twardego Izraelczyka daje film „Nie zadzieraj z fryzjerem" (reż. Dennis Dogan, 2008). Adam Sandler gra najlepszego agenta antyterrorystycznego. Jest „Rembrandtem z granatem", chwali go ojciec. Wysportowany, muskularny, z brodą i fryzurą „jewfro", jak „afro", dzielnie stawia czoła watahom terrorystów. Nie robi błędów. Imponujący fizycznie i nader sprawny

seksualnie superbohater posiada też cudowne zdolności. Ale to również „mensch", moralny wrażliwiec. Unika
ofiar cywilnych; protestuje, gdy dowództwo godzi się na
śmierć postronnych osób w akcji. Co sprawiło, że za-
pragnął zostać fryzjerem? Rodzice go wyśmiewają, a on
z tego powodu zanosi się płaczem w nocy, leżąc w łóżku.
W końcu ma dość zabijania. Udaje swoją śmierć, ucieka
do Nowego Jorku, przycina brodę i fryzurę, żeby stać
się „Scrappy Coco", stylistą i fryzjerem, który seksualnie zaspokaja starsze panie na koniec strzyżenia. Ta postać drwi z ideału izraelskiego mężczyzny ze stali. Kolega
przezywa go „hair homo", bo Zohan łamie granicę między twardym Izraelczykiem a „ciotowatym" – z braku lepszego słowa na „queer" – Żydem z diaspory. Zohan nie
jest homoseksualistą, a ekshibicjonistą. To nie tyle per-
wersja, ile duma z kolosalnego penisa. Również na tym
polu „mensch" ma przewagę nad „menem", już nie ma
mowy o żadnej miesiączce. W nagrodę za miękkie mę-
stwo Zohan dostaje za żonę piękną Palestynkę, w której
się zakochał.

Fantazje o superbohaterze

Jawną metaforę sytuacji Żyda w świecie stanowi seria
„X-Men". Pierwszy film z tego cyklu (reż. Brian Singer,
2000) zaczyna się przy bramie nazistowskiego obozu
śmierci w okupowanej Polsce, gdzie żydowski chłopiec
z żółtą opaską, Erik Lehnsherr, zostaje przemocą roz-
dzielony z rodzicami. To mutant o niezwykłej sile umysłu. Wytwarza pole magnetyczne, które porusza i zgina
metalowe przedmioty, jak bramy obozu. Abrams widzi tu

nawiązanie do „antysemickich" debat o „superinteligent-nych" oraz „wynaturzonych" Żydach. Zwłaszcza że jego siła pochodzi z głowy, z „jiddische kopf", a nie ze słabego ciała. Erik różni się od superbohaterów tym, że nie ukrywa żydowskiego pochodzenia ani nie jest nadzwyczaj męski. To różni go od Supermana i Spidermana. Dwie ostatnie postaci zostały podświadomie wymyślone przez żydowskich rysowników, jako alegorie ich doświadczeń i marzeń. A wyłoniły się z podświadomości, gdyż twórcy zaprzeczają, że myśleli o żydowskim losie podczas pracy. Ale „wszyscy główni superbohaterowie lat czterdziestych XX wieku zostali stworzeni przez Żydów w czasie prześladowań. Superman był golemem", stwierdził Frank Miller, twórca komiksów „Sin City" i „Powrót Mrocznego Rycerza", pochodzący zresztą z irlandzkich katolików. W mitologii żydowskiej „golem" to człekokształtna istota stworzona z materii nieożywionej w XVI wieku przez rabina z Pragi imieniem Juda Loew ben Bezalel.

Erik z „X-Men"jest naznaczony po trzykroć: jako Żyd, ocalony z Zagłady oraz mutant. Ma na ramieniu wytatuowany numer obozowy, był również ofiarą nazistowskich eksperymentów medycznych. Pomimo nadzwyczajnych zdolności nie może zapobiec śmierci rodziców ani swych rodaków. Jednak po wojnie, gdy dorasta, używa swych mocy w celu zabijania nazistów. Przekształca się z chłopca w muskularnego, wojowniczego, mściwego, twardego Żyda (Michael Fassbender w „X-Men: Pierwsza klasa", reż. Michael Voughn, 2011). Z powodu właściwości elekromagnetycznych przybiera jako dorosły imię Magneto. Ma obsesję zastąpienia rodzaju ludzkiego przez podobnych sobie mutantów. Przejawia więc żądzę zemsty i panowania posunięte za daleko. Senator, który chce ustawy o rejestracji wszystkich mutantów, czyni z nich symbolicznie Żydów traktowanych podobnie w nazistowskich ustawach norymberskich. Natomiast Magneto pragnie zapobiec zagładzie mutantów. Wyróżniają go żydowskie władze umysłowe, a wyznaje twarde, brutalne wartości gojowskie, ceniące rozwiązywanie konfliktów przemocą.

Przeciwieństwem Magneta jest dr Charles Xavier (James McAvoy/Patrick Stewart). Uczy nastolatków mutantów, jak używać swych niezwykłych umiejętności dla dobra zwykłych ludzi. Xavier jest gojem na wózku inwalidzkim. Film odwraca więc stereotypowe role: Żyd Magneto to mięśniak bez serca, zaś goj Xavier to intelektualista o słabym ciele i wrażliwy „mensch". Xavier przejmuje też tradycyjną żydowską rolę „tikkun olam", naprawy i uzdrowienia świata. Magneto zaś gra tradycyjną rolę gojowskiego brutala. Abrams usprawiedliwia Magneta tym, że owa zamiana ról i zanik współczucia zostały wywołane Holocaustem, do którego powtórki nie chce dopuścić.

„Mensch" morderca

Magneto i Xavier tworzą bieguny Mściciela i Nauczyciela, a między nimi rozpościera się gama postaw, jakie przybiera w Ameryce Nowy Żyd, uwolniony od lęków i bierności nabytych w europejskiej diasporze. Pokusie Mściciela ulega się w „Bękartach wojny" (reż. Quentin Tarantino, 2009) o komandzie Żydów amerykańskich ścigających nazistów pod koniec II wojny światowej we Francji. Mają za zadanie zabijać, skalpować, torturować, okaleczać nazistów. Ich dowódca poucza: „Będziemy okrutni wobec Niemców i przez nasze okrucieństwo będziemy wiedzieli, kim jesteśmy. Znajdą dowody naszego okrucieństwa w wybebeszonych, rozczłonkowanych i zniekształconych ciałach ich braci, które zostawimy za sobą". Film kończy się spaleniem żywcem lub zastrzeleniem liderów III Rzeszy. Nie ma miejsca na rozterki sumienia trapiące agentów Mosadu w „Monachium". Każdy żołnierz komanda ma zdobyć sto niemieckich skalpów. Nie biorą jeńców, zabijają z karabinu maszynowego rozbrojonych wrogów. W ostatniej scenie oficer SS dostaje na pamiątkę swastykę, wyciętą nożem na jego czole.

Trudno pójść dalej w odwracaniu ról ofiary i oprawcy niż Tarantino w tym filmie. Ale można odejść dalej od żydowskiego nakazu działania etycznego. Okrucieństwo wobec nazistów uzasadniały ich zbrodnie. A jak usprawiedliwić żydowskich gangsterów, którzy krzywdzą zwykłych ludzi? Jak? Ukazując ich ofiary w odpychający sposób.

Kino przed rokiem 1990 ukazywało żydowskich morderców, przestępców i księgowych fałszujących rachunki, ale dopiero w ostatniej dekadzie XX wieku pojawił się cały tłum gangsterów. W niemieckim filmie o Zagładzie „Fałszerze" (reż. Stefan Ruzowitzky, 2007) Solomon Sorowitsch zawodowo fałszuje pieniądze i dokumenty. Film otrzymał Oscara, pokonując „Katyń" Andrzeja Wajdy. U Stevena Soderbergha w serii „Ocean Eleven" (2001) dwaj główni amerykańscy oszuści mają żydowskich wspólników, jest to Reuben Tishkoff i Saul Bloom. W „Skoku"(rez. Dawid Mamet, 2001) występuje Mickey Bergman (Danny DeVito), brutalny chciwiec mówiący czasem w jidysz. Ten karłowaty grubas nawiązuje do antysemickich karykatur w Europie, które Mamet bez lęku potwierdza. Jest to znak etnicznej pewności siebie, nabytej w Ameryce epoki wielokulturowości.

W „Casino" (reż. Martin Scorsese, 1995) występuje Sam Rothstein (Robert De Niro). Jest to zawodowy hazardzista, którego mafia włoska wynajmuje do prowadzenia kasyna w Las Vegas. Sam nie należy do miejscowej elity WASP-owskiej, odrzuca też brutalność gojów. Ci także nim gardzą: „Będziemy musieli wykopać dupę parcha z miasta", mówią między sobą. Nie jest brutalny, ponieważ od mokrej roboty ma włoskiego przyjaciela z dzieciństwa (Joe Pesci). Żyd jest mózgiem, Włoch jego pięścią. Sam lubi chodzić w kolorowych pastelowych garniturach po kasynie, w domu zaś w różowym szlafroku, a papierosa pali w cygarniczce. Tak ostentacyjnie mało męski ubiór nawiązuje do idei miękkiego Żyda z diaspory, którego siła mieści się w umyśle. Czy nie dlatego udaje mu się przeżyć swego brutalnego przyjaciela Nicka?

Las Vegas wymyślił zresztą i założył żydowski gangster Bugsy Siegel w latach czterdziestych XX wieku. Historię początków centrum hazardu amerykańskiego opowiada film „Bugsy" (reż. Barry Levinson, 1991). Tytułową rolę gra goj Warren Beatty, łącząc cechy charyzmatycznego mężczyzny, twardego gangstera i sprytnego Żyda. W żadnym razie nie jest ofiarą. Widzimy, jak wydziera się na swego włoskiego pomocnika, który ukradł mu pieniądze, i każe chodzić dookoła stołu na czworakach jak pies. W poprzedniej scenie Włoch ten nazwał Bugsy'ego za jego plecami „żydowskim kutasem" i dostał odpłatę również za ten brak szacunku.

We włoskiego gangstera wciela się żydowski psychoanalityk w „Depresji gangstera" (reż. Harold Ramis, 1999). Ben Sobel (Billy Crystal) pomaga wyjść z zapaści psychicznej Paulowi Vitti (Robert De Niro). To nie bardzo mu się udaje i w rezultacie musi zastąpić swojego pacjenta na zjeździe przestępczego syndykatu. Przedstawia się jako jego nowy doradca Don Sobeleone. To komedia o żydowskim przybieraniu różnych wcieleń, genialnym konformizmie, które wyśmiał w „Zeligu" Woody Allen. Żydzi często grają Włochów i na odwrót, jak John Turturro, dzięki południowym rysom. Jednak dr Sobel wcale nie dlatego wykonuje zadanie, że jest podobny do Włocha, a dzięki temu, że ma „żydowski łeb". Bystry i dowcipny, używa umysłu, żeby wydawać się okrutnikiem, chociaż nim nie jest. To klasyczny „mensch".

Abrams stwierdza w podsumowaniu „The New Jew", że nowi Żydzi są okropni, brutalni, twardzi, niscy, samotniczy, tłuści, męscy, niemęscy, agresywni, pasywni – agresywni, nieudaczni, rozlaźli, zdrajcy, geje, lesbijki, kowboje, superbohaterowie itd. „To część spełnionego marzenia pierwszego premiera Izraela Dawida Ben Guriona, który powiedział: będziemy wiedzieli, że staliśmy się normalnym krajem, kiedy żydowscy złodzieje i żydowskie prostytutki będą prowadzili swój interes po hebrajsku". Akceptacja przez większość Amerykanów sprawiła, że Żydzi się znormalizowali, stając się tacy sami jak wszyscy. Dzięki temu często pada z ekranu słowo „Żyd". Natomiast w filmie „Życie Emila Zoli" (reż. William Dieterle, 1937) nie pada ani razu (!) mimo sławnej diatryby pisarza „Oskarżam" przeciwko antysemickiej postawie władz francuskich w procesie Dreyfussa.

* * *

Przegląd interpretacji filmów w ujęciu Nathana Abramsa wykazuje, że warto je rozumieć tak, jak zostały pomyślane. Może w tym pomóc użyty wyżej zestaw pojęć określających różne typy ludzkie. Niestety, nie mają odwagi z tego korzystać zahukani krytycy w Polsce.

Stwarzają mylące wrażenie, że filmy te wyrażają stan świadomości Amerykanów, gdyż powstały w USA. W recenzjach i analizach prawie nie pojawia się słowo „Żyd", choć często jest kluczem do interpretacji zamiaru twórców i producentów. Filmowcy Hollywood są zamerykanizowani, jednak wnoszą do kultury odmienną wrażliwość wyniesioną z historii, nawet kiedy próbują się od niej uwolnić.

Niektórzy narzekają na własne „zgłupienie" w powodu asymilacji, co przybiera czasem postać agresji wobec symboli amerykańskości. Oto w „American Pie" w reżyserii Paula Weitza do scenariusza Adama Hertza występuje Jason Biggs w roli nastolatka, który ma stracić cnotę przed balem maturalnym. Co też robi z tytułową szarlotką, będącą dla WASP-ów symbolem domowego ciepła. Komedia spodobała się amerykańskiej publiczności, przynosząc ponad 235 milionów dolarów wpływów (przy budżecie 11 milionów) i dała początek aż trzem następnym sequelom, psując publiczne obyczaje. A czy odniósłby sukces film, w którym płowowłosy Nordyk penetruje karpia po żydowsku w celu masturbacyjnym, bo twórców irytuje judaizacja kultury rodzimej?

„American Pie" to jeden z przypadków, gdy widzowie umiejący czytać takie znaki, widzą na ekranie co innego niż szeroka publiczność. Nawet jeżeli nie rozumie ona wprost przekazu, to pozwala, by działała podświadomość, żłobiąc koleiny w fundamentach kultury, jak kropla, która drąży skałę. W propagandzie nazywa się to ukrytą perswazją. Co się perswaduje w ten sposób poza kontrolą świadomości? Oto zagadka do rozwiązania przez Amerykanów. I przez każdy naród, gdzie twórcy żydowskiego pochodzenia mają uznanie i donośny głos.

Jak zostać
mądrym i bogatym

Największa fala imigrantów żydowskich przybyła do Ameryki z Europy Wschodniej na przełomie XIX i XX wieku.
Mieli przy sobie przeciętnie 15 dolarów, Żydzi dziewięć.
Dzisiaj procent rodzin żydowskich z dochodem przekra-
czającym 50 tysięcy dolarów rocznie jest dwa razy większy niż reszty Amerykanów. Te 1,7 procenta ludności USA
wydało jedną trzecią multimilionerów. Żydzi są wielokrotnie nadreprezentowani w elicie finansowej, umysłowej,
kulturalnej i politycznej.

Zamiast zazdrościć bierzmy przykład, zachęca Steven
Silbiger w „The Jewish Phenomenon. Seven keys to the
enduring wealth of a people" (Żydowski fenomen. Siedem kluczy do trwałego bogactwa pewnego ludu). Czy
każdy może mieć takie osiągnięcia?

Trzeba wytworzyć w swej grupie etnicznej dobre nawyki i sieć samopomocy. W pogromach dokonywanych
przez wrogów odsiewać przez stulecia materiał gorszy
genetycznie i głupszy kulturowo. W trzytysiącletnim tyglu
miłości Żydów do Boga, nienawiści do wrogów i antysemityzmu wytworzył się ich geniusz.

Żeby być mądrym i bogatym, trzeba chcieć. Chrześcijaństwo źle odnosiło się do bogactwa i wiedzy, podczas gdy Żydowi to nie bogactwo przynosiło wstyd, lecz
bieda, także umysłowa. A chrześcijaństwo hołubi ma-
luczkich na umyśle i biednych materialnie.

1. Ucz się, bo to daje bogactwo

Wychowanie żydowskie sprzyja rozwojowi umysłu. Chrześcijanie nie dyskutują o „tajemnicach wiary" ani dogmatach. U Żydów debata religijna wpaja krytyczne myślenie. Kult osiągnięć umysłu przenieśli z religii w życie świeckie po otwarciu gett europejskich i emigracji do Ameryki. Stąd wziął się ich wielki odsetek wśród laureatów Nobla. Żydzi amerykańscy zdobyli ogółem jedną czwartą tych nagród przyznanych obywatelom USA.

Imigranci żydowscy na początku XX wieku założyli w Ameryce siatkę samokształcenia. Po dniu ciężkiej pracy uczyli się angielskiego od rodaków lepiej znających język. Dziś przewaga Żydów w wykształceniu jest ogromna. 90 procent w wieku studenckim chodzi do koledżu, a gojów tylko 40 procent. Wybierają lepsze szkoły, o wyższych standardach, z wyższym czesnym. Nie tylko dlatego, że są bogatsi jako grupa, ale też dzięki lepszym stopniom w szkole średniej. Dobre koledże prowadzą ostrą selekcję kandydatów, a zdolni, lecz biedniejsi aspiranci dostają stypendia i tanie pożyczki na opłacenie nauki. Absolwenci po studiach zarabiają w Ameryce dwa razy więcej niż po szkole średniej.

Podobną przewagę mają kobiety. Do koledżu chodzi prawie 70 procent Żydówek, dwa razy więcej niż przeciętna dla reszty. I oto skutek: magazyn „Biography" publikuje listę 25 kobiet o największych wpływach w Ameryce. Połowę stanowią Żydówki, przypominam, wywodzące się z 1,7 procenta ludności.

Częste wypędzenia wzmocniły szacunek Żydów dla wiedzy, bo to bogactwo łatwo zabrać w drogę. Po II wojnie światowej Kongres uchwalił ustawę „GI Bill",

ułatwiającą weteranom wstęp na studia wyższe. Żydowscy weterani korzystali z niej dwukrotnie częściej niż ci
z innych grup etnicznych.

Dziecku trzeba zapewnić najlepsze wykształcenie bez
względu na koszty. To najważniejsza inwestycja rodziny.
Nawet jeśli student nie zdoła spłacić pożyczki na naukę,
to nikt mu nie odbierze zdobytej wiedzy. Rodzice muszą
dawać przykład umysłowych zainteresowań i oczekiwać
tego od potomstwa. Głód wiedzy jest podstawą sukcesu.
Żydzi kupują więc od czterech do sześciu razy więcej
pierwszych wydań książek, czyli w twardej oprawie, niż
przeciętny Amerykanin.

2. Odkładaj nagrodę

Dobre kształcenie trwa długo i daje niepewny wynik.
Trzeba więc od małego nagradzać zachowania procen-
tujące w przyszłości. Na przykład system punktowy z kul-
minacją w postaci zabawki lub wspólnego wyjścia do re-
stauracji. Czy płacić za dobre stopnie? Dzieci jak dorośli
reagują na rzeczowe nagrody. Mylą się rodzice, sądząc,
że skupienie uwagi na stopniach psuje przyjemność
nauki. Sukces akademicki zależy od stopni w szkole.
A umiejętność uczenia się nielubianych rzeczy pomaga
w życiu.

Jak uczyć odkładania nagrody? Warto założyć dziecku
konto bankowe lub akcyjne. Zamiast wydawać pieniądze, będzie obserwowało, jak rośnie mu kapitał. Umiejętność czekania na nagrodę ułatwia wybór zawodu, który
wymaga długiego kształcenia. Jeśli dziecko nie nauczy
się odkładania nagrody za młodu, będzie potem żyło jak

reszta ludzi – od wypłaty do wypłaty. Żydom to nie przystoi. Ani ludziom, którzy chcą brać z nich przykład.

To ciężka pomyłka posłać dziecko na studia poniżej
zdolności. Na wykształcenie składają się też lekcje od kolegów, dlatego ważna jest jakość towarzystwa. Talmud
powiada: „jeden kawałek metalu zaostrza się o drugi, podobnie dwóch uczniów wyostrza się nawzajem". Otoczenie dorosłego składa się z kolegów ze studiów; to przyjaciele, wspólnicy w biznesie, a czasem małżonkowie.

Życie składa się z okazji dla interesu, poucza autor „Żydowskiego fenomenu" Silbiger. Trzeba kształcić w dziecku
zdolność rozpoznawania, w jakim kierunku zmierza świat.
Wiedza, co się dzieje wokół, ma wielkie znaczenie w karierze. Trzeba znać tendencje na rynku, w sztuce, nauce
i dziedzinach odległych od tego, co zwykli ludzie uważają za biznes. Największy sukces finansowy daje wczesne wykrycie wstępującego trendu lub technologii.

Założyciel radia i telewizji NBC, David Sarnoff, urodził
się w rosyjskim Mińsku. Do Ameryki przyjechał z rodzicami w 1901 roku jako 10-letni chłopiec. Po przedwcze-
snej śmierci ojca musiał rzucić szkołę, by utrzymywać rodzinę, pracując dla kompanii telegraficznej. Wieczorami
studiował samodzielnie technikę. Zdobył rozgłos w 1912
roku, gdy jako pierwszy telegrafista odebrał wiadomość,
że tonie „Titanic". Trzy lata później wpadł na pomysł
nadawania muzyki dla masowych odbiorców przez „radiowe pudło muzyczne"; zwierzchnicy go zignorowali.
W 1923 roku wymyślił masową telewizję. Pięć lat później założył pierwszą w świecie stację telewizyjną, która
stała się siecią NBC. Fale radiowe były znane wszystkim
w branży. Jednak to rosyjski Żyd urodzony na prowincji
świata wymyślił, jak wykorzystać eter dla zysku. Nie ukrywał pomysłu przed gojami, ale im zabrakło wyobraźni.

Ciekawości świata dziecko uczy się od rodziców. Muszą mu pokazać, że ciągle czytają i szukają nowych informacji. Zachęcać do oglądania wiadomości w telewizji i czytania prasy; wpajać potrzebę posiadania własnego poglądu. Służą temu częste rozmowy o bieżących wydarzeniach na tematy stosowne do wieku. Pobudzają wyobraźnię dziecka, tworzą wiedzę, wyrabiają bogate słownictwo i dają ogładę kulturalną.

Wiedza jest kapitałem, który trzeba odnawiać. Najlepsze wykształcenie traci z czasem wartość, co osłabia pozycję swego posiadacza. Wiedza to władza, niewiedza to bezradność. Koszty uczenia się to nie zwykłe wydatki, ale inwestycje, które najlepiej procentują.

3. Dbaj o swoich, a oni zadbają o ciebie

Samopomoc grupowa to drugi klucz do sukcesu. „Jesteś tylko tyle bogaty, ile możesz dać drugiemu", powiada Talmud. Żydzi dają przeciętnie cztery procent dochodu, jaki zostaje po opłaceniu podatków, na cele dobroczynne, reszta Amerykanów tylko dwa procenty. Magazyn „Worth" publikuje co roku listę stu największych filantropów. Jedna trzecia ma żydowskie pochodzenie. Tak realizują ideał „tikkun olam", uzdrowienia i naprawy świata. Część środków idzie na cele etniczne: agencje pomocy, synagogi i wsparcie dla Izraela. W każdej gminie działa agencja dobroczynna. Według Talmudu pobożny uczony nie może mieszkać w mieście, gdzie nie ma takiej instytucji. Żydzi są wielkimi darczyńcami także bibliotek, uczelni, szpitali, muzeów, orkiestr, oper, z których korzystają wszyscy.

Hojność nie wynika z miłości bliźniego czy litości. To nakaz sprawiedliwości społecznej. Dar najlepszy usamodzielnia obdarowanego. Trzeba dawać przysłowiową wędkę, a nie rybę. Żyjący w XII wieku filozof i lekarz Mojżesz Majmonides określił osiem stopni dobroczynności:

1. Dawać, ale z ociąganiem.
2. Dawać chętnie, ale poniżej swoich możliwości.
3. Dawać według swoich możliwości, ale dopiero na prośbę.
4. Dawać bez proszenia.
5. Dawać bez wiedzy obdarowanego, ale obdarowany zna darczyńcę.
6. Dawać potajemnie.
7. Dawać potajemnie, nie znając obdarowanego.
8. Pomóc bliźniemu w taki sposób, by stał się samowystarczalny przez dar lub pożyczkę, albo pomóc w zdobyciu zawodu lub pracy.

Stopnie skali prowadzą na wyżyny bezinteresowności – dać potajemnie, nie znając obdarowanego. Lecz nawet najwyższy stopień szlachetnej filantropii stoi poniżej ósmego stopnia. Najlepszym filantropem jest ten, kto działa nawet interesownie, ale pomoże bliźniemu w potrzebie uzyskać samodzielność.

Formą filantropii są fundacje pożyczające biednym pieniądze bez procentu. Tę pomoc zaleca biblijna Księga Wyjścia, lecz tylko wobec Żydów. Fundacje pożyczkowe służą ludziom bez historii kredytowej. I udzielają pożyczek tak małych, że banki nie chciałyby się nimi zajmować. Na początku XX wieku w Nowym Jorku handlarze obwoźni brali stąd pożyczki na zakup pierwszej partii towaru. Obecnie korzystają z nich biedacy na zadatek przy kupnie domu lub używanego samochodu na dojazd do pracy.

Większość żydowskich fundacji pożycza też nie-Żydom dla poprawy reputacji i zapewnienia sobie bezpieczeństwa. Po przybyciu do Ameryki Asser Levy sfinansował w 1671 roku budowę pierwszego zboru luterańskiego w Nowym Amsterdamie, późniejszym Nowym Jorku. I to mimo faktu, a może dlatego, że Marcin Luter znienawidził Żydów, gdy nie weszli do zreformowanego Kościoła oczyszczonego z nadużyć średniowiecznego kleru. Zawiedziony w nadziejach Luter wezwał do palenia synagog, burzenia domów Żydów, odbierania im ich świętych ksiąg i zakazania rabinom nauczania pod karą śmierci. A hojny dar Assera Levy sprawił, że luteranizm w Ameryce nie przejął antysemityzmu Lutra. Czyli, zanim zwrócisz się przeciw wrogowi, spróbuj kupić jego przyjaźń. Filantropia nie musi być bezinteresowna. Nawet nie powinna, bo wtedy byłaby przypadkowa i demoralizująca.

Formą samopomocy jest korzystanie z żydowskich biznesów. „Swój do swego po swoje" – temu hasłu propaganda prosemicka nadała skandaliczny sens, gdy wychodziło od polskich endeków. A to praktyka przyjęta wśród Żydów. „Poczynając od korzystania z usług profesjonalnych, jak prawo czy medycyna, po zaspokajanie potrzeb w sklepach spożywczych, u rzeźnika, piekarza, krawca, sprzedawcy samochodów czy w firmie budowlanej, Żydzi są wyczuleni na robienie interesów wśród swoich". Różnica ich postawy wobec hasła endecji polega na kontekście społecznym. Gdy mniejszość etniczna robi interesy tylko między sobą, nie zagraża w ten sposób przetrwaniu większości. Ale kiedy większość bojkotuje mniejszość, podcina jej byt.

Żydzi z reguły popierają ruchy przeciw dyskryminacji mniejszości rasowych czy seksualnych i głoszą tolerancję. Myślą niekonwencjonalnie, a stulecia prześladowań wyrobiły w nich odruchowe współczucie dla prześladowanych. Chętnie tworzą koalicje dla obrony praw człowieka i sprawiedliwości, mając na względzie również własne bezpieczeństwo. Wolność religijna, prawa dla gejów, rozdział Kościoła od państwa, swoboda imigracji, prawa wyborcze dla wszystkich obywateli tworzą wielokulturowe środowisko, w którym mniejszość żydowska mniej się wyróżnia, ale zachowuje spoistość. To zwiększa wpływ Żydów w otoczeniu o chwiejnej tożsamości i rozbitym. Zamierzony skutek humanizmu czy efekt uboczny? Trudno stwierdzić bez zaglądania w dusze liderom postępu.

Wyrachowana postawa miewa też dobroczynne skutki. Julius Rosenwald z rodziny ubogich imigrantów założył największą w Ameryce sieć domów towarowych Sears, Roebuck & Co. U szczytu sukcesu zajął się awansem Murzynów. Sfinansował budowę ponad pięciu tysięcy szkół na Południu, gdzie sytuacja czarnej mniejszości była najgorsza. Zwalczał uprzedzenia rasowe. Warunkiem przyznania pieniędzy na te szkoły była współpraca lokalnych Murzynów i białej miejscowej elity władzy.

W okresie masowych kampanii na rzecz obrony praw obywatelskich w latach sześćdziesiątych ubiegłego wieku odbywały się marsze solidarnościowe białych i Murzynów na Południu kraju. Połowę białych stanowili Żydzi, chociaż mają tylko niespełna dwa procent udziału w całej ludności USA. Wśród męczenników ruchu też stanowili większość – w stanie Missisipi wśród zamordowanych trzech młodych działaczy był jeden Murzyn i dwóch Żydów przybyłych z Nowego Jorku.

Koalicja rasowa w obronie praw człowieka upadła, gdy przestała się Żydom opłacać. Sprzeciwili się tzw. akcji afirmacyjnej. Polega ona na ustalaniu procentu przyjęć

Murzynów i Latynosów na studia, do pracy i w awansach służbowych. Podobną politykę prowadziła II Rzeczpospolita pod nazwą „numerus clausus". Ograniczała przyjęcia Żydów na studia, żeby poprawić szanse mniej zdolnych Polaków. W latach trzydziestych XX wieku w USA stosowano „numerus clausus" w przyjęciach na studia prawnicze i medyczne, na których lepiej przygotowani Żydzi mieliby bez tego ogromną nadreprezentację. Termin „numerus clausus" znaczy „nie więcej niż" określony procent przyjęć. Natomiast „akcja afirmacyjna" znaczy „nie mniej niż" pewien procent przyjęć dla członków upośledzonych mniejszości etnicznych.

Kto chce odnieść sukces nie tylko własną pracą, nie może zaniedbywać władzy politycznej. Daje ona możliwość nadużyć przy redystrybucji dochodu narodowego, czyli rozdziale pomocy potrzebującym i niepotrzebującym, a chciwym. Trzeba korzystać z demokracji. To rzecz najprostsza, nie wymaga wysiłku, ale u większości ludzi przeważa głupota lub lenistwo. W wyborach bierze udział 50 procent ogółu obywateli, ale 80 procent obywateli żydowskiego pochodzenia.

4. Pracuj w wolnych zawodach

Żydzi byli pierwszą grupą etniczną w Ameryce, która porzuciła pracę fizyczną. W Harvard Business School mają 15 procent udziału wśród studentów z całego globu, choć stanowią 2 promile ludzkości. Kto chce wielkiego sukcesu, ten pracuje głową i sam zleca innym wykonanie mniejszych zadań. Wielokrotnie pomnaża efekty swego myślenia i bierze lwią część zapłaty. Uważa, że nie warto pracować na innych.

Dzięki studiom re_igijnym Żydzi stanowią 15 procent prawników, czyli najlepiej opłacanych profesjonalistów. Osławione dzielenie włosa na czworo przypomina myślenie prawnika. Alan Dershowitz, profesor prawa na Harvardzie, mówi: „studenci, którzy pilnie studiowali Talmud i inne źródła żydowskie, mają przewagę na wydziale prawa. Studenci jesziw (szkół judaizmu) lepiej znają metody argumentacji i inne sposoby rozumowania prawnika. Kiedy wyjaśniam swoim studentom prawa rolę precedensu hierarchicznego w prawie amerykańskim – Konstytucja, statuty, przepisy, praktyki – ci, którzy studiowali Talmud, od razu widzą analogię z żydowskim precedensem hierarchicznym: Torą, Miszną i tak dalej. Rozwijana przez stulecia natura argumentacji talmudycznej jest równoległa do rozumowania prawniczego pod wieloma ważnymi względami".

Prawnik może lepiej zarabiać niż – również „żydowski" – lekarz, obsługując jednocześnie większą liczbę klientów. Lekarz pracuje przy jednym pacjencie naraz, prawnik może przy wielu klientach, bo rozdziela zadania pomocnikom. Bierze odpowiedzialność i większą część zapłaty za całość pracy. W najlepszych firmach prawniczych Nowego Jorku 40 procent wspólników stanowią Żydzi.

Prześladowania w Europie narzuciły Żydom zawody, które dziś są najlepiej płatne. Zakaz kupna ziemi w Europie Wschodniej sprawił, że unikali wsi. Emigrując do Ameryki, mieli umiejętności potrzebne ludziom w miastach, co dało im przewagę nad resztą. W Galicji po I wojnie światowej stanowili 10 procent ludności, ale 40 procent szewców, 50 procent handlarzy i 80 procent krawców. W Krakowie z nich wywodziło się 60 procent lekarzy i prawników. Połowa Żydów niemieckich pracowała na swoim. Na Węgrzech, gdzie stanowili 5 procent ludności, trzymali w garści jedną trzecią handlu. Trzy czwarte Polaków emigrujących do Ameryki było chłopami i niewykwalifikowanymi robotnikami. A trzy czwarte Żydów pojechało tam z kwalifikacjami zawodowymi i światopoglądem ułatwiającym odniesienie sukcesu.

Największe możliwości zysku daje własne przedsiębiorstwo. Żydzi dwa razy częściej niż inne grupy etniczne pracują na swoim na skutek poczucia wyobcowania i zagrożenia. „Prowadzenie własnego biznesu pociąga indywidualistów; chcą mieć kontrolę nad swym losem i nie zależeć od kaprysów czy przesądów pracodawcy". Z tego powodu Żydzi są mocnymi konkurentami w pracy, gdyż mają skłonność do przejmowania kierownictw przedsiębiorstw, w których są zatrudnieni.

Warto też szukać zarobku w nowych dziedzinach gospodarki, poza jej głównym nurtem. Tam są największe możliwości rozwoju i zysków. Tak było na początku XX wieku z kinem, kiedy Żydzi zakładali przemysł filmowy, nie zrażając się złą reputacją tej rozrywki. I tak było u schyłku XX wieku z Internetem, gdy żydowski adwokat zamieścił w sieci ogłoszenie swej firmy. Oburzył internautów profanacją czystego, wolnego medium, ale łamiąc tabu handlu w sieci, pierwszy zmienił Internet z domeny naukowców, wojska i dziwaków w filar gospodarki.

Najbogatszy swego czasu Amerykanin żydowskiego pochodzenia zbił fortunę na komputerach. Student pierwszego roku na uczelni w Teksasie Michael Dell postanowił być wydajniejszy od wielkich korporacji IBM czy Compaq. Z pokoju w akademiku sprzedawał dodatkowe wyposażenie do pecetów, a następnie całe komputery.

Składał je ze standardowych części powszechnie dostępnych na rynku i wysyłał pocztą do klientów. Używał gotowych i łatwo dostępnych elementów, więc nie zamrażał kapitału w zapasach części, tylko korzystał z najnowszej technologii. Sprzedając pocztą bez pośredników, ominął kosztowny kanał dystrybucji, zbędny wyrobionym technicznie klientom, którzy wiedzieli, jakiej maszyny potrzebują. Składał komputery według specyfikacji na indywidualne zamówienie. W kilkanaście lat fortuna Della przekroczyła 20 miliardów dolarów.

Żydzi mają mocny udział na uczelniach nie tylko jako przedsiębiorczy studenci. W ostatnich kilkudziesięciu latach zdobyli wybitną pozycję w amerykańskim życiu akademickim. Wcześniej stawiano im przeszkody. W roku 1940 tylko 2 procent profesorów koledżów miało takie pochodzenie, mniej więcej tylu, ilu było w całej populacji. W 1970 roku, kiedy przestał działać „numerus clausus" z pierwszej połowy wieku, mieli już 10 procent akademików. W latach dziewięćdziesiątych ubiegłego wieku objęli 35 procent stanowisk profesorskich w najlepszych uczelniach. W pewnych okresach Żydzi byli rektorami niemal wszystkich szkół elitarnych, w tym Harvardu, Yale, Penn, Columbii, Princeton, MIT i Chicago University.

Oto więc rada Silbigera dla adeptów wiedzy będących geniuszami lub chcącymi ich naśladować: gdy chcesz założyć własny biznes, to w dziedzinach, które są nowe lub dopiero się rodzą. Szukaj obszarów, które inni uważają za zbyt trudne i kłopotliwe lub wstydliwe. W takich niszach rodzi się bogactwo, jak wykazali bankierzy inwestycyjni czy Michael Milken, tworząc wielki rynek dla „obligacji śmieciowych". Także miłośnicy komputerów stworzyli wielki biznes w Internecie wbrew powszechnemu przekonaniu, że cyberprzestrzeń rozwinie się w inny sposób, jako system kilkuset stacji połączonych kablami. Zawsze istnieją nowe możliwości. Bądź czujny!

5. Bądź zuchwały

Człowiek na dorobku potrzebuje hucpy. Słowo to znaczy w jidysz zuchwalstwo, bezczelność. Trzeba sobie wyrobić „werbalną pewność siebie": giętkość języka, gotowość zadawania wszelkich pytań i śmiałość w żądaniach. Jest to wulgarne w powściągliwym świecie chrześcijańskim, lecz dobrze służy hucpiarzowi. Alan Dershowitz napisał książkę pod takim tytułem, w której określił hucpę jako „śmiałość, stanowczość, chęć wysuwania żądań tego, co się należy, podważanie tradycji, wyzwanie rzucane autorytetom, budzenie zgorszenia". W okazywaniu pewności siebie pomaga Żydom wyższy poziom wykształcenia, gdyż daje bogate słownictwo w utarczkach. Żydowskie przysłowie powiada: „Wybaw mnie z rąk gojów i żydowskich języków". Hucpa przydaje się w biznesie, prawie i w sztuce.

Hucpa wywodzi się z wychowania religijnego. Rodzice zachęcają dzieci do dyskutowania o Biblii, dysput nad Talmudem i Miszną, dyskusji o codziennym życiu, także o biznesie, nauce, kulturze. To są wnikliwe debaty. Nie przypominają dyskusji chrześcijan, którym dogmaty i nauka Kościoła krępują samodzielne myślenie, a w rezultacie zdolności umysłowe w świeckim życiu. Elita klasy średniej to lekarze, prawnicy, agenci nieruchomości, brokerzy, handlarze. Każdy z nich powinien być inteligentny i wygadany. Żydzi uczą się tego od dzieciństwa. Nauczyciele zachęcają do stawiania trudnych pytań najświętszej księdze. Torze. Analiza jej niekonsekwencji i przełamywanie własnego oporu umysłowego zbliża uczniów do wiary. Czy to prawda, że Mojżesz rozdzielił Morze Czerwone, aby Żydzi uciekli z Egiptu? To zachęca do badania różnych teorii, na przykład roli fal odpływu, które dziś występują na tym morzu. A opowieść o stworzeniu świata w Księdze Rodzaju pozwala dostrzec podobieństwa kolejności stworzenia do teorii ewolucji Darwina: rośliny są przed rybami, ryby przed ptakami, ptaki przed zwierzętami, zwierzęta przed ludźmi.

Zachęta starszych do krytycznego myślenia otwiera i ćwiczy umysł dziecka. Przysłowie gojów „dzieci mają być widziane, ale nie słyszane", jest złą radą wychowawczą. Dzieci muszą być w centrum uwagi i to wyczuwać. Trzeba im cierpliwie wyjaśniać świat i zachęcać do popisów w szerszym gronie.

Inicjacje religijne uczą dzieci publicznych występów. Pierwsza komunia bardzo różni się od bar micwy chłopców i bat micwy dziewcząt. Rytuał żydowski podsuwa pewność siebie i chęć wypowiedzi. Dziecko katolickie jest zaś biernym uczestnikiem ceremonii w tłumie innych. Mały Żyd jest gwiazdą wydarzenia. A w Kościele katolickim podczas bierzmowania wszystkie dzieci są traktowane jak trzoda wiernych. Razem recytują modlitwę i przyrzekają wierność Kościołowi. Brak okazji, aby każde samodzielnie zabrało głos publicznie, skupiając na sobie uwagę zgromadzonych. Zapamiętajmy – uroczystość żydowska zachęca dzieci, żeby się wyróżniały z tłumu. Konformizm nie jest cnotą.

Bar/bat micwa jest uroczystością wejścia w dojrzałość. Od trzynastego roku życia żydowskie dziecko jest uważane za dorosłe i może samodzielnie podejmować decyzje religijne. Jako nowy i dorosły członek wspólnoty, chłopiec czy dziewczyna przewodniczy szabatowi. Czyta na głos, pierwszy raz w życiu, przypadający na dany tydzień cytat z Tory. Tekst w nieużywanym na co dzień języku hebrajskim wymaga przygotowania się, gdyż jest czytany w odwrotnym porządku, z prawa na lewo, i ma osobny alfabet. Na bar/bat micwie młody człowiek jest w centrum uwagi rodziny i przyjaciół domu. Wspomina Sherry Ellowitz Silver: „przekonałam się, że umiem śpiewać i występować przed grupą. Dostałam wiele pochwał; później skończyłam studia aktorskie. Przy okazji mojej bat micwy pierwszy raz zdałam sobie sprawę, że mogę być artystką dramatyczną, że mam talent". Co prawda nie zrobiła wielkiej kariery, ale została dyrektorką szkoły religijnej przy Temple Israel. W Hollywood.

Musimy nauczyć się hucpy, poczynając od wychowania dzieci. Zachęcajmy je do stawiania pytań. Nawyki wyuczone w rodzinie zostają na całe życie. Uciążliwe pytania przyjmujmy życzliwie i udzielajmy zrozumiałych i wyczerpujących odpowiedzi. Wtedy dzieci będą dalej pytać, rozwijając umiejętność formułowania myśli. Językowa pewność siebie, hucpa, daje w życiu ogromną przewagę nad konkurentami.

Przy każdej okazji trzeba objaśniać dziecku świat. Na spacerze: dlaczego świeci słońce i zmieniają się pory roku, jak rosną rośliny, co to jest siła ciążenia. W domu: czemu woda wpływa do wanny, jak rodzice zarabiają pieniądze na potrzeby rodziny. Do najlepszych okazji rozmowy należą posiłki. Można poruszać tematy od wydarzeń dnia po wielkie problemy społeczne. Gdy dziecko rozumie reguły rządzące światem, zaczyna się angażować, wyrabia sobie własne zdanie i uczy się je wypowiadać. Niemniej trzeba wymagać, żeby opinie były zawsze dobrze uzasadnione.

6. Bądź wybiórczo rozrzutny, ale roztropnie oszczędny

Żydzi nie lubią wydawać pieniędzy, ale nie skąpią ich na ważne rzeczy, aby mieć najlepsze. Rozeznanie rynku tworzy się wśród nich wcześnie. Dzieci więcej czytają, częściej mają dodatkowe szkolenia i zajęcia grupowe. To później przekłada się na zachowania rynkowe. Dorośli korzystają z większej ilości źródeł informacji niż inne grupy etniczne. Chętniej kupują nowości, niezależnie od oceny innych. Gromadzą wiedzę na temat planowanego zakupu, by uzyskać najlepszą cenę, jakość i trwałość produktu. Chwalą się zakupem wśród znajomych, żeby wspólnota także na tej wiedzy skorzystała. Wydają poniżej dochodów, raczej nie żyją ponad stan, bo prześladowania nauczyły ich, że pieniądze są środkiem przetrwania, a nie przyjemności. Bez nich czują się „nadzy wobec nieprzyjaciół". Pieniądze są środkiem, nie celem. Najwyżej cenią wykształcenie, dopiero potem pieniądze, a na końcu rzeczy materialne. Pieniądze dają władzę, lecz bez wiedzy nie zapewniają poczucia bezpieczeństwa.

Nawyk gromadzenia pieniędzy powstał wskutek prześladowań, bo pozwalały kupić ochronę lokalnych władców przed antysemitami. Jednak Żydzi dalej gromadzą płynny kapitał. Akcje spółek w USA ma 27 procent ogółu ludności, ale Żydzi judaizmu reformowanego – najbardziej „świeckiego" wśród religijnych – 73 procent. Kapitał giełdowy powyżej 100 tysięcy dolarów posiada poniżej dwóch procent Amerykanów, ale 38 procent Żydów tego wyznania, podaje Silbiger. Dokładne liczby są zmienne, zależnie od koniunktury, ale proporcje są z grubsza stałe. „Dla Żydów bogactwo stanowi więcej niż możność kupna rzeczy; to sama władza. Pieniądze mogą pokonać uprzedzenia większości bigotów, zwłaszcza w Ameryce. (…) Bogactwo przemawia głośno i wyraźnie. Niektórzy nie lubią Żydów, lecz większość przyjmuje ich pieniądze. Gdzie pieniądze nie mogą się przydać, tam Żydzi tworzą własne środowisko. «Nie możemy przystąpić do waszego klubu? Założymy własny». «Nie możemy pracować w waszym szpitalu? Zbudujemy swój»".

7. Ceń indywidualność, zachęcaj do kreatywności

Rebelia umysłowa jest częścią charakteru żydowskiego. Zachęta do niej przychodzi z religii, przeciwnie niż u katolików, którym nie wolno kwestionować dogmatów. Natomiast Żydzi wyżywają się w dysputach. Judaizm zachęca do twórczego myślenia i działania. W biblijnej Księdze Powtórzonego Prawa Bóg mówi: wybrałem was nie dlatego, że jesteście liczniejsi czy potężniejsi, lepsi moralnie, duchowo, intelektualnie. Nie jesteście. Wybrałem was ze swej niezbadanej woli. To jest klasyczna hucpa przypisana Bogu. Znaczy, że Żydzi sami siebie wybrali do przewodzenia narodom, wiedząc, że nie są od nich godniejsi. Narzucili sobie najwyższe wymagania, które dopiero z czasem udało im się spełnić. Wyciągnęli się za włosy z przeciętności.

Założyciel narodu, Abraham, zasłynął m.in. tym, że zniszczył bożki swego ojca, Teraha. Uważał, że Bóg jest jeden, podczas gdy wszyscy ludzie byli w tym czasie przekonani,. że bogów jest wielu. Sam przeciw światu – to sytuacja archetypowa Żyda innowatora. Przyzwoitość, dobre maniery, szacunek dla tradycji wprawdzie są im znane i obecne w wychowaniu, ale nie stanowią nad-rzędnych instancji tych wiecznych wichrzycieli. W osta-tecznym rozrachunku każdy Żyd jest sam sobie panem. Nie mają przywódców, ale luźno powiązaną sieć moc-nych indywidualności. Każdy kieruje się swym rozumem i tylko wtedy słucha innych, gdy mu to odpowiada.

Rabin nie ma tak mocnej pozycji wobec zgromadze-nia, jak ksiądz katolicki wobec swych parafian. W syna-godze rabina kontrolują wierni. Pracuje na życzenie kon-gregacji. To nie pośrednik między Bogiem i ludźmi; nie przyjmuje spowiedzi, nie daje rozgrzeszeń. To tylko mę-drzec uczony w Piśmie i pomagający je wyjaśniać. Daje dobre rady, ale nie ma cienia boskiej władzy. Wyjąt-kiem są małe sekty chasydów, otaczające kultem cady-ków. Przywódcami wspólnoty są przedsiębiorcy i finan-siści popierający pieniędzmi sprawy, które uważają za słuszne.

Wspólnota żydowska przypomina Internet. Nie posiada hierarchii, jest siecią jednostek i niezależnych organiza-cji. Nie ma początku ani końca, nikt nie kieruje ruchem, panuje mało reguł, a mimo to stanowi potężne narzędzie działania. Gdy zawodzi jeden kanał, przekaz przedosta-nie się innym. W czasie kryzysu wszyscy się mobilizują i działają jak na komendę. Ale to tylko skutek zgody co do wspólnego celu. Po wykonaniu doraźnego zadania jed-nostki i organizacje wracają do własnych spraw, działa-jąc niezależnie.

Charakter tworzy się w rodzinie, a filarem rodziny jest matka. Socjolog Zena Smith Blau opisała metody wycho-wania w Ameryce Żydów z Europy Wschodniej i nie-Ży-dów w pracy „Strategia żydowskiej matki". W żydowskim domu panuje siedem zasad wychowawczych: 1. unikanie kar, zwłaszcza cielesnych; 2. całkowita swoboda wypowiedzi w domu; 3. dostarczanie dzieciom najlepszych rzeczy, jakie są możliwe; 4. rozbudzanie w dziecku silnego ego i szacunku dla siebie; 5. zmniejszanie nacisku rówieśników przez silne więzi rodzinne i odwlekanie niezależności od domu; 6. wysokie oczekiwania postępów dziecka w nauce, a potem w karierze zawodowej; 7. wzmacnianie tych oczekiwań przez całą wspólnotę.

Matki żydowskie „wpajają dziecku mocną strukturę ego. Dzięki temu zyskuje ono siłę do radzenia sobie w środowisku, gdzie jego poczucie wartości jest podważane". Dlatego dzieci wierzą w swój sukces w szkole i życiu zawodowym. „Matki żydowskie są bardziej wyrozumiałe, dogadzają dzieciom i są bardziej zdolne do wyrzeczeń niż typowe matki anglosaskie. Unikają dławienia wybuchów uczuć i gniewu dzieci, żądając tylko, by stroniły od fizycznych form agresji". Dziecku wpaja się natomiast, by ojcu i innym dorosłym okazywało szacunek. „Matki żydowskie nie stwarzają różnicy statusu między sobą i dziećmi. Nie nalegają na ceremonie; nie chronią swej godności i szacunku dla siebie. Dziecko żydowskie nie rozwinie z żadną inną istotą ludzką tak bliskiego, ufnego, swobodnego i pozbawionego lęku związku jak z matką, i tu leży sekret uzyskania jej posłuchu w tych dziedzinach zachowania, w których matka chce wywierać nacisk podczas całego procesu dojrzewania".

Doktor Blau przekonała się, że „matkom żydowskim zwłaszcza nie zależy na dyscyplinie i wdrażaniu dziecka do posłuszeństwa. W domu zezwalają im na większą swobodę reakcji, niż przyjęta u gojów. Przyznają, że ich dzieci są *zelosen*, czyli rozpuszczone, wymagające, zepsute i nie zachowują się wobec nich grzecznie, jak dzieci gojowskie wobec swoich matek. Anglosaski kodeks stoickiej wytrwałości i stłumionych uczuć jest obcy Żydom wschodnioeuropejskim".

Ten sposób wychowania dopuszcza gwałtowne sprzeczki między matką i dzieckiem. Zamiast klapsów matka próbuje przemawiać do rozumu dziecka, odwracając jego uwagę i upominając. Czasem zdarzy się klaps lub krzyk, ale wybuchy gniewu równie szybko mijają jak przychodzą. „Dziecko zostaje przytulone, pocieszone i pokój przywrócony". Ta zdolność wchodzenia w konflikt i szybkiego zeń wychodzenia ma oczyszczający efekt i przydaje się w życiu. Debaty prawnicze i rozmowy biznesowe to z natury rzeczy starcia woli. Żydzi są lepiej przygotowani do walki i potem szybkiego powrotu do normalności dzięki temu, że potrafią rozładować gniew i nie chować urazy, jeśli nie chcą.

Ojciec żydowski jest z reguły powściągliwy. Niezadowolenie wyraża milczeniem, sprawiając tym dziecku taką samą przykrość, jak matczyne wybuchy, ale szybciej osiąga posłuszeństwo. Tak czy inaczej, posłuch wymusza na dziecku dezaprobata rodziców skojarzona z poczuciem winy i nieokreślonym lękiem, lecz nie ze strachem i przymusem, jak w rodzinach chrześcijańskich, z którymi Silbiger porównuje żydowskie.

Rodzice wpajają dziecku pewność siebie, dbając o szeroką gamę doświadczeń, by wiedziało, jak wygrać albo przegrać i znowu spróbować. Chcą, aby nie poddawało się ograniczaniu przez innych dorosłych. Wysokie oczekiwania i standardy wpajają wiarę, że dzieci mogą osiągnąć cokolwiek zechcą.

Żydowska matka postrzega dziecko jako kruche stworzenie, którego ciało i ducha trzeba starannie karmić i chronić nie tylko w niemowlęctwie, ale przez całe dzieciństwo i nawet dojrzewanie. Ponosi niezwykłe trudy i wydatki, byle zapewnić mu najlepsze pożywienie, opiekę lekarską i odzież. Dlatego śmiertelność niemowląt i dzieci była wśród Żydów mniejsza niż w całej populacji, chociaż większość należała do klasy pracującej, najbardziej narażonej na ryzyko wczesnego zgonu. W okresie formacyjnym matki pozwalały dzieciom na swobodę, by odkryły swe talenty, rozwinęły własny styl bycia i nabrały pewności siebie. Doktor Blau stwierdza, że żydowskie dzieci w drugim pokoleniu imigrantów przegrały wiele potyczek ze swoimi matkami, ale wygrały wojnę z rywalami – właśnie tak, jak chciały tego matki.

Wychowanie żydowskie ogranicza wpływ rówieśników. Dzieci trzyma się w domu i zaprząta nauką oraz dodatkowymi zajęciami. U gojów klasy niższej „dzieci wdraża się do niezależności we wczesnym wieku; stają się niezależne od wpływu rodziców, a bardziej związane z rówieśnikami". Jeśli wykształcenie nie jest priorytetem ich kolegów, to dzieci przyjmują ich wartości wbrew rodzicom. A jeśli potrzebę poczucia opieki u dziecka zaspokaja silny związek z matką, mniej zależy ono emocjonalnie od swoich rówieśników. Popularność wśród kolegów nie jest korzystna. Rodzice, którzy zniechęcają dzieci do zajęć solowych, jak czytanie czy ćwiczenia gry na instrumencie, tłumią rozwój umiejętności potrzebnych w długiej karierze zawodowej. Żydzi amerykańscy sami tego zaznali. Antysemickie uprzedzenia zamykały im w szkołach dostęp do popularnych klubów i drużyn sportowych. Wymuszając pracę nad sobą w samotności, pomogły zdobywać sukces. Antysemityzm zaczął ustępować w latach sześćdziesiątych ubiegłego wieku aż do obecnego stanu niemal zaniku.

Jak skorzystać z żydowskich doświadczeń wychowawczych? Styl życia rodzinnego musi być mieszanką miłości i swobody. Trzeba unikać twardej ręki i niedostępności. Dzieci trzeba wiązać emocjonalnie z domem, gdzie można wpajać szacunek dla ciężkiej pracy, wykształcenia i żądzę sukcesu zawodowego oraz finansowego. Brak przytłaczającej dyscypliny rodziców pozwala wykształcić w sobie silne ego i poczucie wartości, które znieczuli na złe wpływy zewnętrzne. Nie wolno wpajać uległości, ale indywidualizm. Takie wychowanie sprzyja zuchwałości ducha i czynów, pozwalając iść drogą pionierów, przedsiębiorców i łamaczy zasad. To nie są dzieci „najlepiej wychowane", ale mają większe szanse sukcesu.

Kiedy chcesz coś poprawić, pomyśl, jak mocno zamieszać. To cię naprowadzi na nowy punkt widzenia. Świetne pomysły nie muszą być rewolucyjne. Mogą to być drobne poprawki lub wypróbowane pomysły, tyle że przeniesione z jednej dziedziny do innej. Na przykład Estée Lauder (ur. jako Josephine Esther Mentzer) zauważyła, że gdy wchodzi na rynek nowy produkt żywnościowy, kupcy robią jego darmowe degustacje. Doszła więc do wniosku, że „jeśli włożysz klientowi towar do ręki, to przemówi za siebie". Jej kariera zaczęła się w 1946 roku od rozdawania wielkiej ilości próbek i „podarków przy zakupie" dla zapoznania klientów z nowymi kosmetykami. To, co dziś powszechne, wtedy było rewolucją w przemyśle kosmetycznym. Pięćdziesiąt lat później fortuna Estée Lauder wynosiła 8 miliardów dolarów.

Żydzi mnóstwo czytają, nie tylko dla przyjemności, ale szukając pomysłów biznesowych. „Gdy przeczytasz coś bardzo ciekawego, odłóż to na przyszłość do teczki z wycinkami. Nie mówię o obszernej dokumentacji, ale raczej o prostym pudle z teczkami na ogólne tematy. Nowe trendy i możliwości nie zawsze są jasno określone. Pozornie niepowiązane wydarzenia czy osobiste doświadczenia mogą okazać się niezwykle ważne. Powiedzmy, że jednego dnia zachowałeś artykuł o żydowskich miliarderach, a nazajutrz myślisz o napisaniu książki o żydowskim sukcesie, oglądając odcinek „Seinfelda". To sitcom o Żydach nowojorskich. Wykonawca głównej roli Jerry Seinfeld zarobił setki milionów dolarów, pokazując całej Ameryce żydowską osobowość w komicznej wersji.

Żydowski umysł chłonie pomysły jak gąbka, lecz trzeba być czujnym, bo pomysły ulatniają się tak szybko, jak przychodzą do głowy. Im więcej masz pomysłów, tym bardziej prawdopodobne, że któryś będzie świetny. Musisz spostrzec, na jaką porę dnia przypada twój najbardziej twórczy czas: pod prysznicem? w trakcie dojazdu do pracy? w siłowni? na zakupach? Noś przy sobie notes lub dyktafon. Jeśli najlepiej myślisz pod prysznicem, trzymaj w łazience ołówek i tabliczkę odporne na wodę. Pojawianie się pomysłów jest tak cenne, że nie wolno marnować żadnej okazji, bez względu na okoliczności. A najlepsze bywają te przychodzące we śnie. Przed zaśnięciem powiedz sobie, że chcesz zapamiętać sny. Po obudzeniu trzymaj oczy zamknięte przez chwilę i wspominaj, o czym śniłeś. Zapisuj najlepsze myśli, obrazy i marzenia na papierze, który trzymasz w tym celu przy łóżku. Bo prawdziwym źródłem bogactwa jest twój umysł.

Co tak gna Żydów do sukcesu?

Żydzi zawsze chcieli zdobyć uznanie chrześcijan, ale zachować odrębność. Konflikt obu pragnień zmusza ich do wykazania wszystkim, że mimo oporu świata mogą znaleźć się w najlepszym towarzystwie i w miarę możliwości przejąć nad nim kontrolę.

Mark Twain napisał w 1899 roku: „Żydzi stanowią jedną czwartą jednego procentu rasy ludzkiej. To nasuwa myśl o niezauważalnym obłoczku pyłu gwiezdnego w blasku Drogi Mlecznej. Na dobrą sprawę o Żydzie z trudem powinno się słyszeć, ale słyszy się go, ciągle się go słyszy. Jest najbardziej widoczny ze wszystkich ludów, a jego znaczenie jest ekstrawagancko nieproporcjonalne do znikomości jego masy. (...) Egipcjanie, Babilończycy i Persowie napełnili ziemię hałasem i świetnością, a zniknęli jak sen i przeminęli. Nastąpili potem Grecy i Rzymianie, narobili ogromnego hałasu i też odeszli; inne ludy wyskoczyły i przez pewien czas trzymały wysoko swą pochodnię, lecz ona wypaliła się, a ludy te siedzą w zmierzchu lub zniknęły. Żyd widział ich wszystkich, pokonał wszystkich, i jest teraz kim był zawsze, nie przejawiając żadnej dekadencji, słabości wieku, żadnego osłabienia członków, żadnego zwolnienia energii, żadnego otępienia czujnego i agresywnego umysłu. Wszystko jest śmiertelne oprócz Żyda, wszystkie siły przemijają, lecz on pozostaje. Jaki jest sekret jego nieśmiertelności?".

Wieki prześladowań wytworzyły postawę niezmordowanego optymizmu w szukaniu nowych sposobów przetrwania. Widać to w Ameryce, gdzie mieszkają imigranci z narodów o różnych strategiach życiowych. Żydzi są najmniej fatalistyczni i najbardziej wierzą, że człowiek jest kowalem swego losu. Socjolog Max Weber stwierdził, że mają najsilniejszą motywację wśród grup etnicznych. Wskazał „nacisk religijnego nauczania żydowskiego na odpowiedzialność za osobiste działania i rozległe samokształcenie".

Żydzi są ciągle niezadowoleni z siebie. Nawet kiedy wszystko idzie dobrze, chcą coś poprawiać i zachowują czujność. Szukają pomysłów na zabezpieczenie swego miejsca w świecie. Nienasycenie sukcesem wpaja rodzina. Stopnie szkolne nigdy nie są dosyć dobre: „Same szóstki, a z matematyki tylko piątka? Czemu taki słaby wynik?". Trudno zdobyć uznanie przy tylu wybitnych uczniach z wybitnych rodzin. Postępy w nauce są oczywiste, żeby się wybić, trzeba mocno pracować. Żydzi lubią chwalić się dziećmi, ale dla dzieci stanowi to wielki ciężar – przymus sukcesu dla sukcesu rodziców. Są „na zewnątrz" gojowskiego społeczeństwa, więc wiedzą, czego trzeba, żeby znaleźć się „wewnątrz". Czy dlatego wielu Żydów pracuje nie tyle nad realnym sukcesem, co przy wytwarzaniu i sprzedaży pozorów przynależności – w modzie i kosmetykach?

Siedem „sekretów" żydowskiego sukcesu to: dobre wykształcenie, popieranie swego środowiska, własne przedsiębiorstwo lub wolny zawód, stanowczość, twórczy umysł, oszczędność i wybredność. Ale przede wszystkim samodzielność. Żydzi opanowali to wszystko po mistrzowsku. Dlatego maleńki ułamek rodzaju ludzkiego nadaje mu kierunek i wielokroć bije na głowę konkurentów.

Pieniądz rodzi się w umyśle

Żyd sto razy częściej zostaje miliarderem niż przeciętny przedstawiciel rodzaju ludzkiego. Na liście najbogatszych ludzi w Ameryce Forbes 400 za rok 2012 (z progiem 1,1 mld dolarów) widnieje 139 osób o żydowskim pochodzeniu. Te niecałe 2 procent mieszkańców USA „powinno" mieć 8 miliarderów w proporcji do liczebności. Jedna czwarta spośród 50 najbogatszych ludzi świata również jest Żydami, choć stanowią zaledwie 2 promile ludzkości. 165 żydowskich miliarderów posiada łączny majątek ponad 800 miliardów dolarów. Większość mieszka w Ameryce, raju twórców dostatku.

Najbogatszym Żydem globu jest Larry Ellison, prezes korporacji informatycznej Oracle: 56 miliardów. Drugi na liście to Michael Bloomberg: 36 miliardów; zanim został burmistrzem Nowego Jorku, założył korporację medialno-finansową Bloomberg. Trzecie miejsce zajmuje król kasyn Sheldon Adelson: 36 miliardów. Czwarte i piąte miejsca przypadły twórcom Google: Larry'emu Page, 32 miliardy, i Siergiejowi Brinowi, 30 miliardów. I tak dalej. Milliard w tę czy miliard we w tę, różnie układa się z roku na rok, jednak obraz pozostaje ten sam. To wielokrotna nadreprezentacja Żydów wśród najbogatszych ludzi.

Na ogół sami doszli do tych pieniędzy, wymyślając pożądane produkty i usługi, co potwierdził wolny rynek. Nikomu nie ukradli majątku, lecz zrobili go dzięki wielkiej wyobraźni, wytrwałości i ciężkiej pracy. Bywają wyjątki, jak osławiony oszust Bernard Madoff, odsiadujący obecnie karę w więzieniu. Ale to wyjątki. Zresztą „Bernie" także wykazał wyobraźnię, wytrwałość i pracowitość, budując wielomiliardową piramidę finansową, kosztem między innymi żydowskich klientów. Wśród cnót biznesowych zabrakło mu etyki. Wątpliwości etyczne budzi wielu legalnych bankierów na Wall Street, jak Lloyd Blankfein, prezes Goldman Sachs. Niemniej te same wątpliwości dotyczą także nie-Żydów, którzy są tylko mniej twórczy w złym i w dobrym.

Nie każdy Żyd chce zostać miliarderem, ale nawet ten przeciętny w Ameryce ma się lepiej od reszty. Procent rodzin o dochodzie powyżej 75 tysięcy dolarów rocznie jest dwa razy większy niż reszty mieszkańców. Owszem, bogactwo łatwiej im przychodzi, ponieważ popierają się wzajemnie. Ale wielką rolę w ich karierach gra mądrość życiowa, umiejętności i chęć pracy dla przyszłych pokoleń rodziny. To pierwsza grupa etniczna w USA, która całkiem porzuciła pracę fizyczną dla twórczych i zyskownych zajęć umysłowych. Dziadek przybył do Ameryki sto lat temu z paroma dolarami i zarabiał na życie cerowaniem ubrań. Spłodził syna, który założył szwalnię, spłodził potomka i długo go utrzymywał, aby ten zrobił doktorat. Albo zarobił pierwszy milion. Tym różnili się od innych imigrantów z klasy robotniczej, że rezygnowali z pracy dzieci, zubożając tym dochód rodziny, żeby mogły dłużej się uczyć i zdobyć zawód. Do tego mocno zachęcała rubryka porad życiowych w piśmie „Forward".

Imigranci żydowscy z Niemiec w XIX wieku założyli w Ameryce także pierwsze banki inwestycyjne. Marcus Goldman przybył do Filadelfii w 1848 roku. Dwa lata zajmował się handlem ulicznym. Potem otworzył sklep z odzieżą i tak zgromadził kapitał potrzebny na otwarcie banku. Henry Lehman przyjechał w 1844 roku. Też zaczynał na ulicy, dopóki nie otworzył sklepu; potem założył z braćmi pośrednictwo handlu bawełną. Goldman i Lehman odnieśli sukces nie tylko dzięki inteligencji i wytrwałości. Mieli rodzinne kontakty z żydowskimi firmami w Europie. Te dostarczały im kapitał dla ciągle rosnącej gospodarki amerykańskiej.

Po wielu latach upadłość banku Lehman Brothers w roku 2008 zaczęła największy kryzys finansowy, na którym ogromnie wzbogacił się bank Goldman Sachs. Wprawdzie zapłacił karę 550 milionów dolarów za nadużycia finansowe, ale został najpotężniejszym bankiem w Stanach Zjednoczonych, wysyłając swych menadżerów do pracy w rządzie. A zaczęło się od dwóch handlarzy ulicznych…

Jak nalać z próżnego

Mówią, że „z pustego i Salomon nie naleje", lecz bankierzy żydowscy owszem. Do tego służy właśnie bank inwestycyjny, aby obracać pieniędzmi, których się nie posiada. Bank tradycyjny przyjmuje depozyty i daje z nich pożyczki. To osobne transakcje wobec różnych osób czy firm. Natomiast bank inwestycyjny to pośrednik; zbiera prywatny kapitał i przekazuje potrzebującym pieniędzy firmom w jednej transakcji. Właściciel kapitału kupuje za pośrednictwem takiego banku część udziału w danej firmie. Są to akcje lub zobowiązania dłużne, obligacje. W tradycyjnym banku zarząd przyznaje pożyczki z depozytów. W banku inwestycyjnym posiadacze kapitału sami decydują, komu powierzą pieniądze. W banku tradycyjnym to zarząd odpowiada za decyzje pożyczkowe.

A w banku inwestycyjnym nie odpowiada zarząd banku, lecz inwestor. On podjął decyzję, czyje akcje kupi. Zarząd banku tylko kojarzy kapitał z poszukującymi go firmami. Żydowscy bankierzy dokonali skoku wyobraźni w odpowiedzi na pytanie, jak dostarczyć potrzebującym pieniędzy, których sami nie mieli, i pobrać za to opłatę oraz uniknąć ryzyka złej inwestycji. Genialne! I dobre dla gospodarki.

Z tradycyjnego systemu bankowego Żydzi byli wykluczeni aż do lat sześćdziesiątych ubiegłego wieku. Wtedy ich banki inwestycyjne wymyśliły nowy rodzaj usług finansowych. Zaczęły łączyć przedsiębiorstwa z różnych branż, co umożliwiało tworzenie konglomeratów. Oraz wrogie przejęcia.

Taki wrogi wykup spółek ułatwiał w latach osiemdziesiątych bankier inwestycyjny Michael Milken. Elita WASP, Białych Anglosaskich Protestantów, uznała to za grabież w biały dzień, nie do przyjęcia w dobrym towarzystwie. Wrogie przejęcie polega na usunięciu zarządu, który spółkę założył i wprowadził na giełdę lub wywodził się z zarządu założycieli. Chodzi o przejęcie majątku za ułamek wartości, czyli rozwiązanie problemu, jak nalać z próżnego. Następuje w pięciu krokach: 1. pożyczenie gdzieś pieniędzy; 2. wykup za pożyczone pieniądze akcji potrzebnych dla zgromadzenia większości głosów na zebraniu akcjonariuszy (wystarczy kilkanaście procent ogółu akcji; drobni, rozproszeni udziałowcy rzadko przychodzą na walne zebrania spółki); 3. ustanowienie własnego zarządu; 4. sprzedaż części majątku spółki albo wzięcie pożyczki na giełdzie pod zastaw majątku firmy przez wypuszczenie obligacji; 5. spłata pierwszej pożyczki dzięki sprzedaży majątku firmy lub wypuszczeniu obligacji.

Był to skok na kasę z wyobraźnią, a zarazem całkowicie legalny. Michael Milken i firma, gdzie pracował, Drexel Burnham Lambert, zbierała fundusze i stworzyła rynek obligacji – zobowiązań płatniczych – na wrogie przejęcia firm. Miały wysokie oprocentowanie jako ryzykowne, a przezwano je „junk bonds", obligacje śmieciowe. Milken trafił do więzienia za oszustwa giełdowe, lecz najpierw został miliarderem. Za młodu był bardziej ambitny od innych. W pierwszych latach pracy dojeżdżał na Wall Street o świcie autobusem podmiejskim. Nie chcąc tracić czasu podczas jazdy, zakładał hełm górniczy z lampą, by czytać papiery w drodze. Dla zysku i władzy uderzył w establishment WASP-ów. I zreformował finanse gospodarki.

Lichwa potępiona czy błogosławiona

Żydzi wnieśli wielki wkład w rozwój rodzaju ludzkiego, zmuszając kulturę europejską do pogodzenia się z władzą pieniądza, stwierdza Paul Johnson w „A History of the Jews". Przyspieszyli rozwój Zachodu, gdy Kościół przejął się klątwą św. Pawła, że miłość pieniądza jest korzeniem wszelkiego zła. A z taką filozofią gospodarczą trzeba było albo wrócić do stanu pierwotnego ludzkości, albo przekazać obrót pieniędzmi Żydom, żeby się nie kalać grzechem. Dla nich i tak nie było zbawienia. Odrzucili nauczanie Chrystusa, w tym myśl, że „nie można służyć Bogu i Mamonie". Ależ owszem, można, i to jeszcze jak! Żydzi uważają, że „gdzie nie ma mąki, tam nie ma Tory". Dostatek jest warunkiem życia duchowego. Chrześcijanie stali się współtwórcami potęgi finansowej Żydów, odcinając ich w średniowieczu od szanowanych zawodów, za to zmuszając do zyskownego handlu pieniędzmi – wymianą walut i pożyczkami na procent.

Powstało wielkie pytanie: Czy pieniądz może rodzić pieniądz, jak zboże naturalnie rodzi ziarna zboża? Kto pożycza ziarno na siew, ten oddaje ziarno z nadmiarem, bo więcej zebrał, niż zasiał. To łatwo pojąć. Ale pieniądz się nie rozmnaża! Trzeba było rozwiązać ten problem etyczny. Trudno gospodarować, myśląc ciągle, że to grzech. Z pomocą przyszła Żydom podwójna miara moralna wobec swoich i obcych. Biblijna Księga Powtórzonego Prawa zabrania pożyczania współplemieńcom na procent, a pozwala dawać takie pożyczki gojom. Dopiero w połowie XVI wieku Isaac Abraban orzekł, że pieniądze są towarem, jak zboże czy wino, również w odniesieniu do Żydów. Kto pożycza, może oddać z procentem. Pożyczka bezprocentowa jest tylko przywilejem dla ludzi, dla których mamy jakieś względy, jak współwyznawcy w potrzebie. Dopiero dwa stulecia później chrześcijanie też doszli do wniosku, że pożyczki na procent między nimi są dopuszczalne i pożyteczne. Dyskusyjna była tylko wysokość oprocentowania. U Żydów wynosiła od 33 do 60 procent rocznie, dużo według dzisiejszej miary. Ale tak wyrażała się przewaga popytu nad podażą. Pieniądz był oparty na cennym kruszcu, który stanowił rzadkość. I lichwiarz brał na siebie wielkie ryzyko uraty kapitału pod naciskiem opinii publicznej gojów, rozeźlonych takimi zyskami.

Konfiskaty majątku lichwiarzy stanowiły podatek pośredni nałożony przez władców na kler i szlachtę z podatków formalnie zwolnionych. Mechanizm był prosty: Żydzi pożyczali elicie chrześcijan pieniądze na wysoki procent. Po czym władca konfiskował im majątek. Pieniądze oddane wierzycielom z procentem przez szlachtę i kler szły do królewskiego skarbca. Proceder ułatwiała wpajana przez Kościół pogarda dla lichwiarzy. W sztukach pasyjnych na Wielkanoc targi Judasza z kapłanami Świątyni wyglądały w sposób typowy dla targowania się Żydów. Stereotyp utrwalały największe arcydzieła kultury chrześcijańskiej. W „Boskiej komedii" Dantego z XIII wieku lichwiarz idzie do piekła. W „Kupcu weneckim" z XVI wieku Shylock ma podły charakter, więc zostaje pozbawiony majątku w majestacie prawa, upokorzony i zmuszony do przyjęcia chrztu. Szekspir nie znał osobiście Żydów, wypędzonych z Anglii trzysta lat wcześniej. Działała siła stereotypu.

Potępiano lichwę w przekonaniu, że dochód bez pracy fizycznej jest nieuzasadniony. Chrześcijanie nie rozumieli roli wiedzy i ryzyka w gospodarce. Co gorsza sądzili, że ekonomia jest „grą o sumie zerowej". Bogactwo ludzkości ma stałą wielkość, więc czyjś zysk może nastąpić tylko kosztem czyjejś straty. W krajach katolickich lichwę potępiało prawo kanoniczne i państwowe niemal do końca XVIII wieku, stwierdza Jerry Z. Muller w „Capitalism and the Jews". Papież Benedykt XIV potępił oprocentowanie pożyczek w encyklice *Vix pervenit* z 1745 roku. Leon XIII potępił już tylko „chciwą lichwę" w encyklice *Rerum novarum* z 1891 roku. Protestantyzm wcześniej od katolicyzmu uznał za dopuszczalne pożyczki z minimalnym zyskiem 5 procent rocznie. W końcu i katolicyzm dopuścił w XIX wieku „umiarkowane" oprocentowanie w przeciwieństwie do „nieumiarkowanego". Wiadomo więc, komu chrześcijanie zawdzięczają gorszą pozycję finansową. Świętemu Pawłowi (pieniądz korzeniem wszelkiego zła) i samym sobie przez spóźnione przejęcie żydowskich wynalazków, które z czasem i tak się rozpowszechniły.

Przez stulecia powtarza się ta sama historia. Żydzi wynajdują kolejny instrument finansowy. Wszyscy są zdziwieni i oburzeni, a oni czerpią zyski. Następnie chrześcijanie przyjmują wynalazek, a pomysłodawców wypędzają z kraju, czasem konfiskując majątki. W końcu powstała więc forma bogactwa łatwa do ukrycia i zabrania w drogę, czyli weksel imienny, potem na okaziciela. „Obok rozwoju kredytu, wynalezienie i popularyzacja papierów wartościowych było zapewne największym pojedynczym ich wkładem w proces tworzenia bogactwa", stwierdza Paul Johnson.

Żydzi zawsze szybko reagowali na nowe zjawiska. Konserwatywni w swoim świecie, bez skrupułów niszczyli tradycje, metody, instytucje chrześcijańskie, bo nie byli związani uczuciowo z ludami, wśród których przyszło im mieszkać. Dzięki temu stali się urodzonymi pionierami kapitalizmu, mistrzami „kreatywnej destrukcji", rozkładu starych metod działania i zastępowania ich bardziej wydajnymi.

W średniowiecznej Europie żydowscy handlarze i rzemieślnicy nie mogli wejść do gildii. Były to związki zawodowe i religijne dla chrześcijan. Nabrali wobec gildii zapędów niszczycielskich. Uznali też za nonsens ustalanie sztywnych cen, płac i udziałów w rynku, umiarkowane zyski i poziom życia gwarantowany przez ograniczenie produkcji. Obalili ten system, wprowadzając kapitalizm z wolną konkurencją, prawem zaś stało się zadowolenie klienta. Bardzo się wzbogacili i bogacą, ale dokonali demokratyzacji dobrobytu.

Wynalazki finansowe

Żydzi musieli pokonywać opory dla rozwoju gospodarki. Popierali wynalazki przyspieszające obieg pieniądza, jak giełda, czyli gromadzenie kapitału i kierowanie na produktywne zadania. Tradycjonaliści zaś widzieli w giełdzie głównie skandaliczną okazję dzikich spekulacji. Pierwsi docenili sprzedaż, reklamę i promocję. Natomiast tradycjonaliści potępiali efektowne wystawy sklepowe i reklamy w gazetach jako niemoralne wpychanie się przed konkurentów. Żydzi celowali w najszerszy rynek, rozumiejąc ekonomię skali. Woleli mniejszy zysk ze sztuki towaru, ale większy zysk z całości dostawy, powodując tym obniżkę cen. Chętniej od chrześcijan wytwarzali towary niższej jakości, lecz szerzej dostępne przez niższą cenę, nie zrażając się etykietką tandeciarzy. Wymyślili handel resztkami i odpadami, co było poniżej godności kupców chrześcijan. „Recycling" to ich wynalazek sprzed wieków. Stworzyli domy towarowe, gdzie sprzedaje się wszelakie dobra pod jednym dachem, czyli przenieśli do budynku jarmark na powietrzu, uniezależniając handel od kaprysów pogody.

Żydzi posiadali też wywiad gospodarczy i globalny obieg informacji na tysiąclecia przed wynalezieniem telegrafu. Korzystali z rodzinnych sieci handlowych rozsianych po całym świecie, pasjami pisząc do siebie listy. Dzięki temu mogli przeprowadzać złożone międzynarodowe transakcje oparte na zaufaniu. Do lokalnych mieszkańców zwracali się w ich języku, a ponad granicami komunikowali się po hebrajsku. Wspólny język ułatwiał obieg informacji, zmniejszając ryzyko handlu z nieuczciwymi kupcami. Zła opinia szybko się rozchodziła, usuwając z branży skompromitowanych przedsiębiorców.

Wpływowe rodziny żydowskie były najlepiej poinformowane, więc szybko reagowały na wypadki. A dostarczanie towaru we właściwym czasie i w odpowiednie miejsce i za stosowną cenę jest podstawą sukcesu. Chrześcijanie radzili sobie gorzej także na tym polu z braku informacji, ale też z powodu przekonania, że towar ma skończoną wartość, a więc stałą cenę. Wynikało to z ich ograniczonego doświadczenia. Natomiast ktoś, kto jak Żyd bardzo dużo podróżuje, przekonuje się dobitnie, że to, co jest cenne dla jednych, nie ma takiej samej wartości dla innych, dlatego należy spuszczać z ceny danego towaru, jeśli ma być sprzedany.

Z braku obycia w świecie większość chrześcijan nie rozumiała wartości informacji. I nie potrafiła sobie wyobrazić, że produkcja wzrośnie, jeżeli zainwestuje się w tym miejscu, a nie w innym, przez tę osobę, ale nie przez inną, w taki towar, a nie w inny. To skutek osiadłego życia i pracy na roli. Natomiast ruchliwi ciałem i umysłem Żydzi „wnieśli w XVIII wieku do systemu gospodarki potężnego ducha racjonalizacji, wiarę, że istniejące sposoby postępowania nigdy nie są dosyć dobre, że lepsze, łatwiejsze, tańsze i szybsze można i trzeba wynaleźć. W żydowskim handlu nie ma nic tajemniczego i nieuczciwego, to po prostu rozum", stwierdza Paul Johnson.

Żydzi przygotowali się w ciągu swej historii do wyciągnięcia największych korzyści z kapitalizmu dzięki opanowaniu finansów. Karol Marks uznał pieniądz za ich prawdziwego boga, zazdrosnego jak Bóg Biblii, który nie tolerował innych bogów. Podobnie pieniądz nie toleruje innych relacji niż towarowe. Zmienia wszystkie naturalne przedmioty i związki ludzi w obiekty wymiany. To istota pracy człowieka i jego bytu, a człowiek – czytaj Żyd – czci go jak Boga, pisał Marks w 1844 roku w „W kwestii żydowskiej". Sam pochodził ze starej rodziny rabinów. Przyjął chrzest z ojcem dopiero jako chłopiec, zaś jako młody filozof z pasją odcinał się od swych korzeni.

W całkiem innym tonie pisze pół wieku później żydowski socjolog Georg Simmel, który nie wyparł się przodków. Pieniądz jest, jego zdaniem, przedmiotem miłosnej wymiany. Konkurencja na wolnym rynku to nie tylko walka między rywalami biznesowymi, ale także walka o uczucie – lub pieniądze – klienta. Konkurent musi odgadnąć jego pragnienia. Konkurencja „osiąga to, co zwykle miłość potrafi: wyczucie najgłębszych pragnień innych ludzi, nawet zanim staną się ich świadomi. Antagonistyczne napięcie między rywalami zaostrza wyczulenie biznesmena na tendencje wśród publiczności nawet do punktu jasnowidzenia wobec przyszłych zmian gustów, mód i zainteresowań" („Filozofia pieniądza", 1900).

W tym samym czasie przeciwnego zdania był niemiecki ekonomista Werner Sombart. Uważał, że umysł żydowski cechuje egoizm, troska o własny interes i abstrakcja. Te cechy doskonale sprawdzają się w gospodarce wolnorynkowej. Żydzi odegrali wielką rolę w powstaniu kapitalizmu dzięki religii ludzi wykorzenionych, nomadów pustyni skłonnych do abstrakcji, pojmowania związków z Bogiem jako umowy oraz liczbowej kalkulacji grzechów (zapewne chodzi o kalkulację odszkodowań za wywołane straty – KK). Przywykli do życia nastawionego na odległy cel, stąd skłonność do traktowania rzeczy jako środków do celu. Pieniądze były dla nich środkiem w czystej postaci. I ten wyrachowany, rozważający różne sposoby działania abstrakcyjny, liczbowy umysł przysposobił Żyda do bycia „doskonałym spekulantem giełdowym". Zdaniem Sombarta triumf kapitalizmu zastąpił konkretne chrześcijańskie wspólnoty przez abstrakcyjne, uniwersalistyczne, zjudaizowane społeczeństwo. Brzmi to groźnie i było groźne, ponieważ Sombart poparł usuwanie Żydów z gospodarki przez nazizm.

Jednak laureat Nagrody Nobla w dziedzinie ekonomii w 1971 roku Simon Kuznetz widział w tym opisie same korzyści: „Biorąc pod uwagę rodzaj ludzkiego kapitału, jaki reprezentują Żydzi, większość mieszkańców kraju, jeśli pragnie jak najbardziej zwiększyć dochód gospodarczy, nie tylko powinna dawać mniejszości żydowskiej najszerszą wolność, ale wręcz dopłacać do wszelkich ulepszeń gospodarczych oraz społecznych ze strony obiecujących poszczególnych Żydów. Pomoc w rozwoju współtwórców ludzkiej wiedzy, a w rezultacie możliwości ekonomicznych byłaby bardzo zyskowną inwestycją. Choćby tylko z tej racji dyskryminacyjna polityka większości etnicznych, często celowo hamująca dynamikę żydowskiej mniejszości – od handlu po intelektualne i profesjonalne działania, wewnątrz korporacji biznesowych, itp. – to skrajna, gospodarcza nierozumność". Czy Polacy umieliby się z tym pogodzić?

W rozdziale „Jak zadziwić Europę..." rozważam pomysł sprowadzenia do Polski pół miliona Żydów. Pomysł Kuznetza dotacji dla dobrze rokujących firm żydowskich jest racjonalny, jednak niewykonalny politycznie. Nawet bez rządowych ułatwień emancypacja Żydów w XIX wieku i ich szybki awans w następnym wieku wywołały falę zawiści i oskarżeń o przejmowanie przez nich kontroli nad światem. W unikaniu antysemityzmu nie zawsze pomagało im przyjęcie chrztu. Żydzi pozostają kulturowo Żydami przez kilka pokoleń od zmiany wyznania. Można porzucić religię, zmienić deklarowaną tożsamość, lecz nie ustaje przekaz w rodzinie cech, które przynoszą sukces w wolnych zawodach, handlu i finansach. Tak działa kod kulturowy.

Czy każdy może się tego nauczyć? Rabin oraz przedsiębiorca i doradca biznesowy Daniel Lapin w „Thou Shall Prosper" (Żeby ci się powodziło) ukazuje zasady bogacenia się. Mogą posłużyć temu, kto pragnie odrzucić pewne przesądy kultury chrześcijańskiej.

Porady rabina biznesmena

Trzeba uwierzyć, że zarabianie pieniędzy to szlachetna rzecz. Święta księga judaizmu Tora zawiera dziesięć razy więcej praw o uczciwości w biznesie niż o koszernej żywności. Nierzetelność opłaca się na krótką metę. Oszust straci klientów, a ludzie odsuną się od niego. Mało kto potrafi odnieść sukces w zawodzie, jeśli ma wobec siebie poważne zastrzeżenia moralne. Nie można zarabiać na wolnym i uczciwym rynku, jeśli nie dostarcza się ludziom korzyści. Pieniądze są miarą twojej przydatności innym ludziom.

Kto zna antysemicki stereotyp kupca oszusta, ten się zdziwi. Jednak chodzi tu o etykę wytworzoną w przeszłości dla obrony własnej wspólnoty przed swymi oszustami. Natomiast Lapin te zasady przenosi na całość rodzaju ludzkiego. Znosi podwójną miarę: lepszą dla swoich, a gorszą dla obcych. Żydzi po wyjściu z getta nie powinni uważać się za obcych, niezwiązanych etyką z ludźmi kraju zamieszkania. Zasady dają korzyści gojom, którzy je stosują, nawet jeżeli nie wierzą w szlachetność biznesu żydowskiego. Słusznie nie wierzą czy niesłusznie? O tym niech decyduje praktyka.

Tak czy inaczej, musisz wierzyć w szlachetność biznesu dla własnego dobra. Żydowska tradycja uważa pragnienie bogactwa za zasadniczo moralne. Ponadto aprobata przez religię daje przedsiębiorcy energię w prowadzeniu interesów.

Aby zarabiać coraz więcej pieniędzy, trzeba stale uczyć się nowych umiejętności. Należy też pracować nad zmianą siebie na lepsze. Pomaga w tym największe święto Jom Kippur. Jest to dzień żalu za grzechy i pojednania. Tego dnia – powiada rabin Lapin – moralny licznik występków zostaje nastawiony na zero. Stare grzechy już nie nakłaniają do popełniania nowych. Jeśli znowu zgrzeszymy, to z innych powodów, niż ciążąca hipoteka z przeszłości. Dzięki Jom Kippur łatwiej Żydom zachować dobre mniemanie o sobie, choć świat często im mówi coś przeciwnego i – dodajmy – czasem nie bez powodu.

Dobry handlarz podchodzi do ludzi nie jako suplikant, lecz ich dobroczyńca, który ma wyjątkowy towar i może go udzielić za opłatą. Zarobek jest miarą przydatności towaru ludziom, a nie zdzierczym zyskiem. Dotyczy to też spekulacji giełdowych. Urząd podatkowy określa dywidendy, przyrost kapitału i procenty od udzielonych pożyczek jako „niezarobiony dochód". Błąd! Przestarzałe myślenie z czasów potępiania „lichwy", kiedy chrześcijanie nie rozumieli realnej wartości informacji i kalkulacji ryzyka przy tworzeniu bogactwa. Właściciel kapitału pracuje oceniając ryzyko inwestycji. Dochód uzyskuje wysiłkiem umysłu.

Przykazanie „Czcij ojca swego i matkę swoją" urywa się w wersji katolickiej, podczas gdy judaizm kontynuuje: „byś długo żył i dobrze ci się powodziło". Rabin Lapin uważa to za wzór wiązania się z ludźmi, zachęca do traktowania innych jako narzędzi swoich celów. Głosi regułę:

„Zaprzyjaźnij się z wieloma ludźmi, którzy są szczebel lub dwa niżej oraz wyżej twego poziomu finansowego, następnie znajdź sposoby pomagania ludziom w osiąganiu celów". Tkaj sieć znajomości z wieloma ludźmi, zawieraj przyjaźnie dla korzyści, ale starannie ukrywaj interesowny motyw nawet przed sobą, ba! zwłaszcza przed sobą.

Szeroka sieć kontaktów ułatwia bogacenie się, bo relacje prowadzą do transakcji – a te do pieniędzy. Ludzie wolą robić interesy ze znajomymi. Niestety, kiedy powstaje okazja zarobku, jest za późno, aby się zaprzyjaźniać. Dlatego trzeba zawczasu stworzyć szeroką sieć znajomych, wmawiając sobie, że to tylko dla przyjemności posiadania przyjaciół. Ludzie wtedy poczują, że szczerze się nimi interesujemy. Idealnie nadaje się do tego gra w golfa. Pozwala na długie i osobiste rozmowy, gdy nasz egoistyczny interes maskujemy udziałem w zabawie. Naga wymiana przysług nie działa tak dobrze, gdyż ludzie wyczuwają interesowny cel. Trzeba tworzyć szczere relacje z wielką liczbą osób bez oczekiwania nagrody. Przyjdzie tym większa, im większą udasz obojętność na korzyść.

Oto przykład, jak działa dobroć bezinteresowna. 2 stycznia 1924 roku Richard Simon, odwiedzając babcię, dowiedział się, że co tydzień rozwiązuje z sąsiadką krzyżówki w niedzielnym wydaniu pisma „New York World". Ale zestaw krzyżówek kończył się we wtorek. Zapytał, czy chce dostać książkę z krzyżówkami? Gdyby tylko istniała! – zawołała babcia. Richard zaproponował koledze, by razem wydali taki zbiór. „Crossword Puzzle Book" stała się początkiem imperium wydawniczego Simon & Schuster, pary żydowskich chłopców z Nowego Jorku.

Nie lekceważ okazji nawiązania znajomości ani podtrzymania starych. To błąd odrzucać zaproszenia. Na pytanie, z czego żyjesz, odpowiadaj na tyle ciekawie, żeby wywołać następne pytania. W ten sposób zareklamujesz siebie jako partnera do zrobienia interesu. Jednak raczej nie nawiązuj kontaktów na forach biznesowych przeznaczonych wyłącznie do tego, bo unosi się na nich aura wyrachowania. Lepiej zdobywać znajomości w miejscach, gdzie służy się innym z dobrej woli: w synagodze, kościele czy klubie sportowym. Będzie ci tam łatwiej odnieść się do obcych ze szczerym ciepłem i ciekawością, bez męczącej obłudy. Zadbaj, aby nowi znajomi wiedzieli, jak możesz im pomóc i że zrobisz to chętnie.

Poznawaj nie tylko innych ludzi, lecz także samego siebie. By zmienić się na lepsze w biznesie, musisz wiedzieć, jaki jesteś naprawdę. Myśl o sobie jak o jeźdźcu na koniu. Jeździec to rozum, koń to ciało. Sukcesowi Żydów sprzyja sprowadzenie osobowości do dwóch sprzecznych posunięć. Ponaglenie konia to twoja chęć szybkiej nagrody. Natomiast jego powściągnięcie to twój rozum, który namawia do poczekania na nagrodę większą. Judaizm stale nalega, żeby słuchać głowy, a nie serca.

Bóg kazał Abrahamowi zabić pierworodnego syna Izaaka w ofierze dla siebie, a nasz zacny rabin Lapin twierdzi, że Abraham źle zrozumiał polecenie Boga. Hebrajski ma jedno słowo na „poświęcenie" (i tak je zrozumiał patriarcha) i „wyniesienie do Boga", czyli uszlachetnienie. Prawdziwym zamiarem Pana było ponoć to drugie, a nie próba posłuszeństwa Abrahama. Dlatego posłał anioła, który wstrzymał rękę ojca z nożem, uniesioną nad Izaakiem. To konflikt między prymitywnym ponagleniem do zabicia syna w ofierze, a powściągnięciem przez dobroć Boga. Z tak sprzecznych impulsów składa się natura ludzka.

Jeśli pracujesz na etacie, musisz uwierzyć, że nie jesteś pracownikiem. Uważaj się za przedsiębiorstwo „Ja sp. z o.o". Zarząd to przyjaciele, z którymi rozmawiasz o pracy i się radzisz. Prezesem jest żona lub mąż. Zostałeś zwolniony? Bynajmniej! Idziesz gdzie indziej sprzedawać usługi swej spółki. Masz uciążliwe szkolenie? Nie! Szukasz nowych produktów do sprzedaży, a twoim klientem jest „pracodawca". W ten sposób nie jesteś suplikantem, ale biznesmenem. Zwiększasz poczucie samodzielności i bezpieczeństwa. Lecz bierzesz też pełną odpowiedzialność za siebie. Nie czekasz na to, co ci każe „pracodawca", sam wykonujesz pracę jak najlepiej i jeszcze szukasz ulepszeń. To kwestia podejścia: czy jesteś w pracy i niewolnikiem płacy, czy prowadzisz swój biznes? Jesteś swym najważniejszym pracownikiem, więc pracuj dobrze. Jeśli Żyd pracuje dla kogoś, to zawsze z nadzieją, że kiedyś przejmie biznes. W innym razie odejdzie i założy własny.

Więcej luzu!

Do sekretów żydowskiego sukcesu należy swobodny stosunek do pieniędzy. Gdy całą uwagę kierujesz na zarobkowanie, to zarobisz mniej. Musisz równoważyć cztery główne dążenia: do mądrości, do władzy, do bogactwa i do szacunku ludzi. Bierz przykład z postaci biblijnych. To są pełnowymiarowe osobowości. Ich bogactwo jest skutkiem życia dobrze prowadzonego, a nie celem samym w sobie.

Potomek ostatniego króla polskiego ks. André Poniatowski odwiedził pod koniec XIX wieku w Nowym Jorku dom bankierów Seligmanów, co opisał w liście: „Same pieniądze nie mają dla nich znaczenia poza biznesem. Obserwator słuchając, jak rozmawiają w wolnym czasie, wziąłby ich za zamożnych rentierów, poświęcających czas sportom, literaturze, sztuce, muzyce, którzy hojnie dają na dobroczynność i jeszcze hojniej na partię polityczną, a ponad wszystko poświęcają się życiu rodzinnemu z intensywnością, jaką się dziś spotyka tylko na francuskiej prowincji". Styl życia Seligmanów dowodzi, że pewnych rzeczy lepiej nie robić wprost. W tym także pieniędzy. A jednak należeli do najważniejszych bankierów amerykańskich.

Najpierw zadbaj o siebie, żeby zadbać o innych. Społeczeństwo bez biedy byłoby doskonałe, jednak to niemożliwe. Bieda jest bardziej naturalna niż bogactwo, tak jak samolot stojący na ziemi jest bardziej zgodny z naturą, niż unoszący się w powietrzu. Trzeba ogromnej energii, by 100-tonową maszynę wznieść do góry, i wielkiej energii, by większość żyła w dostatku. Żyje na świecie mnóstwo ludzi potrzebujących towarów i usług. Dlatego najlepszy jest taki system, który zachęca najbardziej zdolnych i twórczych do pracy, chociaż od dawna nie muszą pracować. I stają się coraz bogatsi, ponieważ ich pracy potrzebują inni.

Cudze bogactwo może być przykre, ale zamiast zazdrościć tym, którzy mają od ciebie więcej, rozwijaj współczucie dla tych, którzy mają mniej. Pieniądze są systemem liczbowym wyrażającym pożytek, jaki ich posiadacz przynosi ludziom. To podsumowanie kreatywności, wiedzy, doświadczenia, pilności, sieci kontaktów i zdolności odwlekania nagrody.

W żydowskiej tradycji występuje ścisły związek między Bogiem a rynkiem; to pomaga w biznesie. Gdy przedsiębiorca uznaje zgodność swojej pracy i rzeczywistości duchowej, może tym łatwiej sprzedawać siebie i swe produkty. Jego praca jest twórcza, naśladując nieskończoną kreatywność Boga. Nigdy nikt niczego by nie stworzył, gdyby bogactwo świata miało stałą wielkość.

Skąd brać twórcze idee robienia pieniędzy? Z okresowego lenistwa. To zostało sprawdzone przez trzy tysiąclecia. Tydzień pracy prowadzi Żydów do szabatu. Co siódmy dzień odpoczynku jest ich wynalazkiem. Dzień ten witają śpiewem, jak narzeczoną. Pieśń zawiera słowa „ostatni w czynie, pierwszy w myśli". To nakaz, żeby nie działać pochopnie, lecz z rozmysłem. Hebrajski nie ma nazw dni tygodnia, a je numeruje. Gdyby dni miały nazwy, byłyby jak niezależne byty. A tak są jedynie ogniwami wiodącymi do numeru 7. W ten sposób – dowodzi Lapin – unika się wrażenia, że Bóg wyczerpał się szóstego dnia i nie mając nic do stworzenia, nakazał dzień szabatu. Dzięki takiemu ujęciu siódmy dzień tygodnia stał się nieodłączną częścią planu stworzenia. Powstał na końcu, ale został pomyślany przez Boga od samego początku.

Szabat to więcej niż tylko odpoczynek. W ten dzień Żyd może rozmyślać, co ma dalej robić. To oaza spokoju w czasie i przestrzeni, aby kontemplować wydarzenia. Co tydzień Żydzi powstrzymują się na 25 godzin od pracy i obsługi urządzeń. Zakazane są zachowania, którymi wpływają na świat w ciągu tygodnia. Z twórców stają się przedmiotem tworzenia, aby świat zadziałał na nich swoją magią. To nieodzowna pomoc w twórczym myśleniu. W świetle tych zaleceń jakże rozsądne są wezwania hierarchów katolickich w Polsce, ażeby święcić niedzielę, przeznaczyć dzień na modlitwę (dla niewierzących: to skupienie na wyższych funkcjach umysłu z odcięciem trywialnych treści) i dla rodziny; wyjść z kieratu pracy i zakupów, by odnowić siły potrzebne do życia twórczego, zamiast wegetacji.

Nie każdy jest religijny, czy można więc taki efekt uzyskać po świecku? Owszem. Należy wyznaczyć sobie pewien stały czas. Nie musi być długi, ale musi następować regularnie. Wtedy nie wolno nic robić, zupełnie nic. Człowiek otwiera się na impulsy świata. Przechodzi od oczyszczenia umysłu do skupienia na wcześniej określonej sprawie, co zapobiega błądzeniu myśli. Wielu ma najlepsze pomysły pod prysznicem, bo to prawie nic nierobienie, powtarzalna czynność, kiedy szum wody tłumi dźwięki oraz inne źródła rozproszenia uwagi. Człowiek wtedy czuje małe, ciche myśli wpełzające do świadomości. „Stworzenie wirtualnego prysznica przez regularne sesje szabatowe należy do sposobów przewidywania przyszłości w celu osiągnięcia finansowych zysków", powiada rabin Lapin, który jest też konsultantem biznesowym. Radzi, żeby przed każdą „szabatową sesją" wstrzymać się na 24 godziny lub więcej od oglądania telewizji i filmów. Telewizja otępia, filmy zakłócają umysł sugestywnymi obrazami, co znieczula na własne, subtelne myśli.

W szabat powtarza się modlitwy. Ale i ten element siódmego dnia stworzenia nie musi być religijny. Doktor Herbert Benson z Harvard Medical School wykazał, że przez powtarzanie modlitwy można zmniejszyć napięcie psychiczne, które obniża odporność organizmu i przeszkadza w powrocie do zdrowia. Mogą to być także inne, pozytywne dźwięki pod warunkiem stłumienia innych myśli. Nie wystarczy powtarzanie tych słów w sobie. Trzeba je wypowiadać na głos, aby słyszały je twoje uszy. Lapin radzi powtarzać na głos każdego dnia potwierdzenie naszej wiary w sukces bieżącego zadania biznesowego. Nie musi być długie, ale musi dokładnie określać i wyrażać, co chcesz osiągnąć. Słowa takiej „afirmacji" mają wskazać przeszkody na drodze do celu i sposoby ich usunięcia.

Dyscyplina umysłu może cię uczynić liderem w twej dziedzinie. Nieodłączną cechą przywódcy jest sposób bycia. Talmud podaje wskazówki, np. uznając lwa za króla zwierząt, choć nie jest ani największy, ani najsilniejszy, ani najmądrzejszy. Za to porusza się bardziej ekonomicznie niż inne duże zwierzęta. Gdy leży bez ruchu, widać, że jest czujny, całkowicie kontrolując swoje ciało. Klasę człowieka ujawniają przemyślane ruchy, bo świadczą o kontroli nad sobą. A jak działać po królewsku? Przede wszystkim nie wolno być małostkowym. Lwy nie sprawiają wrażenia małostkowych. Być lwem to dbać o wyniesienie na szczyty godności. A jeżeli nie jesteś lwem ze swej natury? Mądrość żydowska radzi: Jeśli nie podoba ci się twe nastawienie do kogoś lub czegoś, to zachowuj się tak, jakbyś miał nastawienie, które dopiero chcesz osiągnąć. Wkrótce naprawdę je uzyskasz. Jeśli pragniesz stać się bardziej odważny i optymistyczny, to na początek udawaj, a wkrótce taki się staniesz.

Judaizm uważa zmiany za zasadniczo zdrowe, czym różni się od wielu innych kultur. Rabin Lapin radzi: „Ciągle zmieniaj to, co zmienne, ale uparcie trzymaj się tego, co niezmienne". Żydzi zawsze więc są gotowi na zmianę, planują swe reakcje i czerpią z tego zyski. Wiedzą, że w sferze tworzenia bogactwa nigdy nie wolno sądzić, iż utrzyma się status quo. Twoja praca za rok nie będzie przypominała tej, jaką masz teraz. A jeśli będzie, to znaczy, że pracodawca nie rozwija się lub twe zatrudnienie nie jest pewne. Tak czy inaczej, twoje dni w tej pracy są policzone. Zaś oczekiwanie sukcesu, kiedy nad czymś pracujesz, rozmyślanie i cieszenie się z niego z uśmiechem na twarzy wpływa na ciało i umysł i sprzyja powodzeniu. Dokładnie wyobrażaj sobie pożądany wynik pracy. To bardzo pomaga w osiągnięciu celu.

Dawaj, a będzie ci dane

Gdy dojdziesz do pieniędzy, pamiętaj, że jest to wyraz twojej siły życiowej – wynik poświęconego przez ciebie czasu na zarobek, doświadczenia, wytrwałość i rozwój sieci kontaktów. Według Talmudu mędrzec ceni swe pieniądze bardziej niż ciało. Zdaniem rabina Lapina to podstawa zdrowego stosunku do bogactwa. Zapewniła powodzenie pokoleniom żydowskich biznesmenów. Pieniądze są wyznacznikiem tego, jak prowadzisz życie i co robisz dla innych. To metafora siły twoich związków z ludźmi. Bogactwo ma u korzeni energię duchową. Jest to energia pozytywna. Jakże różni się to podejście od tego św. Pawła, który mówi, że pieniądze są źródłem wszelkiego zła!

Duchową siłę pieniądza uznał rabin Menachem Mendel Schneerson, chasyd, przywódca lubawiczerów w Nowym Jorku. Na koniec kazań rozdawał banknoty jednodolarowe. Zamożni biznesmeni przychodzili po tego dolara jako symbol błogosławieństwa. Rabin Schneerson powiedział kiedyś, że ludzi różnią talenty i zasoby, a pieniądze pogłębiają różnice, „kiedy służą gromadzeniu bogactwa, nagradzaniu wpływowych i wyzyskowi biednych. Lecz pieniądze znacznie bardziej się nadają do jednoczenia ludzi i zrównywania ich ze sobą.

To ostateczne narzędzie abstrakcji – przetwarzają dobra, pracę i talent w towar, który może być łatwo wymieniany i dzielony z innymi. To środek hojności i współpracy między ludźmi i narodami, środek utrwalania zasobów dla wspólnego celu".

Nasz dobry rabin Daniel Lapin zaś powiada, że pieniądze, jak miłość, najlepiej zdobywać przez odrzucenie potrzeby pełnego posiadania. Radzi w tym celu rozdawnictwo, zgodnie z wielką tradycją dobroczynności. Ale to dlatego – uwaga! – że rozdawanie zwiększa dochody darczyńcy. Midrasz powiada, że „jeśli widzisz kogoś dającego na dobroczynność, bądź pewny, że jego bogactwo wzrasta". Kabalistyczna księga Zohar też zapewnia: „Kto daje dużo na dobroczynność, staje się bogatszy, bo otwiera tym kanał, którym spłynie nań błogosławieństwo Boga". Te zalecenia zostały sprawdzone przez stulecia, zdały test wiarygodności. W tradycji żydowskiej rozdawanie pieniędzy jest rzeczą moralną i też mądrą dla ludzi ambitnych. Każdy, kto chce wzrostu swojego bogactwa, powinien dawać na cele dobroczynne.

Jak to działa, pomijając łaskę Boga, a biorąc na świecki rozum? Do warunków sukcesu w biznesie należy ukrywanie, że ci zależy na tym, na czym naprawdę ci zależy. Najłatwiej to osiągnąć, gdy masz poczucie, że jesteś bogaty. Ludzie to wyczują i będą kalkulować: „co dobrego może on dla mnie zrobić?". Ale kiedy widać, że jesteś desperatem, pytają siebie: „czego on ode mnie chce?". Dlatego, gdy masz aurę człowieka hojnego, radykalnie poprawiasz swe szanse biznesowe. Trzeba w tym celu wydawać pieniądze. Zadowolenie z zakupów dla siebie trwa krótko. Lepiej dawać prezenty. Najlepiej zaś dawać na dobroczynność, bo wtedy ludzie chcą z tobą współpracować. To reguła sprawdzona przez tysiące lat żydowskiej praktyki. Praca dla innych wiąże cię z ludźmi, co sprzyja biznesowi, choć przebiega w aurze bezinteresowności. Dobroczynność sprawia, że masz lepsze mniemanie o sobie, co też poprawia kontakty z ludźmi. Jest mądrą inwestycją. I jak to bywa w inwestowaniu, nie każda pozycja wygra. Musisz z góry założyć, że niepotrzebna ci wygrana za każdym razem. Liczy się ogólny bilans. Celem twej dobroczynności jest otwarcie kanału pieniędzy ze świata do ciebie, przekonuje rabin Lapin. Chyba ku zdumieniu niejednego księdza.

Kiedy robisz się starszy, nie myśl o emeryturze! Gdyby była twym celem, nie wykorzystasz pełni swoich możliwości. Pracuj, póki możesz, i nie tyle udzielaj się jako wolontariusz, ile pracuj za pieniądze, bo to jest sprawdzian, że jesteś naprawdę potrzebny. Życie zawodowe ma być procesem bez określonego końca. Warto tu przyjąć regułę bijatyki. Dla większej siły ciosu celuj dalej niż właściwy cel. Na przykład, jeśli celem ciosu jest klatka piersiowa przeciwnika, to wymierzaj cios z taką siłą, jakbyś chciał sięgnąć pleców, bo w innym wypadku twój umysł osłabi cios tuż przed właściwym celem. Zaplanuj więc, że nigdy nie pójdziesz na emeryturę. Pracuj mniej, niż pracowałeś dotąd, ale dalej pracuj.

Wyłożone powyżej zasady bogacenia się rabin Daniel Lapin nazywa Kapitalizmem Etycznym. Bowiem – jak pisze – nie tylko Tora, ale również doświadczenia historyczne Żydów potwierdzają, że dla osiągnięcia dużego sukcesu w biznesie na długą metę trzeba nauczyć się moralnego i uczynnego postępowania, które zamierzył dla ludzi dobry Pan.

Skargi Feliksa Konecznego

Określenie porad rabina Lapina terminem „kapitalizm etyczny" zaszokowałoby Feliksa Konecznego, autora „Cywilizacji żydowskiej", wydanej przed II wojną światową, uzupełnionej za niemieckiej okupacji i opublikowanej ponownie w 2001 roku przez wydawnictwo Antyk. Książka cieszy się poważaniem w pewnych kręgach polskiej prawicy. Wyraża tęsknotę za „cywilizacją łacińską", która rzekomo nie może mieszać się z „żydowską", chociaż dowody zmieszania widać wszędzie, poczynając od Dekalogu Mojżeszowego.

Rozdział „Ekonomia żydowska" czyta się jak zabytek umysłowy z czasów, kiedy większość Żydów była obcym, bo niezasymilowanym, elementem etnicznym w II Rzeczpospolitej. Można wtedy było twierdzić: „etyka żydowska jest i będzie zawsze wroga nie-Żydom, a to dla swojej dwoistości. Działalność ekonomiczna Żydów nie musi liczyć się z dobrem kraju, w którym bywa stosowana". Ale spytajmy, co to znaczy „dobro kraju"? Czy chodzi o zachowanie tradycyjnej elity władzy i gospodarki? Należałoby więc odrzucić „kreatywną destrukcję", czyli jedną z głównych zasad kapitalizmu. A ta zasada przecież powoduje wzrost dobrobytu ogółu, wprowadza coraz nowsze sposoby produkcji i handlu zamiast mniej wydajnych. Owszem, niszczy to stare elity i urządzenia społeczne. Ma rację Koneczny, że działalność Żydów nie musi liczyć się z dobrem kraju, gdzie mieszkają. Żydzi niezasymilowani nie mają powodu, by się o to troszczyć. Ale nawet oni mimowolnie dobro realizują, kiedy przyspieszają postęp gospodarczy. Żydzi zasymilowani zaś nie są obojętni na dobro kraju zamieszkania. I używają z korzyścią

dla ogółu lepszego wyposażenia intelektualnego wynie-
sionego z judaizmu.

Koneczny zastrzega, że „mowa o Żydzie całkowitym,
posłusznym Torze, Talmudowi, Kabale". Jednak widać po
wykładzie rabina Lapina, że nawet taki Żyd kieruje się
dobrem ogółu dla własnego interesu. A sam Lapin dzieli
się ze światem sposobami tworzenia bogactwa przez
Żydów i zachęca do rozciągnięcia żydowskiej etyki na
wszystkich partnerów biznesowych. Oszust nie utrzyma
się długo na rynku wolnym i przejrzystym, takim jak
w krajach kapitalizmu demokratycznego.

Koneczny zauważa trafnie a kąśliwie, że „znaczna
część mieszkańców ziemi mniema, że najlepszym sposobem na zapobieganie ubóstwu jest zapobieganie bo-
gactwu". Obawiam się jednak, że sam zacny profesor
jest tego przykładem, kiedy pisze, że „handel polega
na pośrednictwie. Brnie się w ekonomię żydowską na
łeb na szyję. Ekonomia żydowska jest czymś okropnym".
Przykładem „okropieństwa" jest zdaniem Konecznego
kupiec, który uprawia swój „proceder", nie mając własnego kapitału obrotowego ani rezerwowego. Dla kupca
chrześcijańskiego było to przeciwne rozumowi i uczciwości. Ale spójrzmy, jaki wkład wnosi do transakcji żydowski pośrednik, działający za pożyczone pieniądze?
Wnosi posiadane informacje i ruchliwość umysłu. Umożliwia to samą transakcję i zaspokojenie popytu na dany
towar, czyli przyrost dobrobytu. Dzisiaj dobrze widać, że
pośrednik działa jak komputer, gromadząc i przetwarza-
jąc informacje. Można odrzucać cel, w jakim ktoś używa
narzędzia, ale nie samo narzędzie. W tym wypadku nie
należy potępiać pośrednika pełniącego rolę komputera.

Autor „Cywilizacji żydowskiej" pisze, że współzawod-
nictwo chrześcijan z Żydami w bankowości było trudne,

gdyż bankier żydowski mógł liczyć na przypływ pieniądza „z ogromnego zasięgu żydowskiego wszędobylstwa. Było to bankierstwo od razu uniwersalne, każdy żydowski bank stanowił jakby filię wszystkich innych – co też trwa dotychczas. Jest to wielki, międzynarodowy handel pieniędzmi, z jakim chrześcijańskie bankierstwo nigdy nie będzie mogło się równać, bo krępuje się i ogranicza względami na interesy własnego narodu i państwa, często sprzeczne z interesem [państw] ościennych, gdy tymczasem tamci tych względów nie uznają, bo ich nawet nie odczuwają". To trafna obserwacja, kiedy dotyczy banków zorganizowanych jako prywatne partnerstwo wspólników dobieranych etnicznie, gdy partnerzy nie są zasymilowani w kraju zamieszkania. Takie banki mogą być narzędziem polityki etnicznej. Mogą, ale nie muszą działać sprzecznie z racją stanu państwa, w których działają.

A co gdy banki stają się spółkami akcyjnymi? Na giełdzie tworzy się kapitał anonimowy, niezwiązany lojalnością z żadnym państwem ani grupą etniczną. O wpływach w zarządzie takich banków decyduje ilość posiadanych udziałów. Żydzi są grupą etniczną najbogatszą, mogą z tego powodu dominować w zarządach banków i innych spółek akcyjnych. A czy wpływy wykorzystają dla dobra państwa, czy swojej grupy etnicznej zależy od ich wtopienia w ogół społeczeństwa.

Koneczny przyznaje, że „nęci ekonomia żydowska, gdyż z reguły zapewnia zyski znaczniejsze i szybsze, a przy tym urządza obroty gospodarcze wygodniej i zaprasza każdego, kogokolwiek z ulicy, by brał udział w zyskach, kupując akcje". To brzmi jak pochwała. Jednak nostalgicznie wspomina ideał ekonomiczny cywilizacji łacińskiej. Jest to własność nieruchoma i trwałość majątku w ręku danej rodziny. To, co ułatwia przechodzenie własności z rąk do rąk, jest przeciw cywilizacji łacińskiej. Chrześcijanin nie godziłby się handlować ziemią i domami miejskimi, gdyż to byłby handel ojcowizną. A Żydzi zmienili nieruchomość w przedmiot handlu i zrobili z tego monopol, jak kiedyś pożyczki na procent. „Trwało długo, nim umysły przyzwyczaiły się do tego, co zrazu wprawiało w osłupienie, jako ziemia jest towarem, jak wszelki inny towar".

Innymi słowy, najbardziej przeciwne ideałowi Konecznego są pieniądze, ponieważ one ułatwiają obrót towarowy. Jego ideałem jest więc skostnienie struktury społecznej. Stąd wynika wrogość wobec weksli, czyli pieniądza kreowanego przez osoby prywatne. Kto wystawia weksel na okaziciela, ten tworzy papier wartościowy, niczym bank centralny. „Gdy się przyjmie choć na chwilę, że handlować wolno wszystkim, rozwiera się cała przeraźliwa czeluść deprawacji", na przykład spekulacja długami. A to skutek przyjęcia żydowskich poglądów ekonomicznych. Profesor ubolewa, że użytek weksla udostępniono wszystkim, nie tylko kupcom. „Anomalia ta zniszczyła stan średni, pozahandlowy, włoczony niemądrze i niepoczciwie w rygory prawa handlowego. Ileż zrujnowało gospodarstw chłopskich, a ile rodzin urzędniczych".

Koneczny mówi więc pośrednio, żeby chrześcijanom ograniczyć wolność gospodarczą, bo nie potrafią mądrze z niej korzystać. Jest przeciwny wekslowi na okaziciela, ponieważ chrześcijanie wydają te środki na konsumpcję lub źle lokują kapitał. Popadli w zależność finansową, w dziedzinie pieniądza nie dorównując Żydom umysłowo ani wielkością kapitałów Niemniej pamiętajmy, że finansowe zacofanie to skutek poglądu św. Pawła, jakoby pieniądz był korzeniem wszelkiego zła. Kto porzuci ten przesąd, temu „ekonomia żydowska" nie zaszkodzi. Przeciwnie, włączy go w nurt tworzenia bogactwa narodów.

Jak powstał „żydowski łeb"

Język Żydów wschodnioeuropejskich, jidysz, ma wyra- **[241]**
żenie „jidyszer kop", które oznacza spryt, i jego przeci-
wieństwo – „gojiszer kop", czyli głupotę. Nawet zago-
rzali antysemici nie twierdzą, że Żydzi są głupi. Wszyscy
uznają ich inteligencję. Według twórcy skali IQ Davida
Weschlera jest to „zdolność jednostki do celowego działania, racjonalnego myślenia i skutecznego odnoszenia
się do środowiska". Testy IQ wskazują, jak wypada biegłość umysłowa badanych osób na tle średniej w danej
grupie przyjętej za 100. Nie jest to więc absolutny wskaźnik, jak waga ciała, a tylko względny wobec punktu środ-
kowego skali. IQ to skrót od angielskiego Intelligence
Quotient – iloraz inteligencji.

Wskaźnik IQ mało zmienia się po piątym roku życia. Inteligencja jednostki przestaje się rozwijać, kiedy osiąga
18 lat. Od tej chwili IQ lokuje badaną osobę na skali dorosłych, a nie rówieśników. Intelektualna pozycja w grupie rówieśniczej, zdobyta do piątego roku, pozostaje taka
sama przez resztę życia. O przyszłości człowieka decydują jego pierwsze lata, czyli najbliższa rodzina, w której
wtedy przebywa.

Dane pochodzą z fundamentalnego dzieła „The Jewish
Mind". Autor antropolog Raphael Patai poświęcił badaniu żydowskiej umysłowości 20 lat życia. Profesor uniwersytetów Columbia, New York University, Pennsylwa-
nia, Princeton wydał ponad 30 książek na temat różnych
przejawów judaizmu. Przytaczam więc jego informacje i opinie z pełnym zaufaniem.Wskaźnik 100 znaczy,
że połowa badanych osób wypada lepiej od badanego,

a połowa gorzej w danej grupie porównawczej. Wskaźnik 116 znaczy, że tylko 16 procent dorosłych wypada lepiej, natomiast aż 84 procent gorzej od badanego. 132 znaczy, że 97,5 procent wypada gorzej od badanego. Kto ma wskaźnik 132, ten mieści się wśród 2,5 procent najbardziej inteligentnych ludzi danej grupy kulturowej.

Badania IQ Termana

W latach dwudziestych XX wieku rozpoczęto w Kalifornii pod kierunkiem Lewisa M. Termana wieloletnie badanie układu uzdolnień w grupach etnicznych. Objęto nimi 160 tysięcy uczniów szkół podstawowych od 1 do 9 klasy w Los Angeles, San Francisco i Oakland. Wybrano grupę 1444 „najbardziej inteligentnych" uczniów o wskaźniku IQ od 135 do 200; dla tej grupy średnia IQ wynosiła 151. W owym czasie ludność żydowska tych miast stanowiła 5 procent, lecz w grupie najbardziej inteligentnych już 10,5 procenta, a pewnie więcej, bo niektórzy Żydzi ukrywali swe pochodzenie. W następnym badaniu, przeprowadzonym 25 lat później na takiej samej grupie, znów było dwa razy więcej uzdolnionych Żydów, niż wynosił udział w całej populacji. Za Żydów uznano uczestników, których oboje rodziców i dziadkowie mieli to pochodzenie. Żydzi osiągnęli wyższy od gojów poziom i zawodowy, i dochodów.

Oprócz tego „trzech jurorów niezależnie przebadało dokumentację 730 uzdolnionych mężczyzn w wieku 25 lat lub starszych i oceniło poziom ich sukcesu życiowego. Kryterium sukcesu stanowiło, na ile badany wykorzystał swe świetne zdolności intelektualne". Na tej podstawie mężczyzn podzielono na trzy grupy, górna 20 procent, środkowa 60 procent i dolna 20 procent. W grupie 150 osób określonej jako kategoria A, o największym sukcesie, „żywioł żydowski" był znacznie większy niż w całej grupie uzdolnionych. Był też trzykrotnie liczniejszy w najwyższej grupie, niż w grupie najniższej oznaczonej jako kategoria C. Rodzinna tradycja wykształcenia była silniejsza w rodzinach grupy A niż tych z grupy C.

„W szkole podstawowej A i C mieli prawie taki sam poziom sukcesu, przeciętną stopni prawie taką samą, a przeciętne wyniki testów były tylko nieznacznie wyższe dla kategorii A. W szkole średniej grupy zaczynają się rozchodzić w rezultacie niższych stopni w kategorii C, ale dopiero w koledżu spadek w tej grupie ma alarmujące proporcje. Spadek nie może być skutkiem obciążających zajęć dodatkowych, gdyż są one dwa razy częstsze w grupie A niż w C. Czynnikiem decydującym dla sukcesu okazała się rodzina. Trzy razy więcej ojców grupy A niż grupy C miało wyższe studia. Prawie dwa razy więcej ojców grupy A należało do klasy profesjonalistów.

Badania Termana poświadczają rolę tradycji intelektualnej i wykształcenia w rodzinach żydowskich. To ułatwia dzieciom odniesienie sukcesu w życiu przez największe spożytkowanie zdolności. „Żydowscy uczestnicy w zdolnej grupie różnią się niewiele od nie-Żydów pod względem zdolności, charakteru, cech osobowości (...) jednak wykazują nieco silniejszą chęć osiągnięć, tworzą stabilne małżeństwa i są nieco mniej konserwatywni w postawach politycznych i społecznych".

Wyższy poziom inteligencji Żydów jest powodem ponadproporcjonalnej liczby talentów umysłowych i geniuszu.

Wielkie jednostki pojawiały się we wspólnotach, które były otoczone, pobudzane do działania i myślenia oraz ciągle zagrożone przez społeczeństwa gojowskie. Świadczy o tym, zdaniem Patai, przykład dziesięciu największych Żydów wszechczasów:

1. Mojżesz, XIII w. p.n.e., był pod względem kulturalnym pół-Egipcjaninem;
2. Izajasz, prorok żyjący w VIII w. p.n.e., żył w społeczeństwie, które było przeniknięte zagranicznymi wpływami politycznymi, kulturalnymi i religijnymi ze wszystkich stron;
3. Jezus, 4 p.n.e.–30 n.e., żył w cieniu imperialnego Rzymu w mocno zhellenizowanej Palestynie;
4. Mojżesz Majmonides (1135–1204) równie dobrze znał arabską filozofię i medycynę, co żydowską Torę;
5. Baruch Spinoza (1632–1677) był wykształcony zarówno na żydowskich, jak gojowskich myślicielach;
6. Karol Marks (1818–1883) zapoznał się ze wczesną myślą zachodnioeuropejskiego socjalizmu, zachowując prawie biblijną żarliwość prorocką;
7. Zygmunt Freud (1856–1939) był produktem wiedeńskiego i paryskiego wykształcenia psychiatrycznego;
8. Henri Bergson (1859–1941) był wielkim filozofem francuskim, mając śladową świadomość żydowską;
9. Teodor Herzl (1860–1904) dojrzewał w środowisku asymilowanych Żydów, przenikniętym kulturą węgierską i niemiecką;
10. Albert Einstein (1879–1955) był przesiąknięty sposobem myślenia nauki niemieckiej.

Natomiast nie pojawił się żaden żydowski geniusz światowego formatu tam, gdzie Żydzi mieszkali w izolacji od świata zewnętrznego, ani również tam, gdzie takie kontakty miały miejsce, ale otoczenie zewnętrzne żyło w zastoju umysłowym. W takich wypadkach talenty żydowskie ograniczały się do „czterech łokci halachy", czyli do ksiąg Talmudu, które na półce bibliotecznej zajmowały właśnie cztery łokcie długości.

Nie ma lepszej miary umysłowej sprawności Żydów niż ilość wywodzących się spośród nich laureatów Nagrody Nobla, przyznawanej od 1901 roku. Pierwsza przypadła Żydowi w 1905 roku. Do 1930 roku na 153 przyznane nagrody 11 trafiło do Żydów, czyli 7,5 procent. Ponadto cztery otrzymali Żydzi, którzy odeszli od judaizmu, a pięć trafiło do pół-Żydów. Jeśli ich uwzględnić, to do 1930 roku 13 procent noblistów było Żydami. W latach 1930–1972 jest ich już 18 procent. Do 1975 roku udział noblistów żydowskiego pochodzenia wzrasta do 16 procent, natomiast do 1994 roku jest ich już prawie 20 procent.

Zależność od zewnętrznego pobudzenia najmocniej ujawniła się w Oświeceniu. Wśród Żydów, którzy wyszli wtedy z getta, widać wysyp talentów w każdej dziedzinie ważnej dla Europy XVIII i XIX wieku. Ale Żydzi nieoświeceni, tak w Europie Wschodniej, jak i na Bliskim Wschodzie, nie przejawiali żadnych talentów w tych dziedzinach, jak gdyby należeli do innej gałęzi żydostwa.

Radykalna selekcja

Wyższą inteligencję Żydów potwierdza mnóstwo testów. Mają lepszy od gojów wskaźnik IQ w wiedzy werbalnej i matematycznej, ale gorszą średnią w rozumowaniu obrazowym i w pamięci. Nie wyróżniali się opanowaniem języka angielskiego – testy przeprowadzono w Ameryce

– ani szybkością i dokładnością przyswajania informacji. Inteligencja jednostki zależy od genów i środowiska. Różni eksperci różnie to oceniają. „Dziedzicznicy" sądzą, że 85 procent wskaźnika IQ zależy od genów, podczas gdy „środowiskowcy" uważają, że mniej, ale nie podają liczb. Co nie zmienia faktu, że środowisko wpływa na sprawność mózgu człowieka.

Żydzi byli tak samo narażeni na głód, jak ci, wśród których mieszkali. Ale mieli przykazane pomagać biednym, a zwłaszcza – nakarmić głodnych. To był nakaz religijny. Żyd, który przechodził przez wioskę żydowską, musiał być nakarmiony. Głównym obowiązkiem bogaczy było niedopuszczanie do głodu biedaków. Dlatego u Żydów niedożywienie nie powodowało masowych uszkodzeń mózgu.

Zawsze też nadzwyczaj dbali o kobiety w ciąży, dostarczając im żywności, jakiej tylko zapragnęły. Nie był to kaprys, ale potrzeba organizmów matki i płodu. Po porodzie kobieta przymuszała dziecko do jedzenia, co jest typowe dla żydowskiej matki nawet wobec dzieci dorosłych i bogatych, którym głód nie grozi.

Uszkodzenie mózgu mogą wywołać też czynniki społeczne, czyli „niedożywienie" kulturowe w otoczeniu, które za słabo pobudza umysł dziecka. Wczesne pobudzanie umysłu rozwija inteligencję. Także pod tym względem kultura dała Żydom przewagę nad gojami, najwyżej ceniąc uczenie się od najmłodszych lat.

Żydowskie dzieci od urodzenia otaczano ogromną uwagą. Noszono je na rękach, kołysano, głaskano. Mówiono do nich i śpiewano. Jeśli zaczęły mówić, zanim odwykły od mleka matki, uczono je błogosławieństwa przed posiłkiem, czyli przyjęciem piersi. Kiedy dziecko nauczyło się chodzić, ojciec poświęcał mu więcej uwagi i czasem brał na kolana, żeby razem z nim „studiować"

Talmud. Chłopiec w wieku trzech lub czterech lat szedł do chederu, gdzie uczył się do dziewięciu godzin dziennie. Nawet u biedaków młody umysł dostawał silne bodźce. Wśród Żydów nie wystąpił niedorozwój intelektualny z powodu niskiej kultury rodziny.

Jak na tym tle wygląda bieżący spór w Polsce, czy posyłać sześciolatki do szkoły? Żydowskie dzieci od wieków zaczynały w czwartym roku życia naukę trwającą dziewięć godzin dziennie! I pokonując przeszkody, jakich przykład daje Pataj a przytaczam na końcu w sekcji „Dzieło życia, udział Dziadka". I pomyśleć, że uczeniu sześciolatków sprzeciwia się prawica która twierdzi, że chce dla Polaków dobrze.

Postawa rodziców wywiera niezatarty wpływ: ich aspiracje wobec dziecka, zachowania, jakie wzmacniają lub tłumią, możliwości uczenia się w rodzinie i poza nią, docenianie postępów umysłowych, nawyki pracy wpajane w domu. Od tego zależy sprawność mózgu dojrzałego człowieka. Uczenie się jest u Żydów cenione wyżej niż u gojów. Już to wystarcza dla osiągnięcia wyższego IQ, bez odwoływania się do czynnika genetycznego.

Żydowską inteligencję wzmacniają czynniki środowiskowe, ale działają też czynniki genetyczne. Przez dwa tysiące lat diaspory życie we wrogim środowisku gojowskim dokonało radykalnej selekcji. Osobnicy inteligentni mieli większą szansę przetrwania, wychowania licznego potomstwa i doprowadzenia dzieci do wieku reprodukcji. Atakowały ich fanatyczne tłumy i prześladowały władze. Co jakiś czas wypędzano ich z miast i państw czy porywano dla okupu. Okrutna eliminacja słabych wpłynęła na wzrost wskaźnika IQ.

Skutki genetyczne wywarł też wielki szacunek dla studiów nad Talmudem. Wszyscy inteligentni chłopcy starali się uzyskać status uczonego w Piśmie. Najlepsi otrzymywali stanowisko rabinów lub kierowników szkół talmudycznych. Bogaci Żydzi chcieli mieć ich za zięciów, a córki bogaczy uważały takie małżeństwo za wielki zaszczyt. Wymagająca wysokiej inteligencji biegłość w studiach Talmudu dawała uczonemu lepszą pozycję ekonomiczną. Mógł więc wcześniej się ożenić i wychować więcej dzieci mimo wysokiej śmiertelności całej populacji. Utrzymujący się przez stulecia szacunek dla studiów talmudycznych zwiększył wśród Żydów pulę osobników dziedzicznie inteligentniejszych od gojów.

A po stronie chrześcijan działał mechanizm przeciwny. W zasadzie jedynym sposobem awansu biedaka była kariera kościelna. Stan kapłański przyciągał najbardziej ambitnych i utalentowanych synów chłopów i innych warstw. Nakaz celibatu kleru powodował, że kapłani i zakonnicy nie przekazywali swych genów następnym pokoleniom. Najbardziej inteligentna część chrześcijan nie miała więc potomstwa, powodując przez stulecia obniżenie inteligencji swej populacji. Na poparcie tych hipotez nie ma danych w postaci wyników testów sprzed stuleci, i nigdy ich nie będzie. Jednak przemawia za nimi intuicja.

Żydzi wyróżniają się inteligencją, ale też przejmują cechy narodów, wśród których żyją od stuleci. Izrael, dokąd przybywają żydowscy imigranci z całego świata, jest dobrym terenem dla porównań kultur. Główny podział wśród Izraelczyków przebiega między imigrantami z krajów muzułmańskich i zachodnich. Pierwsi mają niższe IQ od tych drugich (104 do 110). To zły wpływ kultury islamskiej na inteligencję, przy tych samych zasadach selekcji genetycznej. Żydowska rodzina z Bliskiego Wschodu jest bardziej tradycjonalistyczna od zachodniej, ma patriarchalną strukturę, żąda uległości wobec autorytetu i krępuje autonomię uczuć. Wywodzący się z islamu brak swobody w dzieciństwie obniża zdolności poznawcze, a w dorosłym życiu szkodzi karierze zawodowej.

W Izraelu stwarza się nowego Żyda, wolnego od skutków ucisku w diasporze. Inkubatorem jest kibuc socjalistyczny. Wychowani w nim osobnicy wykazują wyższą inteligencję, ich średnie IQ wynosi 114. Mają też mocniejsze indywidualności i są bardziej zróżnicowani, mimo wychowania w grupie. Rekruci z kibucu są lepiej wykształceni, mają większe zdolności przywódcze, łatwiej więc awansują w wojsku. To jest skutek wyrastania w bogatszym kulturalnie środowisku, gdzie wpaja im się autonomię uczuciową i poleganie na własnych siłach. Kibucnicy są lepsi od Żydów europejskich, chociaż ci w krajach zachodnich są bardziej inteligentni od gojów.

Żydzi wyróżniają się talentami i geniuszem. Ludzie utalentowani mają IQ w przedziale od 135 do 200 i stanowią nieco mniej niż 1 procent populacji, jak stwierdził Lewis M. Terman. Natomiast geniusz nie da ująć się liczbowo. Na ogół panuje zgoda, kto jest genialny a kto tylko utalentowany. Mozart był genialny, Ravel utalentowany. Daremnie też pytać, kto ma większy geniusz. Każdy jest inny i własnego rodzaju. Można porównywać liczbowo talenty żydowskie i gojowskie, ale nie geniuszy.

George Sarton określił liczbę uczonych na świecie w Średniowieczu. W latach 1150–1300 znalazł 626 wybitnych uczonych, z których 95 było Żydami – to 15 procent tej populacji. Liczba ówczesnych Żydów wynosiła 1,5 miliona, czyli pół procenta ludzkości. Żydzi mieli więc 30-krotną nadreprezentację wśród uczonych. Jeśli jednak pominąć kraje, w których nie było wówczas Żydów – czyli Japonię, Chiny, Indie, to Żydzi stanowili

1 procent ludności. W takim wypadku nadreprezentacja ich uczonych jest „tylko" 18-krotna. Od końca XV wieku do Oświecenia represje wobec Żydów odcięły ich od uczonych z szerokiego świata. Ich poszukiwania umysłowe zostały wówczas ograniczone do studiów religijnych i wynikającego z religii prawodawstwa.

W Oświeceniu otwiera się getto. Państwa chrześcijańskie przyznają Żydom pełnię praw obywatelskich. Ci wchodzą w szercki świat z tak ogromnym sukcesem, że pod koniec XIX wieku pojawia się oskarżenie o zawiązanie przez nich spisku dla dominacji nad światem. Lęk przed nazbyt sprytnym Żydem, maskowany posądzeniem o zdradę i celową deprawację kultury, osiąga przed I wojną światową szczyt w aferze Dreyfusa we Francji, a w czasie II wojny w nazistowskiej próbie zagłady narodu.

Rola w świecie

W republice weimarskiej, przed dojściem Hitlera do władzy, genetycy chłodno dyskutowali na temat fizycznej i psychicznej charakterystyki Żydów jako odrębności rasowej. Najwybitniejszy z tych uczonych, Fritz Lenz, wydał podręcznik genetyki u ludzi (z Erwinem Baurem i Eugenem Fisherem). Czwarte wydanie wyszło już po dojściu Hitlera do władzy, w 1936 roku. Lenz uważał, że rasy ludzkie mają cechy fizyczne i umysłowe, które idą w parze. Cechy fizyczne sygnalizują obecność cech umysłowych, a jedne i drugie są skutkiem dziedzicznej selekcji. Podejście Lenza do „rasy żydowskiej" było – zdaniem Raphaela Patai, skąd pochodzą te dane – „niechętne, ale prawidłowe". Lenz uważał antysemityzm za przejaw zazdrości biednej klasy niższej wobec Żydów, którzy tworzą wyższą warstwę społeczną.

Skoro Żydzi byli wyłączeni przez tysiące lat – dowodzi Lenz – „z trudów produkcji pierwotnej (rolnictwo) nie tylko przez swe skłonności, lecz także w wielkiej mierze przez siły zewnętrzne, to naturalnie zwrócili się ku handlowi i podobnym zawodom. W rezultacie głównie ci Żydzi mogli założyć rodzinę, którzy umieli działać jako pośrednicy w obrocie towarów wyprodukowanych przez innych i w pobudzaniu i kierowaniu pragnieniami innych".

„Wyjątkowość Żydów jest mniej widoczna w dziedzinie ciała niż umysłu. Może to wynikać z faktu, że Żydzi, których cechy cielesne były uznawane za egzotyczne, mieli mniej powodzenia od tych, których typ ciała bardziej przypominał gospodarza kraju osiedlenia. Instynktowne pragnienie, by się nie wyróżniać, działało też w doborze seksualnym na rzecz wyboru partnera małżeństwa, który nie był zbyt niepodobny do gospodarza (…) Tym sposobem typ stał się mniej widoczny dzięki działaniu takiego procesu doboru".

Następnie Lenz określa charakter żydowski. To spryt, czujność, pilność, wytrwałość i „zdumiewająca zdolność stawiania siebie na miejscu drugiego człowieka (empatia) i skłaniania innych do przyjmowania ich kierownictwa". Są wygadani, pospieszni, towarzyscy, bardziej nachalni i wrażliwsi od „Teutonów". Niemieccy Żydzi górują inteligencją i czujnością nad przeciętnymi Niemcami. W szkołach podstawowych dzieci żydowskie radzą sobie lepiej niż gojowskie. A w szkołach średnich, gdzie uczniowie muszą być uzdolnieni, proporcja uczniów żydowskich jest wielokrotnie większa od proporcji Żydów w całej ludności. Żydzi tworzą „nieumiarkowanie wielką proporcję" studentów uniwersytetów. W Prusach w latach 1911–1912 na każde 10 tysięcy katolików płci męskiej przypadało tylko 5 studentów uniwersytetu, wobec 13 protestantów i 67 Żydów na każde 10 tysięcy ich macierzystych populacji.

Lenz uważa, że Niemcy powinni naśladować dwie cechy żydowskie: poczucie wzajemnego koleżeństwa oraz „opieranie się uwodzicielskim urokom alkoholu". Jednak ostatecznie dochodzi do wniosku, że Żydzi i Niemcy są skrajnie do siebie podobni „w odniesieniu do czynników dziedzicznych":

„Żydów i Teutonów wyróżniają wielkie zdolności rozumienia i znaczna siła woli; Żydzi i Teutoni mają podobną w wielkiej mierze pewność siebie, przedsiębiorczego ducha i silnie pragnienie, by postawić na swoim – z tą różnicą, że Teutoni chętnie osiągają cele siłą, gdy Żydzi sprytem. W biznesowej wydajności Nordycy, jak Hanzeatczycy, Szkoci czy jankesi, górują nad nimi (…) Teutoni nordyckiego pochodzenia mają podobną do Żydów skłonność rozprzestrzeniania się jako kasta rządząca nad obcą ludnością. Także wolą, kiedy to możliwe, zostawić innym ciężki wysiłek fizyczny życia, chociaż jest to powszechna cecha ludzka i różnice pod tym względem są tylko różnicami stopnia".

Podobieństwa uzdolnień obu narodów prowadzą je do silnej konkurencji, co Lenz uważa za powód „częstych wybuchów wrogości pomiędzy Niemcami i Żydami".

W 1919 roku ekonomista i socjolog amerykański Thorstein Veblen opublikował artykuł „Intelektualna wybitność Żydów w nowożytnej Europie". Różnią się oni od gojów „wyraźnymi rysami temperamentu i zdolności". Chociaż rasowo są bardzo zróżnicowanymi hybrydami, to w tych

skrzyżowanych genetycznie jednostkach jest coś wyraźnie żydowskiego. Wyłącznie własne dokonania Żydów
były znaczące, ale wyraźnie żydowskie. Tylko w kontak-
cie z szerszą kulturą gojów Żydzi osiągali prawdziwą
wielkość jako „twórczy przywódcy w przedsięwzięciach
intelektualnych świata". Potwierdza to fakt, że wśród wielkich uczonych było wielu „renegatów Żydów".

Warunkiem konstruktywnej pracy w nauce nowożytnej
jest sceptyczne nastawienie umysłu, zauważa Veblen.
Dlatego „intelektualnie uzdolniony Żyd jest w szczególnie szczęśliwym położeniu", ponieważ nie ma bezpiecznego miejsca ani w tradycji żydowskiej, którą porzucił, ani w świecie gojowskim, w którym nie jest całkiem
u siebie. Bezpieczny i trzeźwy, uczony goj ma spokój
umysłu, który nie jest dany Żydowi. Zapewnia to temu
ostatniemu „wstępny warunek uniknięcia ograniczeń intelektualnego samozadowolenia". Wejdzie on na teren
nauki zdominowany przez zainteresowania gojów, ale
z powodu sceptycznego nastawienia umysłu „narodowo
obowiązujące przekonania, co jest prawdziwe, dobre
i piękne w świecie ludzkiego ducha" będą przez niego
uznawane za „warunkowo dobre i prawdziwe". Okoliczności, nad którymi zdolny Żyd nie ma kontroli, dostarczają mu domieszki sceptycyzmu koniecznej dla
prawdziwie twórczej pracy w nauce. Żyd jest burzycielem intelektualnego spokoju i łatwo staje się umysłowo
obcy. Duchowo „pozostanie Żydem, bo serdeczne nici
przywiązania" zawiązuje się we wczesnym okresie życia
i później trudno te więzy zerwać.

Marginalna pozycja Żyda w społeczeństwie gojowskim
umożliwia mu bardziej sceptyczne spojrzenie na utwier-
dzone wartości prawdy, dobra i piękna. Daje mu większą swobodę korzystania ze swych talentów, niż mają

goje, stwierdza Veblen. Ale Patai nie zgadza się z tym poglądem. Bo gdyby tak było, to zmniejszenie marginalności Żydów w społeczeństwie amerykańskim od czasu powstania artykułu Veblena, wejście w główny nurt życia, powinno zmniejszyć ich wybitność intelektualną. A dzieje się odwrotnie. Dzieci i wnuki imigrantów – którzy w krajach europejskich byli tak zmarginalizowani, że musieli emigrować – przyjęli wartości amerykańskie, lecz wydali więcej intelektualnie wybitnych jednostek niż w Europie. Marginalna pozycja nie jest więc konieczna dla zachowania żydowskiego sceptycyzmu wobec ustalonych wartości. A jeśli jednak jest konieczna, to sceptycyzm nie jest koniecznym warunkiem pracy na wysokim poziomie w nowożytnej nauce.

Patai zgadza się z Veblenem, że dociekliwość i kłótliwość – cechy związane ze sceptyczną postawą umysłu – są żydowskimi cechami. To skutek studiowaniu prawa religijnego metodą „pilpul", podważania i dyskutowania sprzecznych stwierdzeń w Talmudzie. U askenazyjskich Żydów do Oświecenia horyzont intelektualny był zamknięty „w czterech łokciach halachy". Gdy bariery zostały usunięte, żydowska dociekliwość i postawa sprzeciwu weszły na nowo otwarte pola naukowych i akademickich badań.

Żydzi lubią uprawiać ekonomię, filozofię, historię sztuki, historię literatury, germanistykę – powiada Lenz w latach trzydziestych XX wieku. W sztukach „dysproporcjonalnie duża liczba muzyków jest Żydami", gdy mało jest wybitnych malarzy i bardzo mało wielkich rzeźbiarzy i architektów. „Zdolności wizualne i techniczne są u Żydów stosunkowo małe. Zdolności ucha i języka mają bardziej rozwinięte niż zdolności oka". Ta ostatnia cecha wydaje mu się połączona z brakiem piękna w żydowskim ciele. Poczucie formy gra względnie małą rolę w procesie selekcji, który wytworzył typową fizyczność żydowską. Natomiast wyjaśnienie silnego żydowskiego udziału w zawodzie aktorskim polega na ich empatii, „zdolności stawiania siebie na miejscu innych". Są urodzonymi aktorami, w czym pomaga im łatwość wyrażania się w słowach i gestach.

Żydzi mają „talent do życia wśród czysto wyobrażeniowych idei, jak gdyby były konkretnymi faktami". Ta zdolność „jest korzystna nie tylko dla aktora, ale także dla prawnika, handlowca, demagoga". W ruchach rewolucyjnych „histerycznie usposobieni Żydzi grają wielką rolę, mając zdolność całkowitego oddania się utopijnym ideom i dzięki temu mogą z poczuciem wewnętrznej szczerości składać masom przekonujące obietnice". Marks, Lasalle, Róża Luksemburg, Trocki byli Żydami. Ich rewolucyjny zapał nie wynikał tylko z chęci niszczenia, bo „nawet kiedy Żyd niszczy, to zazwyczaj w celu odbudowania".

Streszczając poglądy Lenza, Patai zauważa, że wymienione przez niego cechy dotyczą tylko tych Żydów, którzy żyli w jego środowisku: Żydów niemieckich, angielskich i w ogólności częściowo zasymilowanego żydostwa środkowo- i wschodnioeuropejskiego (Askenazich). Mogły pojawić się jedynie w nowożytnym środowisku kulturalnym Zachodu i równie pobudzającym środowisku średniowiecznej kultury arabskiej. Tych talentów nie widać u Żydów jemeńskich, kurdyjskich, perskich, afgańskich. Wyjątkowe talenty bowiem występują jedynie w związku z kulturą gojowską. Osłabia to nie tylko hipotezę istnienia specjalnych talentów wśród Żydów w ogólności, ale również pojęcie Lenza o Żydach jako „rasie mentalnej". Zamiast wielkich uogólnień można mówić o talentach wyłaniających się z żydowskiej tradycji religijno-kulturowej, ale pod wpływem danego środowiska kulturowego gojów.

Niedorozwój formy

Jak przejawiał się wpływ tradycji religijnej na malarstwo i rzeźbę? Dwa miejsca w Biblii zawierają zakaz tworzenia posągów i obrazów. Pierwszy jest zawarty w Dekalogu, drugi w Księdze Powtórzonego Prawa (Ex 20, 3–6 Deut 5, 7–10). Cel obu zakazów razem wziętych jest jasny: nie wolno czynić wizerunków żywych istot w celu oddawania im czci. Jednak rabini zinterpretowali je jako ogólne zakazy tworzenia takich przedstawień, niezależnie od tego, jakim celom miały służyć. Aż do czasu Oświecenia żydowska sztuka ograniczała się do zdobnictwa i rzemiosła. Pojawiały się wizerunki ludzi i zwierząt tylko w miniaturowej formie, gdyż ułamek prawdziwego rozmiaru wykluczał taki obiekt z zakazanej kategorii „podobizny".

Żydowskie pojęcie bezcielesności Boga musiało mieć udział w braku zainteresowania dla głównych sztuk. Malarstwo i rzeźba bazują na formie będącej w pewnym sensie antytezą istoty, którą może przeniknąć tylko intelekt. Jak zauważył żydowski krytyk sztuki, Karl Schwarz, „skłonność do mentalnego zgłębiania wszystkich zjawisk, myślenie mistyczne i spekulacja intelektualna powstrzymały rozwój poczucia formy i postrzegania rytmicznej harmonii. Ponadto, jak u niemal wszystkich ludów wschodnich, wśród Żydów poczucie koloru jest znacznie mocniej rozwinięte niż poczucie formy". Dlatego tworzą oni uroczysty nastrój, zapalając wiele świec, ale nie wiedzą, jak wydzielić przestrzeń ze struktur świeckich przez specjalny sposób budowania. Architekturze synagog w większości wypadków brak wyczucia przestrzeni. Także w nagrobkach efekt jest osiągany nie przez całościową formę, ale małe ornamenty zdobnicze.

Lud czczący Boga nieposiadającego formy, którego sama istota jest jej przeciwna, nie może odnosić się do formy w ten sam pozytywny sposób, rozwinąć tego samego poczucia kształtu, nie może poświęcić się studiowaniu harmonii i radowaniu się pięknościami formy, jak to czynią ludy przywykłe do oglądania bogów przedstawianych w pięknej, pociągającej, przejmującej, zachwycającej i dotykalnej postaci. Niedorozwój formy jest jednym z mniejszych kosztów, które Żydzi ponieśli za trwanie przy wyjątkowym pojęciu Boga.

W grę wchodziły też praktyczne czynniki. Częste wypędzenia nie sprzyjały inwestowaniu talentów i pieniędzy w duże dzieła sztuki. A religijni Żydzi musieli być gotowi do szybkiego opuszczenia domów nie tylko w przypadku wypędzenia przez władze, ale także w chwili przybycia Mesjasza, który mógł pojawić się każdego dnia i poprowadzić ich do Ziemi Świętej. Na początku XIX wieku rabi Mojżesz Sofer z Bratysławy zalecał, by nie budować domów, bo to by znaczyło, że porzuciło się nadzieję bliskiego nadejścia Mesjasza. Atmosfera, w której żyli Żydzi, nie sprzyjała rozwojowi malarstwa, rzeźby i architektury. Nie stworzyli niczego oryginalnego w kulturze materialnej, w stylu architektonicznym, meblach, sprzętach, ubraniu. Wystarczało im kopiowanie środowiska gojowskiego, z małymi modyfikacjami i tylko z rzadka z własnym wkładem. Uwiąd zdolności wizualnych i pojmowania przestrzeni wykazują liczne testy.

Obecnie Żydzi są dobrze reprezentowani wśród malarzy i rzeźbiarzy, chociaż w ich sztuce jest niewiele rzeczy specyficznie „żydowskich". Podzielają poglądy kulturalne swoich współmieszkańców i włączają się te w style artystyczne i kierunki, jakie rozwijają się wśród gojowskiej większości.

Życie bez własnego państwa, w diasporze, źle odbiło się na architekturze. Monumentalne budowle przez długi okres historii dzieliły się na dwa typy: świątynie bogów i pałace królów. Ze starożytności nie przetrwały żydowskie pałace królewskie, a w diasporze nie było królów i możnowładców dość potężnych, by wznosić pałace. Jedyny typ dużego budynku żydowskiego to świątynia, choć nie przetrwała żadna z kolejnych świątyń jerozolimskich. A ruiny starożytnych synagog wskazują, że były budowane na wzór świątyń greckich i rzymskich. Od tamtego czasu panuje reguła, że synagogi wszędzie są utrzymane w stylu budynków religijnych gojów, wśród których mieszkali Żydzi.

Zakazy religijne miały podobny efekt w muzyce, choć pojawiły się znacznie później. W okresie biblijnym tworzenie wizerunków istot żywych było zakazane przez Boga, ale zakazy tej rangi nie dotyczyły muzyki. W obrządkach świątynnych używano instrumentów muzycznych. Dopiero po zburzeniu Drugiej Świątyni przez Rzymian w roku 70 n.e. rabini orzekli, że na znak żałoby nie wolno używać instrumentów. Ich miejsce zajęła muzyka wokalna; śpiew zaczął pełnić bardzo ważną rolę w życiu Żydów.

Były wszakże dwa wyjątki od zakazu używania instrumentów muzycznych: szofar i klezmer. Szofar to rytualny róg, z reguły barani, w który dęło się raz dziennie (z wyjątkiem dnia poprzedzającego Rosz Haszana) w miesiącu pokutniczym Elul, następnie sto razy każdego z dwóch dni świąt Rosz Haszana, żydowskiego Nowego Roku, a także jeden raz na zakończenie Jom Kippur, Dnia Pojednania. Dźwięk tego rogu towarzyszył też ekskomunice.

Dźwięk szofaru składa się z trzech krótkich fraz o dwóch lub trzech nutach. Słuchanie tego smutnego trąbienia ma wzbudzić żal za grzechy, uświadomić przejściową naturę i kruchość ludzkiego życia oraz niepojętą wielkość Boga. A przede wszystkim – wzbudzić współczucie w Bogu, który w te uroczyste dni siedzi na tronie i decyduje o losie każdego człowieka. Szofar jest dźwiękowym łącznikiem z Bogiem.

Klezmer (dosł. narzędzie pieśni, instrument) ma znaczenie świeckie i w XVIII wieku stał się określeniem grajków posługujących się instrumentami muzycznymi. Wschodnioeuropejscy klezmerzy w XIX wieku grali na skrzypcach, często też na fletach, rogach, kontrabasach i bębenkach. Występowali z ludowym repertuarem na weselach u Żydów wschodnioeuropejskich i w święto Purim w zamożniejszych domach.

Muzyka instrumentalna miała mały zasięg, ale śpiew był powszechny, choć tradycja religijna zezwalała tylko na publiczny śpiew męski. Reguła talmudyczna stwierdzała, że „głos kobiety jest nagością", wobec czego nie wolno było słuchać śpiewających kobiet, aby uniknąć podniecenia erotycznego. Nabożeństwo składało się tylko ze śpiewu, nucenia modlitw i błogosławieństw w wykonaniu zgromadzenia z wyjątkiem kobiet, które siedziały w osobnym pomieszczeniu lub na galerii. Mogły to być też śpiewy kantora, albo na przemian kantora i zgromadzenia. Wyjątek stanowiła recytacja przez całe zgromadzenie Osiemnastu Błogosławieństw, następnie powtarzanych przez kantora na tradycyjną melodię. W okresie Oświecenia pojawiły się chóry dziecięce towarzyszące śpiewowi solowemu kantora. W pewnych świątyniach judaizmu reformowanego dopuszczano do chóru także kobiety. Domowe rytuały religijne były również śpiewane, jak modlitwy i błogosławieństwa.

Muzyka była nowym obszarem podboju, ale literatura jest niemal tak stara jak sam naród żydowski. Biblia zawiera utwory najwspanialszej prozy i poezji. Mniej znana jest literacka wartość midraszy, zbioru legend i pouczeń tworzonego od IV do XII wieku naszej ery. W Średniowieczu pojawiła się literatura w językach gojów, zwłaszcza naukowa i filozoficzna. A także poezja, proza i dramaty po niemiecku, włosku, hiszpańsku i portugalsku. W Oświeceniu zaczęła się erupcja żydowskiego talentu literackiego w językach europejskich, a także w potocznym języku żydowskim jidysz. Od dziewiętnastego stulecia pisarze żydowscy zajęli pierwszorzędne miejsce we wszystkich głównych literaturach Zachodu, a często wysunęli się na czoło nowych kierunków literackich.

U podstaw tego rozkwitu talentów legła wybitna zdolność uczenia się języków obcych. W stuleciach poprzedzających Oświecenie wielu Żydów z Europy Wschodniej używało czterech języków: potocznego jidysz, hebrajskiego do studiowania Tory, aramejskiego do studiowania Talmudu i języka gospodarzy: polskiego, ukraińskiego, litewskiego lub rosyjskiego. W Oświeceniu doszedł piąty język – niemiecki, który stał się językiem literackim wykształconych Żydów askenazyjskich, z wyjątkiem Francji i Anglii, gdzie tę rolę przejęły języki narodowe tych krajów. Jednak nie wystarczyło opanować język, by zaistnieć w literaturze gojów. Trzeba było poznać tę literaturę. Czasem udawało się to nad podziw dobrze. Heinrich Heine, który przeszedł na chrześcijaństwo, ale zachował związki z judaizmem, napisał „Die Lorelei". Poemat tak przeniknął do niemieckiej świadomości narodowej, że naziści włączyli go do swojego kanonu kultury, lecz określając jako utwór ludowy nieznanego autora.

Osobowość i charakter

Zdaniem Raphaela Patai byłoby absurdem mówić o „żydowskiej osobowości" w ogóle, gdyż Żydzi byli poddani zbyt wielu wpływom w różnych okresach historycznych i miejscach. Rozważania na ten temat trzeba ograniczyć do pewnych okresów i lokalizacji. Cytuje autorów z przełomu XIX i XX wieku, zdeklarowanych Żydów, lecz nie bezkrytycznych wobec pewnych cech tej osobowości. Najciekawsze są spostrzeżenia Arthura Ruppina (1876–1942), socjologa, demografa i syjonisty, oraz Zygmunta Freuda (1856–1939).

Żydzi jako bardzo stary lud zostawili za sobą dominację instynktów bardziej niż ludzie nowszych kultur, stwierdza Ruppin. Są bardziej racjonalni i jaśniej myślą, lecz brak im impetu, którego mogłyby dostarczyć instynkty. Życie w mieście zmusza do intensywnych kontaktów przy wymianie towarów i idei. Wymaga ciągłej czujności. W handlu też konieczna jest zręczność umysłu. Zwłaszcza w ostatnich pięciuset latach, gdy postawa większości chrześcijańskiej była prawie zawsze wroga,

Żydów uważano za szkodliwych obcych. Wymagało to czujnej uwagi i sprytu w kontaktach z ludźmi. Wielka zręczność umysłowa, umożliwiająca szybkie pojmowanie, często była szkodliwa przy głębszym rozważaniu problemów.

Dla Żyda świat nie ma tajemnic. Wszystko racjonalizuje i układa w kategorie, póki tajemnica nie zniknie i wszystko jest „zrozumiałe". Łatwe pojmowanie rzeczywistości umożliwia wielkie osiągnięcia naukowe. Nawet ich fantazje i złudzenia są zasadniczo racjonalne. Nie są oni – jak mistycy niemieccy – oderwani od prawa przyczynowości, które rządzi wiedzą. Nie polegają na intuicji, lecz na poszerzeniach, przemianach i zniekształceniach rzeczywistości

Żydom trudno przychodzi posłuszeństwo władzom. Jednym z powodów jest czujność: zawsze wypatrują czegoś, na czym mogą zaostrzyć swój umysł. Dlatego wybierają zawody, które utrzymują intelekt w stanie napięcia, a brzydzą się zadań monotonnych i mechanicznych. Duch przymusza ich do badania stosowności poleceń, do dyskusji nad nimi. Ponadto w Średniowieczu, które dla Żydów w Europie Wschodniej trwało do XX wieku, ucisk zewnętrzny czynił ich wszystkich równymi sobie. Dlatego nie nauczyli się wśród siebie wydawać poleceń ani ich słuchać. Na przykład bardzo rzadko podejmują pracę służących.

Żydzi mają nadzwyczajną zdolność przystosowania się do najróżniejszych warunków, są też bardzo wydajni i celowi w działaniu. Chodzi im przede wszystkim o wykonanie zadania, natomiast sama praca ma drugorzędne znaczenie. Ogromna liczba ich aktorów, wirtuozów, dziennikarzy i prawników dowodzi, że mają wielką zdolność wczuwania się w innych i interpretowania cudzych prac i myśli, dzięki zdolności szybkiego i trafnego kojarzenia. Potrafią wywnioskować z zachowania osoby, jakie ma motywacje i jak ją skłonić do pożądanej przez nich decyzji.

Twórca psychoanalizy Zygmunt Freud przyznał, że „mają oni [Żydzi] o sobie szczególnie wysokie mniemanie, uważają się za bardziej wybitnych, wyżej stojących i lepszych od innych ludzi, od których różnią się także wieloma zwyczajami. Zarazem pobudza ich szczególne zaufanie do życia, jakie pochodzi z tajemnego posiadania jakiejś cennej rzeczy, pewien optymizm: ludzie pobożni nazwaliby to zaufaniem w Bogu". Freud o sobie samym powiedział, że jako Żyd był wolny od wielu uprzedzeń, które ograniczały innych w korzystaniu z intelektu, i był gotów przyłączyć się do opozycji, obywając się bez zgody ze strony „ciasnej większości".

Freud przypisuje mnóstwo rytualnych nakazów i zakazów poczuciu winy, jakie Żydom narzuca religia. „Z potrzeby zaspokojenia tego poczucia winy, które jest nienasycone i pochodzi ze znacznie głębszych źródeł, muszą zaostrzać przykazania, uszczegóławiać je i trywializować. W świeżym zachwycie moralnego ascetyzmu nakładają sobie coraz więcej ograniczeń instynktu i w ten sposób osiągnęli – co najmniej w doktrynie i zasadach – szczyty etyczne, które pozostały niedostępne dla innych ludów starożytności. Wielu Żydów uważa to osiągnięcie szczytów etycznych za drugą główną cechę charakterystyczną i drugie wielkie osiągnięcie ich religii (pierwszym jest idea jednego Boga)".

Pod koniec swego życia Freud ogłosił w 1938 roku anonimowo, podszywając się pod goja, komentarz o antysemityzmie, w którym napisał:

„Zaiste pod pewnymi względami Żydzi są od nas lepsi. Nie potrzebują tyle co my alkoholu, żeby życie uczynić

znośnym, zbrodnie brutalności, morderstwa, grabieży
i przemocy seksualnej są wśród nich wielką rzadkością;
zawsze bardzo wysoko cenili osiągnięcia intelektualne
i zainteresowania, ich życie rodzinne jest bardziej in-
tymne, lepiej troszczą się o biednych, dobroczynność
jest dla nich świętym obowiązkiem. Ponieważ pozwoli-
liśmy im brać udział w naszych zadaniach kulturalnych,
osiągnęli zasługi przez cenny wkład we wszystkich sferach nauki, sztuki i technologii i hojnie odpłacili za naszą tolerancję".

Tyle Freud, wróćmy do analiz Pataia.

Zasadą Żydów asymilujących się od czasu Oświecenia było wchłonięcie kultury europejskiej. W ciągu krót-
kiego czasu, choćby w Niemczech, nie tylko nauczyli się
języka i poznali literaturę niemiecką, przyjęli niemiecki
strój, weszli do szkół i wolnych zawodów, ale też świadomie lub nie przyjęli cechy charakteru cenione w tym społeczeństwie. W rezultacie niemiecki Żyd, który przybywał
do Palestyny w latach trzydziestych ubiegłego wieku, robił na innych wrażenie szczególnie nieżydowskiego. Był
formalnie uprzejmy, punktualny, nienaganny, dokładny
pod każdym względem, bez poczucia humoru, poważny,
pracowity, po studiach wyższych, intelektualista kochający niemiecką literaturę, muzykę i sztukę. Był bardziej
niemiecki niż żydowski.

Żydzi przejmowali typowy charakter ludności każdego kraju, w którym się asymilowali. We Francji byli tak
samo niecierpliwi jak francuscy chrześcijanie i mieli tyle
samo „esprit"; na Węgrzech byli patriotami o wdzięcznej
uprzejmości (w przeciwieństwie do niemieckiej uprzejmości formalnej), we Włoszech mieli bujną żywotność,
w Polsce zaś cechował ich ciepły sentymentalizm, podobnie jak Polaków.

Dzieło życia, udział Dziadka

Raphael Patai pracował dwadzieścia lat nad „Żydowskim umysłem". To jego dzieło życia. Ale dużo wcześniej rodzina pracowała nad nim. Tak wspomina wymowne wydarzenie z dzieciństwa:

„Codziennie o piątej rano Dziadek, który o tej porze już od godziny studiował Talmud, wołał: Josel, Fajwel, wstawajcie! Zanim skończył wołać, pięcioletni Joel i czteroletni Fajwel musieli wstać z łóżek, bo inaczej byłoby z nimi źle. W zimowe poranki było jeszcze ciemno, gdy chłopcy wychodzili do szkoły, i Dziadek dawał im lampę na drogę. Droga do domu nauczyciela prowadziła przez strumyk po desce. Pewnego dnia, kiedy chłopcy szli do szkoły, wszystko było pokryte grubą warstwą śniegu, pod którą deska zniknęła. Próbując przejść przy bladym świetle lampy, chłopcy poślizgnęli się i wpadli do wody. Zmoczeni po kolana, ze zgaszoną lampą wrócili do domu. Matka pomogła im zdjąć buty i spodnie, wysuszyła ich i dała nowe ubrania, po czym ojciec ponownie zapalił lampę i znowu wyszli w mrok. Niestety, stało się to samo: chłopcy wpadli do strumienia i drugi raz wrócili do domu. Po kolejnej zmianie ubrań ojciec założył na siebie gruby płaszcz, buty, wziął lampę do jednej ręki, do drugiej łopatę i kiwnął na chłopców, żeby szli za nim. Kiedy dotarli do strumienia, odgarnął śnieg z całej długości deski, wręczył lampę Joselowi i powiedział do chłopców: – A teraz do chederu!

Również dziadek bardzo poważnie traktował obowiązek osobistego szkolenia swoich dzieci. Sam był uczonym talmudystą, który zarabiał na życie jako właściciel małego sklepu w węgierskiej wiosce Pata, ale spędzał wiele godzin, dzień i nocą studiując Talmud, chociaż był zwolennikiem i wyznawcą cadyka z Bełżca i, będąc chasydem, mógł sobie darować studiowanie jako najwyższy żydowski obowiązek. (...) Kiedy jego dzieci osiągnęły wiek trzech lat, Dziadek zaczął je uczyć alfabetu hebrajskiego. W sklepie nauczyły się od niego hebrajskich nazw wielu artykułów leżących na półkach. Zanim mój ojciec osiągnął wiek czterech lat, a starsza siostra pięciu, umieli biegle czytać hebrajskie modlitwy i musieli je głośno odmawiać codziennie, ku zadowoleniu ojca, który słuchał każdego wymawianego słowa, a to siedząc z nimi w tym samym pokoju, a to w przyległym sklepie i surowo poprawiał ich, kiedy się pomylili. W wieku czterech lat mój ojciec zaczął chodzić do wioskowego chederu, gdzie przez dwa lata ukończył naukę Tory z komentarzami Rasziego. Mając sześć lat, zaczął studiować talmudyczny traktat Baba Metzii, znów z komentarzem Rasziego. Kilka miesięcy później musiał także zacząć naukę w rzymskokatolickiej szkole podstawowej we wsi.

Około trzydziestu lat później z kolei ja stałem się przedmiotem tysiącletniego żydowskiego obowiązku «pilnego nauczania twoich dzieci». W każdy szabat po południu ojciec brał mnie do wyłożonego książkami gabinetu, przyciągał stołek do swego obrotowego fotela przy wielkim mahoniowym biurku, brał tom Talmudu i uczył mnie. Ciągle pamiętam, że szedłem na każdą z tych sesji niechętnie, bo to znaczyło, że musiałem przerwać coś, czym byłem pochłonięty, na przykład czytaniem książki przygodowej Julesa Verne'a lub Karola Maya. Ale w miarę lekcji Talmud otwierał się dla mnie i czerpałem przyjemność z nurkowania w jego głębiach, kiedy więc godziny później wchodziła matka i mówiła: Joszka, przestań dręczyć chłopca! serdecznie protestowałem razem z ojcem i dalej studiowaliśmy aż do zmierzchu, gdy nadchodził czas ceremonii hawdala (kończącej szabat). W czasie tych szabatowych sesji po południu, które trwały przez cztery czy pięć lat, nabyłem podstawy mojego rozumienia judaizmu i wiedzy o nim".

„Wykształcenie mojego ojca, najpierw odebrane od własnego ojca, potem w wioskowym chederze i w końcu w kilku jesziwach, było doświadczeniem, które podzielał z milionami żydowskich chłopców, którzy poprzedzali go na tej samej drodze od wielu stuleci lub byli jego współczesnymi, członkami ostatniego pokolenia, zanim Oświecenie i asymilacja zmniejszyły ich liczbę do ledwie kilku tysięcy. Choć poszedł dalej, nabywając świeckie wykształcenie, uzyskał doktorat na Uniwersytecie Budapeszteńskim i został nauczycielem węgierskiego i niemieckiego języka i literatury w szkole średniej oraz redaktorem, wydawcą, poetą, pisarzem, tłumaczem i przywódcą syjonistycznym, to nigdy nie oderwał się od świata Talmudu, w którym został zakorzeniony, i w końcu ja sam stałem się beneficjentem tego nierozerwalnego związku. Dla wszystkich, którzy go poprzedzali w domach żydowskich, chedery, jesziwy, kształcenie w Torze i Talmudzie było kluczem do świata umysłu".

Jak zadziwić Europę albo męczeństwo Sierakowskiego

Wielu Polakom trudno pogodzić się z małością III Rzecz- pospolitej. Imperium jagiellońskie nie całkiem wy- parowało im z pamięci. Próbą powrotu do marzenia o Rzeczypospolitej Obojga Narodów była polityka za- graniczna prezydenta Lecha Kaczyńskiego, zakończona w Smoleńsku. Pragnął on odtworzyć antyrosyjski blok państw Europy Środkowej i Wschodniej pod przewod- nictwem Warszawy.

Rządzący krajem obóz Platformy Obywatelskiej uwa- żał taką politykę za nierealną, a Kreml za nie do przyję- cia. Jedni i drudzy zgodnie uznali, że suwerenna, więk- sza Polska jest niemożliwa i nieakceptowalna. Następne próby „polityki jagiellońskiej" spotkają się zapewne z tak samo stanowczym sprzeciwem Rosji i agentury rosyjskiej w kraju, jak szczerych, polskich realistów.

Rodakom marzącym o większej Polsce rzuciłem więc pomysł, jak można to zrobić. Należy sprowadzić pół mi- liona Żydów z Izraela. Przyjadą do „ziemi przodków" ze swymi talentami, z pieniędzmi, kontaktami na całym globie i przepotężnym lobby w Waszyngtonie. Rozruszają polską gospodarkę, a gdy zadomowią się nad Wisłą, wtedy wy- muszą na USA ochronę bezpieczeństwa naszego kraju, tak jak wymusili ochronę Izraela, czasem wbrew intere- som Stanów Zjednoczonych. Tylko w ten sposób Rzeczpo- spolita może znów zostać mocarstwem regionalnym.

A dlaczego Żydzi mieliby do nas przyjeżdżać? Dla- tego, że na Bliskim Wschodzie robi się coraz bardziej niebezpiecznie. Także w Europie Zachodniej, gdzie islam umacnia swe pozycje, nie ma dla nich dobrej atmosfery. Skoro w Rzeczypospolitej do czasu Holocaustu mieszkała większość Żydów europejskich, byłby to poniekąd ich powrót do ojczyzny. W Polsce nie ma wielu muzułmanów ani wrogo nastawionych islamskich imigrantów. Kościół katolicki zachowuje mocne wpływy, a wyzbyty doktrynalnego antysemityzmu, dąży do dialogu z judaizmem. Polska jest w Europie terenem chyba najbardziej dla nich dogodnym. W zamian za gościnę mieliby rozwijać nam gospodarkę. Jak to wygląda w praktyce w Palestynie, opisuję w rozdziale „Izrael, cud cywilizacji".

Niektórzy uznali mnie oczywiście za zdrajcę narodu. Polska z pół milionem bystrych i bogatych Żydów byłaby innym krajem. W porównaniu z nimi jesteśmy niedouczeni, leniwi umysłowo, niekonsekwentni, prowincjonalni, niesolidarni i biedni. Z tych powodów znaleźlibyśmy się we własnym państwie na pozycji obywateli drugiej kategorii. Ale zmusiłoby to nas do wielkiej pracy nad charakterem narodowym; pilnego uczenia się od nowej, żydowskiej elity. Propozycję rzuciłem pół żartem, pół serio. Chciałem uświadomić wszystkim ogrom wysiłków, nakładów, wyobraźni potrzebny do realizacji marzenia o mocarstwie polskim czy tylko państwie w pełni suwerennym, a leżącym pomiędzy Rosją a Niemcami.

Rojenia wizjonerów

Rzucając myśl przyjazdu pół miliona Żydów, nie wiedziałem, że istnieje zamiar bardziej ambitny. Mają przyjechać miliony! Idea kiełkuje gdzieś powoli, ale ziarno zostało rzucone. To praca izraelskiej artystki Yael Bartany, cykl trzech filmów „I zadziwi się Europa". Został zrealizowany z poparciem polskich władz, tak bardzo przychylnych, że zaprezentowały jej dzieło na biennale w Wenecji 2011 jako narodową ekspozycję. W następnym roku odbył się w Berlinie kongres Ruchu Odrodzenia Żydowskiego w Polsce na temat ich powrotu w liczbie 3 milionów 300 tysięcy; tylu mieszkało tu przed Zagładą. Kongres został zorganizowany w ramach Berlinale 2012. Kurator tej edycji berlińskiego festiwalu sztuki, Artur Żmijewski z Krytyki Politycznej, głosi ideę kultury zaangażowanej w przemiany społeczne. To nie są niewinne zabawy wyobraźni.

Yael Bartana jest podobno przeciwna represjom Izraela wobec Palestyńczyków, co jednak nie wynika z filmów. Nieszczęścia okupacji nie są integralną częścią jej wzmiankowanej pracy. Bartana pokazuje kolonizację przez Żydów cudzego terenu w tonie afirmacji. Wyraża rozpacz i oburzenie, gdy kres temu kładzie zamach na Przywódcę, chcącego sprowadzić ich do Polski. Projekt na etapie prowokacji artystycznej jest próbnym balonem wysłanym przez artystkę. Udaje ona lub nie wie, że mówi przez nią podświadoma mądrość narodu. A mądrość bierze pod uwagę rozmaite warianty przyszłości w swych tragicznych dziejach, w tym masowe osadnictwo nad Wisłą. Czy to początek długiego procesu historycznego? Bartana, przedstawiając projekt w Guggenheim Museum w Nowym Jorku, mówiła, że celem ruchu jest obudzenie chęci realizacji tego, co może wydać się niemożliwe. Szewach Weiss, były ambasador Izraela w Polsce, uznał, że jest to fantazja.

Teodor Herzl również wydawał się fantastą, gdy zwołał w roku 1897 pierwszy kongres syjonistyczny w Bazylei, żeby propagować powrót Żydów do Palestyny i utworzenie ich własnego państwa. Establishment żydowski był stanowczo przeciwny. Żydzi zeświecczeni uważali, że to ich narazi na zarzuty podwójnej lojalności wobec kraju osiedlenia i Izraela, należy więc dalej asymilować się w krajach Europy. A Żydów religijnych oburzała próba przyspieszenia – ich zdaniem – nadejścia Mesjasza, skoro powrót nad Jordan ma być zapowiedzią końca czasu.

Mimo potężnego oporu Izrael powstał, choć dopiero po 51 latach. Musiały nastąpić dwie wojny światowe oraz Holocaust, aby większość Żydów i politycy mocarstw przekonali się do trudnego projektu. Trudnego choćby z tej racji, że należało wykupić albo zabrać ziemię Arabom, tworząc zarzewie wiecznego konfliktu. Ale tego Herzl nie przewidział, naiwnie sądząc, że Arabowie zechcą skorzystać z postępu cywilizacyjnego, jakiego bystrzy i przedsiębiorczy osadnicy dokonają w Palestynie.

Gdy Herzl rzucał ideę państwa Izrael, nikt nie spodziewał się w najbliższym półwieczu zagłady w wojnach, komunizmie, nazizmie dziesiątków milionów ludzi. W tym systematycznego mordu na milionach Żydów. Europa była ustabilizowana i ucywilizowana, Niemcy jej najbardziej kulturalnym i praworządnym państwem. Prawie jak dzisiaj. Tylko garstka wizjonerów przewidziała jakąś formę Holocaustu. Czy trzeba do tego nadwrażliwości artysty? Herzl miał artystyczną duszę, jak Yael Bartana. Był dziennikarzem, ale i płodnym pisarzem. Napisał 16 sztuk: dwa dramaty i komedie. Na miejscu palestyńskiej pustyni rysował bulwary jak paryskie Pola Elizejskie, z wielkim gmachem opery. Kongres syjonistów rozpoczął uwerturą do „Tannhäusera" Ryszarda Wagnera. Libretto opery opowiada o powrocie rozpustnego wędrowca do ziemi ojczystej. Uwertura jest wstrząsająca, skala muzycznie wyrażonych uczuć rozciąga się między smutkiem, radością a podniosłym triumfem. Artysta uznał w ten sposób artystę, choć kompozytor był antysemitą i bał się dominacji Żydów w kulturze niemieckiej schyłku XIX wieku.

Herzl zmarł w wieku 44 lat wyczerpany pracą nad syjonizmem. Wszystkie jego dzieci zginęły tragicznie. Chora psychicznie Paulina zmarła w wieku 40 lat z przedawkowania heroiny. Paul przyjął chrzest katolicki, potem przeszedł na protestantyzm, aż popełnił samobójstwo w wieku 39 lat w kolejną rocznicę pogrzebu siostry. Chorą psychicznie Margeritę zabili Niemcy w obozie koncentracyjnym w Terezinie. Czy była to klątwa Boga według obaw pobożnych rabinów? Sens osobistych ofiar Herzla zostawmy metafizykom.

Nie lekceważmy wszakże rojeń wizjonerów. Gdyby nie półwieczna praca syjonistów, nawet Holocaust nie dałby Żydom zadośćuczynienia w formie własnego państwa. Nie powstałaby na czas organizacja ani zbrojne bojówki, ani osadnictwo w Palestynie. Natomiast I wojna światowa i tak obudziłaby nacjonalizm arabski. A ten po II wojnie nie oddałby Palestyny. Izrael powstał, ponieważ sprawdza się myśl jednego z wybitniejszych Żydów XX wieku: „tylko paranoicy przetrwają". Tako rzecze Andy Grove, lider korporacji informatycznej Intel.

Proponuję Polakom naszą własną paranoję, która z czasem okaże się niezwykle pożyteczna. Ponad trzy miliony Żydów szykuje się do osiedlenia w naszym kraju. Wyobraźmy sobie, że pół miliona już siedzi na walizkach. Ich hasłem „3 300 000 Żydów może zmienić życie 40 000 000 Polaków". Ależ bez wątpienia! Nasuwają się palące pytania: jakie konkretnie mają cele, jak siebie nam przedstawiają, skąd biorą swą umysłową sprawność i zwłaszcza – jak możemy wytrzymywać rywalizację z nimi na własnym terytorium?

Ziarnami Ruchu Odrodzenia Żydowskiego w Polsce są dwa kilkunastominutowe i jeden półgodzinny film Yael Bartany. W pierwszym lider młodej lewicy polskiej i Krytyki Politycznej Sławomir Sierakowski nawołuje Żydów do powrotu. W drugim przyjeżdżają do Warszawy, żeby założyć „kibuc Muranów" na terenie byłego getta warszawskiego. Trzeci film powiadamia o zamachu na Sierakowskiego i pokazuje uroczysty pogrzeb państwowy Umiłowanego Przywódcy lewicy. Ale po kolei.

Yael Bartana kręci Polskę

Film „Mary koszmary": Stadion Dziesięciolecia w Warszawie, chluba PRL, w III Rzeczpospolitej przekształcony w tandetny Jarmark Europa. Trybuny i boisko stanowią obraz ruiny. Metafora biednej Polski w Europie. Na murawie stoi przenośna trybunka. Na niej Sierakowski, w białej koszuli, czerwonym krawacie i skórzanym płaszczu narzuconym po leninowsku na ramiona przemawia do harcerzy i historii: Ludzie, rodacy, Żydzi, myślicie, że stara kobieta, która wciąż śpi pod pierzyną Ryfki, nie chce was widzieć, że zapomniała o was? Nie, nawiedzają ją mary koszmary. Darujcie jej tę pierzynę. To uleczy nasze i wasze rany i znów będziemy razem. Kiedy was zabrakło, cieszyliśmy się, że jesteśmy sami we własnym domu. A okazało się, że potrzebujemy „Innego", bo jedna kultura, język, jeden kolor to za mało. Nie ma przyszłości dla narodów wybranych do cierpienia ani narodów w ogóle. Będziemy Europejczykami. Nacjonalizm jest nowotworem na ciele wolnego rynku. Obok cmentarzy postawimy szkoły i przychodnie, będziemy sadzić drzewa i budować drogi. Jeżeli zechcecie, to polecimy na Księżyc. Powrót Żydów odmieni oblicze Polski, Europy i świata.

Rozlegają się burzliwe brawa rozradowanych, dziecinnych harcerzy. Mają biało-czerwone chorągiewki, a Sierakowskiemu wręczają bukiet czerwonych goździków. Wódz ustawia się z młodzieżą do zdjęcia. Na jego program cywilizacyjny nakładają się przebitki zarośniętych trawą trybun stadionu. Czyli „a to Polska właśnie!". W końcu wszyscy idą razem przy dźwiękach naszego hymnu. Film powstał w 2007 roku podczas rządów Prawa i Sprawiedliwości, oskarżanych o budzenie nacjonalizmu.

Mowa Przywódcy mocno trywializuje najważniejszy punkt sporu. Polski lęk przed powrotem Żydów nie wynika z obawy, że trzeba będzie oddać jakąś starą „pierzynę Ryfki". Roszczenia żydowskie za tak zwane mienie bezspadkowe zostały określone na 65 miliardów dolarów. Piszę o tym w rozdziale „Pamiętnik KosmoPolaka". Jest to zapewne tylko wyjściowa suma do przetargu. Jednak nie obejdzie się bez wypłaty miliardów, gdyby polski rząd musiał ulec, choć ten rodzaj spadku przechodzi na mocy prawa do skarbu państwa. W przypadku masowego powrotu powstałby poważny nacisk wewnętrzny na wypłaty za mienie ofiar Zagłady zmarłych bezpotomnie.

W drugim filmie Żydzi posłuchali wezwania Sierakowskiego. Wracają do Warszawy kolumną dorodnej młodzieży, w białych koszulach – kolorze niewinności, i o „semickim wyglądzie", podkreśla opis filmu. Fabuła „Wieży i muru" pokazuje, jak znienacka osiedlić się w –

jednak – cudzym kraju. W latach trzydziestych XX wieku osadnicy żydowscy w Palestynie zakładali kibuce (wspólnoty rolnicze) w ten sposób, że w ciągu 24 godzin wznosili strażniczą wieżę, a teren otaczali drewnianym wysokim płotem, wieńcząc go drutem kolczastym. Dzięki temu mogli względnie bezpiecznie budować domy na zajętym i chronionym obszarze. Tę metodę zastosowali też na Muranowie. Obecnie stoi tam imponujące Muzeum Historii Żydów Polskich.

Jest to gra znakami gęstymi od emocji. Jedzie ciężarówka z segmentami płotu i strażnicy, prowadzona przez żydowskich pionierów. Z młodych, pięknych twarzy bije optymizm. Stawiają zbiorowym wysiłkiem wieżę pod kierunkiem lidera, który woła: „Wszyscy mają wiedzieć, że Żydzi wracają do Warszawy". Po czym stawiają płot i skromny, symboliczny domek, na który Wilhelm Sasnal nanosi sprejem przez szablon godło: Orzeł złączony z Gwiazdą Dawida. Jesteśmy w JudeoPolonii. Osadnicy pilnie uczą się polskiego, ktoś się zachwyca pięknem naszego języka. Akcji przygląda się miejscowa ludność, nierozgarnięci starzy ludzie. Czyżby ten naród był już przestarzały? Na szczęście otwierają się wrota kibucu i wchodzi Sierakowski, by wręczyć osadnikom flagę państwa: czerwony sztandar z godłem judeopolskim. Jeden z nich umieszcza sztandar wysoko na wieży. Snop światła w środku nocy na pomnik Bohaterów Getta świadczy o nabyciu prawa moralnego do tego terenu. „Jeszcze Polska nie zginęła", uspokajają słowa hymnu, gdy po plecach zaczynają chodzić ciarki. Jakim prawem to się dzieje? Najszlachetniejszego humanizmu! Czy wypada wątpić, że może chodzić o cokolwiek innego?

Ten film Yael Bartany z 2009 roku nawiązuje do początków nowego państwa Izrael, ukazując Żydów w roli

farmerów, mentalnie zbliżonych do polskiej, chłopsko-
-szlacheckiej mentalności. Ruch syjonistyczny dążył do
zmiany wizerunku Żyda jako cherlawego, przeintelek-
tualizowanego „pasożyta", brzydzącego się pracą rąk,
a zajmującego spekulacjami, za którymi nie nadąży go-
jowska głowa. Bartana eksponuje wątek zreformowanego
charakteru żydowskiego, który Polacy mogą łatwo zrozumieć i nie muszą się obawiać. W rolnictwie zdołają wy-
trzymać rywalizację. Ale Bartana przemilcza kolosalną,
intelektualną nadbudowę judaizmu, globalne kontakty
i potęgę finansową, którym Polacy nie będą w stanie
sprostać. Zresztą takie przekonanie wyraża reprezentacja naszego narodu ospałych gapiów nierozumiejących,
co im zapowiada „kibuc Muranów". Byłoby to obywatel-
stwo drugiej kategorii we własnym państwie, jeżeli nie
dorosną umysłowo do Żydów. A Sierakowski polski lęk
przed ich powrotem sprowadził do „pierzyny Ryfki", czyli
rzekomo marnego majątku, który trzeba będzie zwrócić.
Tymczasem chodzi o to, kto tu będzie rządził dzięki sile
umysłu i przyspieszając rozwój cywilizacji w Polsce, jak
stało się w Palestynie.

W fikcyjnej narracji Bartany ktoś jednak zauważył,
w czym bierze udział przywódca nowej lewicy. Trzeci
film – „Zamach" – ukazuje pogrzeb Sławomira Sierakowskiego, który poległ od trzech strzałów, jak wyjaśnia
„wdowa" w przemówieniu na wiecu żałobnym na pl. Piłsudskiego w Warszawie. Opowieść zaczyna się od wnie-
sienia trumny do Pałacu Kultury przez sześciu przed-
stawicieli społeczeństwa wielokulturowego: Murzyna,
Chińczyka, Hindusa, Żyda i dwóch – czy o to chodzi?
– Aryjczyków, w tym domyślnego Polaka. Na ramionach
mają żałobne opaski z godłem JudeoPolonii. Ciało Przywódcy zostaje złożone na estradzie Sali Kongresowej.

Ostatni hołd oddaje mu wielokulturowy tłum z udziałem młodzieży w białych koszulach i czerwonych chustach. Dokonywanie uroczystych wpisów do księgi kondolencyjnej przebiega na tle obrazu „Sierakowski z młodzieżą", jaki pamiętamy z pierwszego filmu, gdy wzywał Żydów do powrotu. To sugestia, że właśnie za to został zabity. W razie wątpliwości można zauważyć w demonstracji pod Pałacem transparent, który głosi „nacjonalizm = terroryzm", i po angielsku hasło pozytywne „Żydzi i Polacy odrzucają wrogość". Pochód na plac Piłsudskiego osłania policja w rynsztunku do tłumienia rozruchów, zapewne antysemitów polskich, nienawidzących szlachetnej idei wielokulturowej z wydatnym udziałem żydowskim. Czy dlatego „Zamachu" nie ma w Internecie, by nie podsuwać złych myśli, gdy pozostałe filmy są dostępne?

Ma to nam w Polsce przypominać o zamachu na prezydenta Gabriela Narutowicza. Został zabity przez narodowego demokratę Eligiusza Niewiadomskiego, bo o jego wyborze przez Zgromadzenie Narodowe zadecydowały głosy mniejszości etnicznych, w tym żydowskiej. Narodowcy uznali to za akt obrazy narodu, który dopiero co odzyskał własne państwo po rozbiorach. Zamachowiec na sądowym procesie nie okazał skruchy. Od tamtego czasu mord ten służy jako przypomnienie o polskim antysemityzmie.

Tysiące ludzi na pl. Piłsudskiego pod sztandarami Polski i JudeoPolonii słucha przemówień płynących z trybuny przy popiersiu umiłowanego Przywódcy. Anda Rottenberg wspomina ród panów polskich: „Jan Zamoyski, wychowany przez króla Francji i wykształcony na uniwersytetach włoskich, nosił ukraiński strój, polskie buty i turecką szablę. W 1601 roku zbudował Zamość, idealne miasto renesansowe, gdzie ludzie różnych kultur i religii pracowali razem, żeby stworzyć lepszą przyszłość. Taki model wymagał myślenia o swoim mieście z perspektywy Europy". Czy to tylko naiwność? Postać Zamoyskiego jest odległa od idei powrotu. Panowie polscy mieli gwarantowaną dominację w kraju. A dzisiaj wygrywa ten, kto ma lepsze wykształcenie, więcej pieniędzy i światowych kontaktów. Kto wygra w idealnym mieście ery globalizacji?

Czy diaspora się skończyła?

Kubeł zimnej wody na ideę Bartany i Sierakowskiego wylał dziennikarz izraelski Yaron London. Kultura jidysz jest martwa – stwierdził – i mało kto za nią tęskni. Żydzi nigdy więcej nie zdadzą się na łaskę innych. Tylko ten, kto nie rozumie, że państwo Izrael jest jedyną ojczyzną Żydów i że bez niego zostaną oni porzuceni, może poświęcić życie realizacji bezmyślnego zadania powrotu Żydów do Europy. Państwo i armia Izraela są jedyną gwarancją przeciw kolejnemu Holocaustowi. „Diaspora, panie i panowie, skończyła się w Auschwitz".

Cóż na to odpowiedzieć; diaspora skończyła się, dopóki się nie zacznie. Alona Frankel nadal domaga się na żałobnym wiecu polskiego paszportu, który został jej „przemocą zabrany". Jako 12-letnia dziewczynka wyjeżdżała z rodzicami z Polski w 1949 roku na skutek prześladowań antysemickich. Nie zamierza wracać z Izraela, ale Żydzi mieszkali w Polsce od kilkuset lat, więc sądzi, że ma prawo do polskiego obywatelstwa. Mówi bezbłędną polszczyzną z lekkim tylko obcym akcentem. Bez trudu odnalazłaby się w „ukochanym Krakowie", gdyby zaszła konieczność.

Ruch Odrodzenia Żydowskiego w Polsce wydał manifest „Chcemy wrócić!". Stwierdza między innymi: „Chcemy widzieć place Warszawy, Łodzi i Krakowa wypełnione nowymi osiedlami. (...) Wierzymy, że los nakłonił nas, by tutaj mieszkać, założyć rodziny, umrzeć i pochować tu szczątki naszych zmarłych. Ożywiamy wczesną syjonistyczną fantasmagorię. Sięgamy w przeszłość, w świat migracji, wysiedlania politycznego i geograficznego, rozpadu rzeczywistości, jaką znaliśmy – by kształtować nową przyszłość. (...) Kierujemy nasz apel nie tylko do Żydów. Przyjmujemy w nasze szeregi wszystkich, dla których nie ma miejsca w ich ojczyznach – wypędzonych i prześladowanych. Nie będzie dyskryminacji w naszym ruchu. Nie będziemy pytać o wasze życiorysy, sprawdzać kart pobytu czy podważać statusu uchodźcy. Będziemy silni w naszej słabości. Nasi polscy bracia i siostry! Nie planujemy najazdu. Raczej przybędziemy jako procesja duchów waszych starych sąsiadów, którzy nawiedzają was w snach, sąsiadów, których nigdy nie mieliście okazji spotkać, i będziemy otwarcie mówić o złych rzeczach, które zaszły między nami. Pragniemy wpisać nowe strony w historię, która wcale nie przyjęła biegu, jaki chcieliśmy. Liczymy, że będziemy mogli zarządzać naszymi miastami, pracować na ziemi i wychowywać nasze dzieci w pokoju, razem z wami. Przyjmijcie nas z otwartymi ramionami, tak jak my was przyjmiemy (...)".

Na berlińskim kongresie Ruchu Odrodzenia Żydowskiego w Polsce 11 i 12 maja 2012 roku omawiano pewne postulaty z listu Sławomira Sierakowskiego do uczestników. Określił się w nim jako lider gotów zapłacić życiem za szlachetne idee („czuję, że wkrótce może być po mnie"). Chce on: 1. Polskiego obywatelstwa dla wszystkich imigrantów; 2. Nałożenia podatku na pokrycie kosztów sprowadzenia 3 milionów 300 tysięcy Żydów; 3. Uczynienia języka hebrajskiego drugim językiem urzędowym w Polsce; 4. Wypowiedzenia konkordatu z Watykanem, bo wszystkie instytucje religijne mają działać na tym samym poziomie; 5. Stworzenia w parlamencie Izby Mniejszości zamiast Senatu (...) a zdziwi się Europa!

Europa rzeczywiście ma powód do zdziwienia. Oto na zaproszenie marginalnego lidera polskiej opinii publicznej zamierzają osiedlić się w kraju obcy obywatele, wzywając do tego również miliony rodaków. I bez żadnego wyboru wszystkich, którzy źle czują się w świecie. Po czym deklarują, że przyjmą tubylców z otwartymi ramionami (!), prosząc o podobne przyjęcie. Kto kogo ma tu przyjąć? I czemu chcą na placach naszych miast zbudować swe osiedla? Dlaczego chcą rozbić nam państwo, ściągając ze świata wszystkich nieprzystosowanych? Następnie organizują kongres akurat w Berlinie, gdzie omawiają przyszłe regulacje na terytorium polskim, które całkowicie zburzą nasz ład państwowy. Postulaty 2. i 3. gwarantują nie tylko wybuch antysemityzmu, ale także rozruchy uliczne. Postulat 4. podcina u korzeni polską tożsamość opartą na szczególnym związku z Kościołem katolickim. I czemu polski rząd popiera taki projekt?

Sierakowski bynajmniej nie przypłacił życiem wezwania do Wielkiego Powrotu. Nie zginął w zamachu jak prezydent Narutowicz, nie zmarł z powodu wyczerpania jak Teodor Herzl ani tragicznie, jak Lech Kaczyński. Przeciwnie, ma się świetnie. Symboliczna śmierć w antysemickiej napaści była doskonałym posunięciem w karierze. Dostał stypendia trzech najlepszych uniwersytetów amerykańskich: Harvarda, Princeton i Yale. Jesienią 2013 roku został stałym komentatorem „The International New York Times". Jego Środowisko Krytyki Politycznej otrzymuje znaczne pieniądze od polskiego Ministerstwa Kultury i Dziedzictwa Narodowego, poczynając od ówczesnego ministra Bogdana Zdrojewskiego. A Yael Bartana objeżdża galerie i muzea z filmami „Polskiej trylogii", wyrabiając Polakom złą opinię. Pokazuje elicie kulturalnej świata hołd składany przez wieloetniczny tłum dobrych ludzi w JudeoPolonii spoczywającemu na marach, bo zabitego przez polskich antysemitów, umiłowanemu Przywódcy Sławkowi.

Hasło Judeopolonii budzi niepokój w prawicowej publicystyce. Ale wizja Yael Bartany jest inna, niż tak samo nazwana idea w czasie I wojny światowej, twór podporządkowany Niemcom w Mitteleuropie – pisze w książce „Judeopolonia" Andrzej Leszek Szcześniak. „Stanowić miał państwo satelickie Niemiec, które na stałe rozczłonkowałoby i odizolowało ludność polską zaboru rosyjskiego od Polaków w powiększonym zaborze niemieckim i austriackim oraz uniemożliwiłoby definitywnie odrodzenie się niepodległej Polski. Projekt takiego państwa buforowego (Pufferstaat) zgłosił władzom niemieckim powstały we wrześniu 1914 roku w Berlinie Niemiecki Komitet Wyzwolenia Żydów Rosyjskich (Deutsches Komitee zur Befreiung der Russischen Juden, zwany często Komitee zur Befreiung der Ostjuden). W skład tego państwa, leżącego między Bałtykiem a Morzem Czarnym, weszłoby około 6 milionów Żydów z ziem polskich i Rosji, którzy obok 1,8 miliona Niemców byliby najbardziej uprzywilejowaną warstwą ludności. Oprócz tego w Judeopolonii byłoby około 8 milionów Polaków, 5–6 milionów Ukraińców, 4 miliony Białorusinów oraz około 3,5 miliona Litwinów i Łotyszów – również pozbawionych własnej państwowości. Pierwotna forma tego projektu została przekreślona Aktem Listopadowym (5.11.1916), powołującym Królestwo Polskie pod patronatem cesarzy Niemiec i Austro-Węgier. Jednak aż do czasu zakończenia wojny polsko-bolszewickiej (18.10.1920) trwały próby jego realizacji w odmiennych formach".

Przy naszej złej historii musimy być wyczuleni na obce pomysły urządzania ziem polskich. Czy miliony Żydów wrócą, czy nie wrócą według wizji Bartany zależy od koniunktury międzynarodowej. Projekt ten prowadzi obecnie życie utajone, jako idea powoli kiełkująca w głowach. Warto lepiej poznać możliwych sąsiadów, aby uczyć się od nich konkurencji o władzę i pieniądze. Przyjadą czy nie przyjadą, nabyta wiedza stanie się kapitałem dla mądrzejszych Polaków.

Pamiętnik
KosmoPolaka

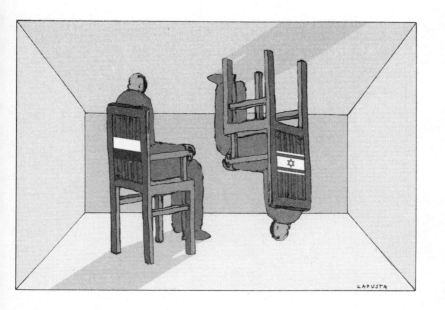

Niedziela

Mam umowę na książkę pod roboczym tytułem „KosmoPolak, czyli po co nam Żydzi", ale zwlekam z pisaniem. Szukam bezpiecznego klucza, bo napadną na mnie z obu stron. Przede wszystkim „prawdziwi Polacy", że stawiam Żydów jako dobry przykład, a staram się pomijać nieprawości. Owszem, staram się, co nie zawsze mi się udaje. Nie chcę wpaść w pułapkę wzajemnych oskarżeń. Napadnie na mnie też służba ochrony Żydów, że bacznie im się przyglądam, piszę raczej o triumfach niż o klęskach i prześladowaniach, jakże wygodnych w propagandzie. Cierpiętnicza maska pozwala skrywać oszałamiający sukces. Nie dziwię się Żydom. Dobrze znają skutki zazdrości. „Prawdziwym Polakom" też się nie dziwię. Pogardzali „parchem", a teraz widzą, jak wybił się z tutejszej prowincji do elity świata, współrządzi globem w najlepszym towarzystwie z biur Waszyngtonu, banków i redakcji Nowego Jorku, ze studiów Hollywood, ze świetnych uniwersytetów, z Doliny Krzemowej w Kalifornii. Trzeba było zmienić środowisko na mentalnie i gospodarczo zdrowsze od naszego, aby w pełni rozkwitły ich talenty.

Czemu więc zabieram się za tak ryzykowny temat? A czemu ludzie wchodzą na wysokie góry? Bo są. To kwestia wolności. Nikt nie może mi zabronić myślenia, zwłaszcza we własnym kraju.

Chcę, żebyśmy od nich się uczyli. Nie zamierzam bratać Polaków z Żydami, są godniejsi pośrednicy, chociaż cenię sobie prywatne przyjaźnie. Śmieszą mnie słodcy humaniści, którzy wmawiają, że Żyd jest taki jak każdy inny człowiek. Nie jest! Jest głębszy i ciekawszy. Przepisuję z „Dziennika" Gombrowicza:

„Nie podoba mi się w Żydach, gdy nie są na wysokości swego powołania. Ileż razy zdumiewało mnie, gdym w rozmowach, i to z rozumnymi Żydami, natrafiał na taką małostkowość w ocenie własnego losu. Dlaczego świat nie lubi Żydów? Ależ dlatego, że są zdolniejsi, mają pieniądze, stwarzają konkurencję. Dlaczego świat nie chce uznać, że Żyd to taki sam człowiek jak inni? Ależ to kwestia propagandy, przesądów rasowych, braku oświecenia. (...) Gdy słyszę z ust tych ludzi, że naród żydowski jest jak inne, odczuwam to mniej więcej tak, jak gdybym słyszał Michała Anioła twierdzącego, że niczym od nikogo się nie różni. Szopena domagającego się «normalnego» życia, Beethovena zapewniającego, że i on ma prawo do równości. Niestety. Ci, którym dano prawo do wyższości, nie mają prawa do równości".

Geniusz Żydów. Skąd się bierze i na czym polega? Nie wystarczą mi ładnie zbudowane zdania hołdu Gombrowicza. Chcę rozpoznać mechanizm wielkości, który dźwiga ich na szczyt. Podpatrzeć, przejrzeć tajemnicę tej niesłychanej kariery historycznej, strzeżoną i przez bohaterów moich tu rozważań, i przez skołowanych humanitarystów po gojowskiej stronie.

Przekazałem pewnej redakcji artykuł. Właściwie streszczenie pracy Stevena Silbigera „The Jewish Phenomenon", które w rozbudowanej formie zamieszczam w tej książce. Amerykański Żyd dzieli się obserwacjami, na czym polega zjawisko ich wielkiego sukcesu. Daje siedem przykazań mądrości życiowej dla każdego. Wysłałem tekst, zapadła cisza, a po pewnym ponagleniu dowiaduję się, że redakcja nie skorzysta, bo temat zbyt delikatny. Po czym dociera do mnie okrężną drogą, że ktoś tam uważa mnie za antysemitę! Oto skutki żydowskiej propagandy zwyczajności. A przecież omawiam książkę Żyda, który w najlepszej wierze chce pomóc reszcie świata. Chce nam poprawić pozycję wyjściową w wyścigu z nimi do władzy i pieniędzy. Spełniam życzenie żydowskiego autora. Gdzie tu antysemityzm? W pełnych strachu oczach redaktorów.

Rozumiem redakcję. Nie tylko chodzi tu o lęk przed budzeniem antysemityzmu z zazdrości. Jest się czego bać, kiedy ma się do czynienia z przebiegłym partnerem. Przykład zręcznego terroryzowania poglądów: Adam Michnik oświadczył, że nie popiera ścigania antysemityzmu na drodze sądowej. Zamiast przewodu sądowego woli tworzenie „atmosfery potępienia". Czyżby nagła wielkoduszność wobec antysemitów? Domyślam się innego powodu. Oskarżenie sądowe trzeba udowodnić. Natomiast mglista atmosfera lęku przed żydowskim tematem paraliżuje ludzi dociekliwych. A co lepsze – zwalnia oskarżyciela od dowodu rzekomego antysemityzmu. W takiej mgle można ukryć dużo więcej własnych przewin. W rezultacie poważny dziennik przestraszył się mojego prożydowskiego artykułu. Uwałaszona część polskiej elity umysłowej tak boi się Żydów, że woli o nich nie myśleć samodzielnie. Znów Gombrowicz, tym razem o Polakach: „naród bez filozofii, bez świadomej historii, intelektualnie miękki, duchowo nieśmiały, naród, który zdobył się tylko na sztukę „poczciwą" i „zacną", rozlazły naród lirycznych wierszopisów, folkloru, pianistów, aktorów, w którym nawet Żydzi się rozpuszczali i tracili swój jad...".

Nasza nieśmiałość duchowa była mniej groźna w skutkach kilkadziesiąt lat temu. Dzisiaj, przy otwartych

granicach, walka o miejsce w świecie jest bardziej bez-
względna, choć bez rozlewu krwi. Przegra ten, kto
nie zdobędzie się na samodzielność. Napiszę więc tę
książkę, ale w dwóch częściach. Jedna poda w miarę
chłodny opis geniuszu żydowskiego. Maksimum faktów,
minimum interpretacji, najlepiej streszczenia żydowskich autorów. Druga w formie tych zapisków odsłoni ku-
lisy pracy i bieżące utarczki. Pokaże, ile trzeba było wysiłku, by zachować spokój. Pierwsza będzie jak solidna
fasada. Ale druga ukaże zmagania autora KosmoPolaka,
by fasada stała na gruncie rzeczywistości, nie chwiejąc
się ani w stronę jałowego antysemityzmu, ani pociesz-
nego filosemityzmu.

Gombrowicz napisał o Żydach, że to naród „skazany
na samobójczą i rozpaczliwą walkę z własną formą, gdyż
nie lubi siebie (jak Michał Anioł). Więc tej grozy nie zała-
twicie, wyobrażając sobie, że jesteście «zwykli» i karmiąc
się idylliczną zupką humanitaryzmu. Oby jednak walka
z wami stała się mniej podła. Co do mnie – blask od
was bijący nieraz mnie oświecił i wiele mam wam do za-
wdzięczenia". Nie on jeden. Pisząc pół wieku temu, nie
znał ich kariery w Ameryce, która podniosła im samopoczucie. Dziś jego słowa są zbyt dramatyczne. A zupki humanitarnej też nie lubię i nikomu nie podam, choć mam
wiele powodów do wdzięczności dla Żydów. Jak każdy,
kto należy do cywilizacji Zachodu.

Sobota

Oglądam na DVD występy profesora Shai Cherry w cyklu wykładów pt. „Introduction to Judaism" (Wstęp do
judaizmu). Sprzedaje to w Ameryce, oprócz wykładów na wszelkie tematy, firma The Teaching Company.

Dostałem tu judaizm w wersji eksportowej „sexy pop de luxe". Profesor Cherry naprawdę wygląda jak dojrzała wiśnia (cherry). Jest trzydziestokilkulatkiem, przystojnym, rumianym i jeszcze mówiącym pięknie po angielsku. Przypomina gorliwego ucznia, ale mógłby również być komikiem estradowym ze swą żywą mimiką i łatwym uśmiechem, który nagle czasem przechodzi mu w bolesny grymas, jak gdyby wiedział więcej, niż chce czy może powiedzieć. Patrzę, jak wyjaśnią myśl z Talmudu: „człowiek, który nigdy nie zgrzeszył, nie stoi tam, gdzie skruszony grzesznik, ponieważ człowiek prawy znajduje się niżej od grzesznika". Powtarzam myśl inaczej – człowiek nieskażony grzechem stoi niżej od nawróconego grzesznika. Ależ tak! Mamy w pełni się realizować. Jeszcze krok, a będzie to zachęta do złego, aczkolwiek w dobrym celu poszerzenia świadomości. Aby zobrazować opinię rabina sprzed wieków, profesor Cherry robi kilka szybkich kroków w bok, z lekkim rozbawieniem wcielając się w prawiczka, po czym wraca na poprzednie miejsce grzesznika, wciąż z uśmiechem na ustach.

Teraz rozumiem, dlaczego żydowscy komicy estradowi są tacy dobrzy w zawodzie. Talent ich wynika z tysiącletniej selekcji zachowań uczniów w jesziwie, szkole religijnej. Tam każdy student musiał w debacie przekonywać do swej interpretacji tekstów. Umysłów nie krępowały dogmaty, liczyły się dobre argumenty. Młodzi dyskutanci używali różnych środków perswazji. Był to teatr talmudyczny dla bystrych.

Profesor Cherry poważnieje, gdy wyjaśnia jeszcze lepszą myśl rabina Resz Lakisza: „występek popełniony świadomie i odżałowany nie tylko zostaje wybaczony, ale staje się moralną zasługą!". Powtarzam sobie to po cichu, robiąc miejsce dla niezwykłej myśli: występek staje się zasługą (…) występek staje się zasługą… Tak, to jest coś! Przypominam sobie swoje świadome występki, gorzki żal i widzę teraz, jak bardzo muszę się wspiąć, żeby im umknąć. Czuję, jak akcent przenosi się z wyrzutów sumienia na pracę wewnętrzną nad doskonaleniem; jak dzięki temu wzbiera we mnie siła. W ułaskawieniu świadomego zła widać, że głód poznania jest podstawą geniuszu żydowskiego.

Judaizm ujawnia, na czym polega nieszczęście katolicyzmu, zwłaszcza w Polsce. Mści się na Polakach zakaz swobodnego wyrażania sprzeciwu przez wiernych, za których myślał Kościół. Tępił odrzucone poglądy religijne, starając się zatrzeć po nich wszelki ślad na piśmie, na przykład gnostycyzm w II i III wieku, który dzisiaj mógłby być podstawą odrodzenia chrześcijaństwa. Żydzi mają inne podejście do kontrowersji. Przede wszystkim nie uznają centralnego autorytetu religijnego. Talmud przechowuje bardzo różne interpretacje woli Bożej objawionej w Prawie: nie tylko *consensus*, ale również opinie mniejszości i głosy sprzeciwu. Z tego powodu łatwo używać Talmudu do propagandy antysemickiej wśród ludzi niezorientowanych. Znajdują się tam opinie horrendalne o Żydach i jeszcze straszniejsze o gojach, ale są też inne, z nimi sprzeczne, które stwarzają anielski obraz Żydów. I żadna z nich nie jest ostateczna, bo nie ma mocy dekretu papieskiego.

Rabini talmudyczni uznali, że opinia dziś wątpliwa, może być pożyteczna dla wspólnoty w przyszłości, kiedy zmienią się warunki. Wcześnie odeszli od dosłownego rozumienia Biblii, uważnie zastanawiając się nad tym, co czytają. Uchylili wtedy drzwi dla triumfu Żydów w naukach fizycznych setki lat później. Jakim cudem? Ależ żadnym cudem, tylko uważnym myśleniem. Przykład:

Bóg stworzył świat w sześć dni, ale to były Jego dni, nie nasze. Rabini nie interpretowali jednego dnia z sześciu dni stworzenia jako 24 godzin doby, którymi mierzymy nasze życie. Zauważyli, że Bóg stworzył Słońce dopiero w czwartym dniu. Przez pierwsze trzy dni było ciemno. A więc dzień stworzenia nie odnosi się do jednego obiegu Słońca na niebie, bo przez pierwsze trzy boskie dni Słońca wcale nie było. Dlatego judaizm nie ma dziś trudności z poglądem geologii, że Ziemia liczy 4,5 miliarda lat, ani z ewolucją gatunków. Uznaje, że sześć dni biblijnych było bardzo długich. Dzięki temu godzi się łatwo z teorią Darwina. Natomiast chrześcijaństwo ma z tym kłopot. Rabini zaś przyznali, że człowiek został stworzony w szóstym dniu, ale to nie był dzień według miary obiegu Słońca po niebie. Stworzenie człowieka mogło więc zająć Bogu setki milionów lat.

Trzeba wyciągać drobiazgowe wnioski z tego, co się czyta, i nie krępować umysłu dogmatami. Stąd bierze się mądrość talmudyczna.

Czwartek

Zastanawiam się, czy nie jestem Żydem, choćby w ćwierci. Patrzę na żydowskich znajomych i widzę w ich twarzach rysy mojej babki. Mówiła mi J., jaki to wstrząs, gdy człowiek odkrywa tajemnicę takiego pochodzenia. Próbuje wtedy stworzyć siebie na nowo, i to z materiału, który do tej pory uważał za mocno podejrzany. Ale w moim wypadku to chyba złudzenia. Próbuję sobie w ten sposób wyjaśnić, skąd u mnie tupet obalania idoli, wola prawdy bez względu na koszty, tudzież – zbyt słaby lęk przed eksperymentem. Bardziej mi pasuje talmudyczna interpretacja wygnania z raju pierwszych rodziców niż chrześcijańska. Po naszemu, kościelnemu, anioł z ognistym mieczem broni raju przed powrotem ludzi po wygnaniu. Pilnuje, byśmy nie zerwali drugiego zakazanego owocu, tym razem z drzewa życia, skoro już zerwaliśmy owoc wiedzy moralno-seksualnej z drzewa wiadomości dobrego i złego.

Piękna metafora, ale jakie ma praktyczne skutki? Kościół nie chce, byśmy rozpoznali tajemnicę życia, gdyż poznanie otwiera nam drogę do autokreacji. Jak kiedyś tępił odkrycie Kopernika, tak dzisiaj gani stosowanie genetyki do poprawiania rodzaju ludzkiego. Czujecie, jakie w ten sposób zakłada kajdany? Kościół absolutyzuje obecną formę człowieka, uważa za ostateczną, chociaż jest przejściowa, jak wszystko, co istnieje. Interpretacja kościelna ogranicza nas umysłowo, próbuje skrępować dalszy rozwój naszego gatunku. Czy naprawdę mamy poprzestać na tym, jacy teraz jesteśmy? Dlaczegóż to ewolucja miałaby się zatrzymać? Rozumiem, o co chodzi. Tajemnica życia ma być zakazana człowiekowi na zawsze ze strachu, że jej obnażenie ułatwi zniszczenie życia. Natomiast zdaniem mądrych rabinów ten anioł wywijający ognistym mieczem wcale nie odstrasza! Przeciwnie, wskazuje nam drogę powrotu do raju! – Tędy proszę! – woła. – Pamiętajcie, że jest jeszcze coś do poznania, choć wam się wydaje, że Bóg tego zakazał! – Droga do drzewa życia jest otwarta, tylko trzeba ją znaleźć.

Skąd się bierze ta odwaga poznawcza? Czemu nie stać na to chrześcijaństwa, zwłaszcza katolicyzmu? Antysemicki stereotyp tak mocno wrył się w naszą kulturę, że nie dostrzegamy bardzo ważnej rzeczy – Żyd ma niesłychanie wysoki ideał moralny! A ponadto cały system drobiazgowych wskazówek, jak ten ideał wcielać w życie. Dokładnie 613 przykazań od samego Boga. Mając solidne oparcie etyczne, mógł ufać, że ciekawość świata nie zaprowadzi go na manowce, bo na przeszkodzie stanie któreś z tych setek przykazań. Przypuszczam, że stąd wypływa ich ufność w dobroczynną potęgę rozumu. Natomiast system moralny chrześcijaństwa jest znacznie luźniejszy, dlatego stwarza poczucie wielkiego ryzyka i lęku przed poznaniem.

Czy warto zajmować się mądrością religijną dzisiaj, w świecie ponowoczesnym? Warto, i to jeszcze jak! Stare przypowieści nie są mniej ważne dlatego, że są stare. Odwrotnie. Jeśli prawie dwa tysiące lat – tyle liczy zwyczaj swobodnej interpretacji Tory – formuje się w ten sposób umysłowość narodu, to musi to przynieść skutki. Najpierw kreatywnie interpretuje się Biblię, a potem wychodzi z getta i wyjaśnia cały świat. Stąd biorą się Nagrody Nobla, które sypią się na Żydów, jak na żadną nację. Dokładnie 22 procent. Zdobył je ułamek procenta rodzaju ludzkiego dzięki temu, że Tora w interpretacji rabinów przez dziesiątki pokoleń nie zabraniała myśleć samodzielnie. Mnie także nie zabroni partia żydowska w Polsce. Wymachuje groźnie mieczem ognistym do walki z rzekomym antysemityzmem, a przecież tylko wskazuje kierunek. Tędy proszę, mamy u nas skarby!

po południu

Opublikowałem w „Rzeczpospolitej" artykuł o nowoczesnej umysłowości żydowskiej – w jaki sposób przejawia się w „The New York Timesie"; zamieszczam go w tej książce. Wykazuję drogą analizy tekstów, że najważniejszy w Ameryce dziennik naszych czasów naprawia świat według idei judaizmu reformowanego. Redakcja zamówiła polemikę u G. Jednak autor był tak na mnie wściekły, że tekst nie nadawał się do druku. Dopiero Dawid Warszawski z „Gazety Wyborczej" dał coś możliwego do publikacji. Ale oskarżał z rozpędu, że tropię „żydowski spisek". Jaki spisek?! Odpowiedziałem mu, że to wcale nie spisek, a misja. Korporacja NYT jest spółką giełdową. Musi więc ujawniać finanse i organizację. Wydaje dziennik, który każdy może czytać i oceniać. Spisek robi się inaczej. Ukrywa metody, organizację i środki dla osiągnięcia tajemnego celu. Tymczasem „The New York Times" działa jawnie, ale również trzeba wobec niego zachować ostrożność.

Warszawski twierdził, że „NYT" nie ma uprzedzeń wobec chrześcijaństwa... Jednak w gazecie łatwo znaleźć bluźnierstwa przeciwko tej religii. Ja również mam dystans do Kościoła, lecz bluźnierstw nie lubię. Kaleczą psychikę, atakując symbole otoczone czcią. Czemu „NYT" nie bluźni przeciwko judaizmowi ani islamowi czy buddyzmowi, ale jak najchętniej przeciwko katolicyzmowi? Ta obsesja zapewne wynika z potrzeby odreagowania prześladowań przez Kościół w przeszłości. Jednak ciekawym wyjątkiem są oświadczenia Ligi Katolickiej w „NYT". Jeden z tekstów radził, żeby Mojżeszowi dać na scenie kochanka i zobaczyć, co z tego wyniknie. Była to reakcja Ligi na energiczne poparcie gazety dla sztuki teatralnej, gdzie Jezusa przedstawiono jako geja. Według drugiego oświadczenia należało przebić figurę Mojżesza rurą ściekową i zobaczyć, co się stanie. To z kolei odpowiedź na życzliwą recenzję nowego dzieła sztuki, figury Matki Bożej przebitej taką rurą. W taki sposób Liga chce uświadomić redakcji i czytelnikom, jak czują się katolicy.

„NYT" bluźni przeciw chrześcijaństwu w materiałach redakcyjnych, ale dopuszcza bluźnierstwa przeciw judaizmowi tylko w ogłoszeniach płatnych Ligi.

Jest to zyskowny model pluralizmu poglądów. Jak zarobić na przeciwnikach? Sprowokować, a potem pobrać opłatę za obronę własną – i mamy pluralizm. Kłóci się to z pojęciem bezstronności prasy. Gdybym chciał zamieścić w „NYT" polemikę z programem redakcji, mógłbym uczynić to najwyżej w formie ogłoszenia, a i to nie jest pewne. Obrońca gazety chciał mi zabronić takiej polemiki w „Rzeczpospolitej". Ale tę dyskusję warto prowadzić w celu modernizacji naszej umysłowości, i tylko w tym kierunku. Dawid Warszawski próbuje korygować poglądy Polaka nowojorskiego, ale między nami jest duża różnica wiedzy i punktów widzenia.

Przez kilkanaście lat dzień w dzień czytałem tę gazetę, kiedy mieszkałem tam na stałe. Po powrocie do Polski nadal część życia spędzam w Nowym Jorku. Inaczej bym się nie porwał na bezczelne rozważania, po co nam Żydzi? Stamtąd biorę nieodzowną hucpę. Ich hucpa niech naszą hucpą się odciska. Poczciwa polszczyzna daje słowu brzydkie zabarwienie, ale „chutzpah" oznacza w jidysz stanowczość w żądaniach i ocenach. Również stamtąd biorę pewien dystans do tutejszych swarów polsko-żydowskich. Tamtejszy punkt widzenia daje mi pewną obojętność na tutejsze ataki.

Polemikę w sprawie „New York Timesa" zakończyłem raczej wojowniczo: „Jestem polskim publicystą, który informuje polską opinię publiczną o tym, co uważa za ważne, czy to się podoba lub nie Polakom, Żydom, czy też komukolwiek". Ledwo zdążyłem wykreślić te zdania przed drukiem. Były odpychające, też puściły mi nerwy. Nie chcę nikogo odpychać. Mój żydowski oponent jest obywatelem Polski nie gorszym ode mnie. W antykomunistycznym podziemiu PRL zmazał z siebie winę żydokomuny, którą odziedziczył po ojcu, przedwojennym

komuniście. Redagował po polsku miesięcznik „Midrasz"
o kulturze Żydów. Gdyby jeszcze sprawił, żeby chcieli
to czytać tak zwani prawdziwi Polacy, a nie tylko kabała
warszawsko-krakowska, to bylibyśmy nieco bliżej siebie.
Dawid Warszawski wymachuje groźnie mieczem ognistym, a przecież tylko wskazuje kierunek – tędy wiedzie
droga do skarbów judaizmu.

Niedziela

Napaść za artykuł o „New York Timesie" dała mi przed-
smak gromów i pomówień za szkic scenariusza filmu
o Adamie Michniku. Tekst „Obywatel M." w tejże „Rzeczpospolitej" chyba zmazał część moich win wobec naj-
prawdziwszych z prawdziwych Polaków, którym za-
rzucam ciasnotę umysłową. Jednak była żydokomuna,
zasłużona w obalaniu komuny, która przeszła dziś na li-
beralizm, zmieszała mnie z błotem za szarganie święto-
ści. Dziennik wydrukował tylko dwie trzecie mego tekstu
z lęku przed pomówieniem – a jakże – o antysemityzm,
z moją zgodą na skróty. Lepsze pół prawdy niż milczenie.
Całość tekstu o Michniku wyszła w mojej książce o kinie
„Obalanie idoli", ale tu daję przedruk.
    Na czym polegał mój występek? Powiedziałem, dla-
czego lewicowa część opozycji antykomunistycznej pod
kierunkiem Michnika chętnie i łatwo pogodziła się z komunistami po roku 1989. Chodzi o łatwość, a nie o sam
kompromis, może wtedy konieczny. Poszło im łatwo, bo
jedni i drudzy pochodzą ze wspólnego pnia właśnie żydokomuny.
    Słowu „żydokomuna" został nadany posmak antyse-
micki przez żydokomunistów. Chcą sparaliżować ludzi
dociekliwych albo chociaż pozamykać im usta. Cyniczne

tabu są po to, aby je łamać. Obalmy totem stojący na straży ciemnych interesów. Trzeba rozsupłać ten splot semantyczny. Nie każdy komunista był Żydem, zdarzali się skołowani Polacy. I nie każdy Żyd był komunistą. Mnóstwo Żydów nie dało się wmieszać w zbrodnie systemu, choćby pośrednio przez swoje rodziny. Tak jak został wmieszany Adam Michnik przez swego ojca, a także przyrodniego brata Stefana, komunistycznego zbrodniarza sądowego. Stefan mordował polskich patriotów, tworząc miejsce dla nowej elity władzy, agentury Rosji. Adam jest częścią tej właśnie nowej elity, zainstalowanej po II wojnie światowej w Polsce przez armię sowiecką...

Jako bohaterski opozycjonista w PRL, godny pomnika za ówczesne zasługi dla wolności, Michnik wielokrotnie odrobił mimowolną winę udziału w żydokomunie z powodu urodzenia. Mówił o swych korzeniach rodzinnych z sentymentem, zanim sam zdobył władzę w Polsce: „Jak na pewno wiecie, środowiskiem, z którego pochodzę, jest liberalna żydokomuna. To jest żydokomuna w sensie ścisłym, bo moi rodzice wywodzili się ze środowisk żydowskich i byli przed wojną komunistami. Być komunistą znaczyło wtedy coś więcej niż przynależność do partii, to oznaczało przynależność do pewnego języka, do pewnej kultury, fobii, namiętności. Niejednokrotnie spierając się z moimi kolegami, którzy wywodzili się z podobnego środowiska właśnie w kontekście dyskusji o mojej książce — mówiłem im: zastanówcie się, jak trudno jest wam wziąć się za łeb z syndromem żydokomuny. Dlaczego? Dlatego, że widzicie nie tylko paskudztwo jego skutków, ale też wszystkie, żeby tak rzec, realne wartości motywacyjne, które niesie: nadzieję na sprawiedliwość społeczną, przekonanie dłużników, że trzeba się angażować po to, aby zmieniać świat i czynić go lepszym...

Do tego wszystkiego jesteście przywiązani i nie godzicie się na zniszczenie całej tej tradycji en bloc" "Powściągliwość i Praca" (nr 6, 1988).

Zakaz słowa „żydokomuna" został wprowadzony dla unikania antysemityzmu. Stwarza to wrażenie, że jest obelgą pod adresem Żydów. Podsuwa fałszywe przekonanie, że wszyscy Żydzi byli komunistami. To krzywdzi porządnych ludzi. Tego zakazu pilnuje środowisko „Gazety Wyborczej", gdyż samo wywodzi się z żydokomuny, która przeszła na wiarę liberalną, ponieważ komunizm nie dotrzymał obietnicy „zniesienia alienacji", zużył zasoby kraju i nie mógł dłużej się utrzymać. Trzeba było znów przygotować się do nowej roli przywódczej, zresztą z podobnie, we własnym przekonaniu, szlachetnych pobudek, co przed II wojną. Ale ekipa „Gazety Wyborczej" używa straszaka antysemityzmu dla ochrony życiorysów swoich redaktorów, upapranych przez pokolenie ojców i dziadków w zbrodniczym systemie. Mnóstwo ludzi tego środowiska bardzo zasłużyło się w walce z komunizmem u schyłku ustroju. Należy im się za to szacunek i pochwała, więc daliśmy się nabrać na ten straszak. Nie mam problemu z Żydami, ale wszyscy mamy problem z żydokomuną. Ujmując rzecz najkrócej: Żydzi tak! Komuna nie! To jest mój transparent, moje hasło bojowe.

Taktyka „Gazety Wyborczej" podsyca w Polsce antysemityzm. Słowo „żydokomuna" ciśnie się na język każdemu, kto trochę zna historię. I nie wolno go użyć? Ten knebel za bardzo nas uwiera. Wielki udział Żydów w komunizmie jest faktem. W rewolucyjnym ruchu odegrali rolę ideową, kierowniczą, a także wykonawczą. Kłamie, kto temu przeczy. Narzucone kłamstwo wywołuje gniew. A gniew zakneblowanych Polaków może kierować się przeciwko wszystkim Żydom, również niewinnym, zamiast tylko przeciw zakłamanym żydokomunistom. Ale „Wyborcza" chroni swe środowisko bez względu na skutki. Przyklejając wszystkich Żydów do komuny, chce nam uniemożliwić osąd przeszłości i swego w niej niejakiego udziału. Jeszcze tylko czary-mary, hokus-pokus i antykomunizm okazuje się antysemityzmem.

Według tej linii poszedł na mnie atak za „Obywatela M.". Zaczął facet z Danii (a niech tam, uwiecznię go – Bronisław Świderski) informacją, że wie na pewno, iż Michnik nie jest obrzezany. Następnie postawił mnie obok – jakżeby inaczej – nazistów. Kiedy debatę już zepchnął do bramy, jakaś kobitka (niech będzie – Agnieszka Grudzińska) porównała mnie do przesłuchujących Michnika ubeków PRL, którzy się dziwili, rzekomo jak ja, że „parszywy Żyd, a tak się angażuje". Niejaki Jacek Wierzchowski wmawiał ludziom, że zazdroszczę Michnikowi pozycji bohatera, a koryfeusz umysłowy prof. Leszek Kołakowski, że jestem zielony z zawiści. Odezwał się też osławiony Jan Tomasz Gross, autor książki o Jedwabnem; ten oświadczył, że z powodu tak podłego paszkwilu zrywa współpracę z „Rzeczpospolitą". List z jego podpisem miał rzucić na mnie cień polskiej zbrodni opisanej w jego książce. Redakcja zamieściła moją odpowiedź i tylko trzy listy w mej obronie. Więcej nie przyszło, strach paraliżuje. Ale prywatnie otrzymałem wiele gratulacji. Poczułem się jak rzecznik sterroryzowanej większości narodu.

Po latach pointę „Obywatelowi M." dopisało życie. Order Orła Białego dla Adama Michnika zamknął trudny okres po aferze Rywina – pisałem wczuwając się w realnych twórców III Rzeczpospolitej. Wróciła normalizacja. Skończył się szkodliwy konflikt środowiska „Gazety Wyborczej" z postkomunistami, kto ma walczyć z reakcyjnym klerem o rząd dusz w tym kraju. Zażegnano groźbę dla ustroju III Rzeczpospolitej. Władza pozostała we właściwych rękach.

Nieprzypadkowi są pozostali kawalerowie najwyższego, polskiego odznaczenia: Jan Krzysztof Bielecki, Aleksandrer Hall i bp. Alojzy Orszulik. Prezydent Bronisław Komorowski wybrał ich z frontu porozumienia narodowego po miażdżącej klęsce reakcji w tzw. katastrofie smoleńskiej. To przedstawiciele postępowej oligarchii finansowej, jedynie słusznej prawicy i wysoko uświadomionego Episkopatu.

Przyjęta przez Partę i Rząd linia walki i porozumienia wydała owoce. Wichrzycieli sprowadzono do właściwej roli: układania krzyży ze zniczy nagrobnych, marszów z pochodniami po Krakowskim Przedmieściu i śpiewów nabożnych. Media publiczne zostały znormalizowane, masowe podsłuchy wprowadzone; bilingi Polaka są kontrolowane przeciętnie 135 razy częściej niż Niemca. Jeszcze stawia opór duża gazeta opozycyjna. Jeśli jej nie przejmie obóz porozumienia narodowego z powodu poparcia przez określone, zachodnie ośrodki, i tak „Rzeczpospolita" będzie bezsilna wobec stacji telewizyjnych i organów prasy zjednoczonych wokół Partii i Rządu.

Wczorajsze Święto Niepodległości 11 listopada 2010 roku ukazało organizatorską funkcję „Gazety Wyborczej". Zwolennicy dialogu społecznego pokonali wichrzycieli. Na wezwanie redaktora naczelnego „Gazety Stołecznej", Seweryna Blumsteina, postępowe masy zablokowały tzw. Marsz Niepodległości. Trzech narodowców jadących na Marsz do Warszawy zostało pobitych w pociągu pod Sochaczewem przez 10 nieznanych sprawców, aż trafiło do szpitala. Faszyzm nie przejdzie w stolicy, jak nie przejechał przez Sochaczew dzięki siłom porozumienia narodowego.

Pobicie faszystów między podniosłą uroczystością przypięcia Adamowi Michnikowi orderu Orła Białego a tzw. Marszem Niepodległości w Warszawie miało nam stworzyć – wiecie – określony klimat na ulicach miasta. Władze porządkowe planowały energicznie – rozumiecie – położyć kres reakcji na incydent w pociągu. W tym roku prowokatorzy nie dali się sprowokować. Dalsza normalizacja przyniesie oczekiwane skutki w roku przyszłym.

Poniedziałek

Antysemityzm stał się ludobójczy dopiero wtedy, gdy część zasymilowanych Żydów postanowiła przemocą zreformować Europę. Obalając stary ład, chcieli wyplenić nienawiść do siebie przez komunizm. Reakcją na tę utopijną akcję części Żydów był nazizm i Holocaust ze strony Niemców, najbardziej zagrożonych reformą. Komunizm bowiem pokazał w niemal sąsiedniej Rosji, że użyje ludobójstwa do naprawy świata, zanim do ludobójstwa sięgnął nazizm. Skąd wzięła się ta ślepota moralna? „Od czasów Spinozy niektórzy z najbardziej światłych i odważnych myślicieli żydowskich wymyślali nowy świat, gdzie nie będzie Żydów ani gojów. Jednak stare elity i tłum wszędzie odrzucały to marzenie uniwersalistyczne jako żydowską intrygę przeciw istniejącemu porządkowi społecznemu. Byli jeszcze bardziej znienawidzeni, gdyż żądali od gojów, żeby odrzucili także swoją przeszłość" – pisze Arthur Hertzberg („Jews. Essence and Character of A People", s. 221).

Wymordowanie „wyzyskiwaczy" miało zapewnić zerwanie z przeszłością. Były prezes Amerykańskiego Kongresu Żydowskiego rzecz jasna nie usprawiedliwia

Holocaustu, ale zrównuje nazizm z komunizmem. Niestety, unika pytania, czy Zagłada nie była aby reakcją na wydatny udział Żydów w komunizmie, który zabił sto milionów ludzi. Popędzone do gułagów ofiary Lenina i Stalina były tak samo niewinne osobiście, jak mieszkańcy gett popędzeni do komór gazowych przez Hitlera. Mądry rabin dopuszcza pod rozwagę tragiczną współwinę narodu za własną katastrofę. A jeśli nie współwinę, to chociaż wskazuje przyczynę tragedii. Gdyby podrążyć tę myśl, tajemnicza zbrodnia Holocaustu zostałaby wyjaśniona: była karą za zbrodnie komunizmu. Miara za miarę. Najpierw ginęli niewinni wrogowie klasowi, potem ginęli też niewinni wrogowie rasowi.

Naganna odpowiedzialność zbiorowa, prawda? A mnie to przypomina powstanie święta Paschy. Był to okrutny, zbiorowy mord Jehowy na egipskich pierworodnych i ich rodzicach za trzymanie Żydów w egipskiej niewoli. Odwet nie tylko na faraonie, na co zezwalają nasze pojęcia moralne, ale także na wszystkich Egipcjanach, choć nie mieli wpływu na decyzje absolutnego władcy.

po południu

Jarosław Marek Rymkiewicz przegrał proces wytoczony mu przez „Gazetę Wyborczą" za komentarz do krzyża pod pałacem prezydenckim, postawionym ku pamięci ofiar katastrofy smoleńskiej. „Polacy, stając przy nim, mówią, że chcą pozostać Polakami. To właśnie budzi teraz taką wściekłość, taki gniew, taką nienawiść – na przykład w redaktorach «Gazety Wyborczej», którzy pragną, żeby Polacy wreszcie przestali być Polakami". Mówił, że redaktorzy „GW" są „duchowymi spadkobiercami Komunistycznej Partii Polski", a „rodzice czy dziadkowie wielu z nich byli członkami tej organizacji, która była skażona duchem «luksemburgizmu», a więc ufundowana na nienawiści do Polski i Polaków. Tych redaktorów wychowano tak, że muszą żyć w nienawiści do polskiego krzyża. Uważam, że ludzie ci są godni współczucia – polscy katolicy powinni się za nich modlić". Polski sąd nakazał poecie przeproszenie „Wyborczej".

Ten proces ma nie tylko doraźne znaczenie. Rzuca również światło na jeden z najważniejszych wątków historii – misję judaizmu wobec zachodniej cywilizacji. Jej skutki są ogromne, niezwykle twórcze, ale także kontrowersyjne. „Gazeta Wyborcza" igra w Polsce z ogniem. Jej szaleństwa przypominają, jak po I wojnie światowej liberalni Żydzi w Niemczech uprawiali orgię szyderstw z kultury niemieckiej. Uwaga, wcale nie wszyscy, lecz tylko liberalni. Ale skutki ponieśli wszyscy. Warto zajrzeć do „Historii Żydów" Paula Johnsona dla porównania.

Wymowną postacią w republice weimarskiej był Kurt Tucholsky i jego pismo „Die Weltbühne". Miało mały nakład 16 tysięcy egzemplarzy, jednak wpływ zyskało, wzbudzając kontrowersje wyszukanymi atakami na wszystko, co cenili prawicowi Niemcy. Ponadto Tucholsky w książce „Deutschland, Deutschland über Alles" rozprawił się z sądownictwem, Kościołami, policją, Hindenburgiem, socjaldemokratami, liderami związkowymi i zamieścił fotomontaż generałów niemieckich pod tytułem „Zwierzęta patrzą na ciebie". Tucholsky pisał tak, żeby wywołać w czytelnikach oburzenie. Na przykład: „Nie ma takiej tajemnicy armii niemieckiej, której chętnie bym nie przekazał obcemu mocarstwu". Wściekli ludzie, zwłaszcza niezdolni do stosownej odpowiedzi w słowie, mogli wziąć się do rękoczynów, albo głosować na takich, którzy za nich to zrobią.

Tucholsky i podobni mu satyrycy rozjuszali nie tylko zawodowych oficerów, lecz i rodziny niezliczonych żołnierzy poległych na wojnie. Żydowskie ataki na armię były obosieczne. Związek weteranów żydowskich wykazywał według oficjalnych danych, że liczba Żydów służących podczas wojny w Reichswehrze, zabitych, rannych oraz odznaczonych ściśle odpowiadała ich procentowemu udziałowi w ludności kraju. Panowało jednak powszechne przekonanie, silnie szerzone przez nazistów, że unikali służby wojskowej i zadali armii cios w plecy.

Przeciwnicy Żydów oskarżali ich o „porwanie" kultury niemieckiej – pisze Johnson – i przekształcenie w nową, obcą rzecz, którą nazwali bolszewizmem kulturalnym. Wrażenie, że doszło do kradzieży kultury, było potężne i niebezpieczne. Ostrzegali przed tym również niektórzy pisarze żydowscy. Wykorzystanie języka niemieckiego było, jak to określił Franz Kafka, „uzurpacją cudzej własności, która nie została nabyta, ale ukradziona, (względnie) szybko opanowana, a która pozostaje własnością kogoś innego, nawet jeśli nie można wykazać zrobienia żadnego błędu słownego". Jeszcze przed I wojną światową Moritz Goldstein ostrzegał „Parnas niemiecko-żydowski" w artykule w piśmie „Kunstwart", że Żydzi przejmują kierowanie kulturą narodu, który odmawia im tego prawa.

Jednak przekonanie, że republika weimarska doświadczyła przejęcia przez Żydów kultury niemieckiej – pisze Johnson – było fałszywe. Owszem, byli ważni w kulturze Weimaru i bez nich republika nie mogłaby zaistnieć. Ale nie byli dominujący. Czy więc oskarżenia, że Żydzi rządzą kulturą, były bezpodstawne? Nie całkiem. Kierowali ważnymi gazetami i wydawnictwami. Większość pism o największym nakładzie i wydawnictw była w rękach nieżydowskich, lecz liberalne, żydowskie gazety miały najwięcej świetnych krytyków i najszerszy wpływ kulturalny. Żydowskie domy wydawnicze cieszyły się największym uznaniem. Duża część krytyków sztuki, teatru, muzyki, literatury była Żydami, kierowali także ważnymi galeriami sztuki i ośrodkami życia kulturalnego. Wydawało się, że rządzą, ustanawiają trendy i reputacje. Ich władza, jaka by nie była, mieszała się z władzą całości lewicowej inteligencji, powodując zawiść, frustrację i wściekłość.

Wtorek

Jak na tle tamtych Niemiec wygląda dzisiaj Polska? Umieściłem w Internecie tekst pt. „«Gazeta Wyborcza» a kod kulturowy judaizmu", który zdobył rozgłos. Poszukałem podobieństw między sytuacją w kraju i w Ameryce, gdzie Żydzi zdobyli po II wojnie podobną pozycję, jaką mieli w republice weimarskiej. Jest w tej książce w rozdziale „Medialny wzór «Gazety Wyborczej»".

po południu

„Gazeta Wyborcza" dała mi odpór artykułem Krystyny Naszkowskiej, twierdząc, że zachęcam Polaków do „prześladowania" Żydów. A przecież wzywam do wzajemnego wybaczenia win z byłą żydokomuną – wzajemnego, ponieważ ich przodkowie czuli się pokrzywdzeni w Polsce przedwojennej i często nie bez powodu. Zachęcam do odrzucenia myśli o „rekonkwiście", a za to do wzajemnego przystosowania się i do współpracy. Namawiam Polaków, aby uczyli się od Żydów sposobów odnoszenia sukcesu w świecie. W innym tekście na ten temat zachęcam półżartem do medytacji wspólnego, ludzkiego kodu genetycznego, jaki dzielimy z Adamem Michnikiem, aby drugorzędne różnice kulturowe między nami roztopiły się w oceanie pokoju i miłości. Jest to buddyjska technika obniżania agresji, co sprzyja powstaniu wspólnoty.

Co by tu jeszcze dodać do tych „prześladowań"? Mannę z nieba? Przymusową prenumeratę „GW" przez obywateli III RP? Brak mi pomysłów.

Środa

Chciałem doprowadzić do wystawienia w Zachęcie prac Federica Brennera, francuskiego Żyda. Ponad 20 lat fotografuje diasporę. W Nowym Jorku wpadł mi w ręce jego album o Żydach amerykańskich „Jews. America. A Representation". Zachwyciłem się. Uzyskałem ustną zgodę artysty na wystawę prac w Polsce i poszedłem z tym do ówczesnej pani dyrektor Zachęty, Andy Rottenberg. Nie powiem, że pokazała mi drzwi. Była bardzo miła. Ale powiedziała, iż nie ma na to pieniędzy, i odesłała do gminy żydowskiej w Warszawie, abym tam porozmawiał o sprawie. Czyli jaką stworzyła sytuację? Ja, goj, mam z gminą żydowską uzgadniać wystawę francuskiego Żyda o wielkiej karierze Żydów amerykańskich, do urządzenia w pierwszej rangą polskiej galerii, ponieważ jej żydowska pani dyrektor nie ma na to ochoty. Dałem sobie spokój. Dopiero później pojąłem, naiwny, czemu Anda Rottenberg nie chciała tej wystawy. Byłem świeżo po powrocie z kilkunastoletniego pobytu w Ameryce, gdzie Żydzi już nie boją się pokazywać sukcesu. W Polsce ciągle czują przed tym lęk.

Chciałem, żeby wystawa wywołała debatę porównawczą o wyposażeniu umysłowym Żydów i Polaków. Z takiego porównania powinny płynąć dla nas wnioski, jak, biorąc przykład, mamy się doskonalić. Brenner wyraźnie ukazuje ich niesamowitą dynamikę. Niby o tym wiemy, ale warto tę wiedzę „poczuć brzuchem" w reakcjach na zdjęcia. Trzeba zobaczyć, jak treść ich umysłu przybiera przeróżne, widzialne formy w Nowym Świecie. Widać tu żydowski geniusz w działaniu.

Autor wstępu do albumu, Simon Schama, waży słowa, wchodząc na śliski teren. Jak wtopić się w kulturę kraju zamieszkania i zachować odrębność? Powiada, że uderzająca liczba zdjęć Brennera celebruje kulturalne rozpasanie, które cechuje większość życia Żydów amerykańskich. Choćby praca zatytułowana „The December Dilemma", czyli „dylemat grudniowy". W jednym living roomie robotniczej rodziny Colanów – on jest kierowcą ciężarówki, ona sekretarką – znajdują się dwa sprzeczne symbole religijne: stoi choinka na Boże Narodzenie i świecznik, menora, na święto Hanuki. Autor eseju chyba nie chciał napisać o tym wprost, ale w domu prostych ludzi unoszą się trudne, odwieczne pytania: Czy „Żydzi zabili Jezusa", więc prześladowania są zasłużoną karą? Czy kult Jezusa jest bałwochwalstwem, więc słusznie „odrzucili zbawiciela", który dla nich był oszalałym bluźniercą? Przynajmniej wtedy; teraz stał się wybitnym moralistą. Życie w takich sprzecznościach wymusza dociekliwość. Narzuca kompromisy ze sobą i swoim środowiskiem. Nie ma o tym pojęcia katolik polski.

U Brennera widać francuską przyjemność z gry idei. Teatralność jego zdjęć pasuje do amerykańskiego zamiłowania do widowiska, wyzwolonego z europejskich ograniczeń dobrego smaku – przepisuję od Schamy.

Zgadzam się. Dobry smak nie jest cnotą żydowską, choć mogą go nabyć, ale nie bronię dobrego smaku. Służy głównie klasie panującej do kontroli wyobraźni podwładnych. Dobry smak wymusza subtelność myśli pod warunkiem uznania panującego ładu. Natomiast Żyd jako wieczny tułacz arywista musi narzucić własne reguły gry, by zdobyć miejsce w obcym otoczeniu. A kto może zarzucić badaczom Talmudu brak subtelnych rozróżnień?

Myślę, że Żyd jest bliżej bytu, a więc bliżej prawdy. Żaden WASP, czyli White Anglo-Saxon Protestant, ani Polak-katolik nie chciałby wystąpić na wielu z żywych obrazów Brennera. Nie chciałby ze wstydu. Oto za stołem siedzi sześć kobiet w średnim wieku, obnażonych do pasa. Mają po jednej piersi, siedząca pośrodku nie ma obu. Podpis „Ocalone" wyjaśnia, że kobiety te musiały zgodzić się na amputację, żeby przeżyć raka. Tytuł jest aluzją do ocalenia z Zagłady. Kompleks „Holocaust survivor" szykuje grunt dla uniwersalnego kompleksu „Cancer survivor", który dotyczy wszystkich ludzi.

Jest tu także ukryta pewna myśl, którą z trudem da się wyrazić, a cóż dopiero rozwinąć. Mianowicie, ofiary Zagłady zostały amputowane światu, aby reszta Żydów mogła się wzmocnić. Okaleczone ciała pokazanych kobiet są metaforą ciała żydostwa. Coś za coś. Przecież tylko wskutek szoku Zagłady światowe mocarstwa zgodziły się na powstanie państwa Izrael na ziemi zabranej Palestyńczykom. Ale nasuwa się pytanie przeklęte – jak świat zniósłby dynamikę tych sześciu milionów zamordowanych i ich potomstwa, gdyby żyło? Antysemityzm nazistowski, choć odrażający i zbrodniczy, był jednak reakcją na wywrotowy geniusz Żydów. Geniusz ten został zohydzony przez propagandę III Rzeszy. Ukazany od ciemnej strony, żeby przygotować grunt pod ludobójstwo.

Jak wyglądałaby dziś Polska z trzymilionową mniejszością żydowską? Byłby to na pewno bardzo prężny kraj. Jednak ciśnienie wewnętrzne takiej masy zdolnych ludzi rozsierdziłoby wielu ospałych Polaków. Bo potomkowie ciemnego chłopstwa i dworkowej szlachty są gorzej wyposażeni umysłowo do działania skutecznego. Ich zawiść znalazłaby ujście w antysemityzmie, chyba większym niż w II Rzeczpospolitej. Skala sukcesu tym razem byłaby globalna. Rozpad polskiego społeczeństwa na dwie klasy etniczne byłby jeszcze wyraźniejszy niż w Ameryce. Podam jedną miarę: średnia dochodów Amerykanów żydowskiego pochodzenia jest dwa razy wyższa od całej reszty. W Polsce podział byłby większy przez niedorozwój polskiej mentalności w sprawach gospodarczych.

Wracam do zdjęcia kobiet ocalonych przed rakiem. Myślę, że chyba tylko Żydówki chciałyby pokazywać szokująco oszpecone ciała. Są konsekwentne: nie ma nic złego w nieokiełznanej chęci życia. Skoro uszło się z jednej Zagłady, to nie ma się czego wstydzić, uciekając z zagłady od raka. A gdzie obalanie kontroli wyobraźni? W subtelnym przekazie, że warto żyć za wszelką cenę. Witalność jest cnotą najwyższą. „Kto ocalił jedno życie, ten ocalił świat", głosi mądrość żydowska.

Najpierw trzeba żyć! Potem się zobaczy, w jakim kraju i dla jakich idei.

Po Holocauście żaden rodzaj życia nie jest wstydem. Oto na innym zdjęciu, ujętym z góry, stoi w kręgu pięć par kobiet. Każda opiera głowę na ramieniu drugiej, pokazują, że mogą na sobie całkowicie polegać. Podpis: „Żydowskie lesbijskie córki ocalonych z Zagłady ze swymi matkami". Zostały podane nazwiska kobiet i okoliczności, w jakich udało im się przeżyć. Młoda lesbijka

Lisa Rosenthal jest więc córką Kristene Rosenthal Keese, która przeżyła na fałszywych papierach getto warszawskie, potem w Warszawie i na skraju jakiejś wsi. Takie doświadczenie przekonuje, że liczy się tylko życie. Reszta to role, jakie gramy, i równie dobrze możemy grać inne. Nie ma więc powodu, aby się zbytnio do roli przywiązywać.

Czwartek

Weźmy kolejne zdjęcie – rodzin gejowskich i lesbijskich w Sali Pustynnej ogrodu botanicznego na Brooklynie w Nowym Jorku. Dowód, że posiadaniu potomstwa nie musi przeszkadzać brak pociągu do płci przeciwnej. Na pokazaną piątkę jednopłciowych par kobiet lub mężczyzn cztery mają po dziecku. Ziemia jest pustynią do zaludnienia, stąd wybór scenografii. Tak odradza się w następnym pokoleniu nie tylko gatunek ludzki, lecz również kultura żydowska. Obce biologicznie dziecko otrzyma judaizm od przybranych rodziców i stanie się w ten sposób „światłem narodów". A może aluzja pustynna odnosi się do boskiego zamiaru, by wyprowadzony z niewoli egipskiej naród przetrzymać na progu Ziemi Obiecanej, dopóki nie wymrze pokolenie zepsute niewolą? W takim razie ustawione zdjęcie jest krytyką żydowskich liberałów, zamiast afirmacji niewyczerpanych umiejętności przystosowania się do każdych warunków. Jest o czym pomyśleć.

Afirmacja życia nie musi wyrażać się w tak skrajnych okolicznościach, ale Brenner zawsze umieszcza jakiś radykalny akcent. Oto w modnej dzielnicy nowojorskiej Soho w kawiarni Dean and Deluca siedzą, jak informuje podpis, „Matki, które miały pierwsze dziecko po skończeniu czterdziestki". Jest to aluzja do narodowej mitologii. Czterdzieści lat błąkali się Żydzi po pustyni, zanim trafili do Ziemi Obiecanej. Tyle trzeba było czasu, by wymarło pokolenie wychowane w egipskiej niewoli. Na zdjęciu widać jasną, prawie pustą przestrzeń, jak ziemię obiecaną do zaludnienia. Te kobiety chcą zapełnić pustynię. Każda została przedstawiona z imienia, nazwiska i swej elitarnej pozycji zawodowej. Co im przeszkodziło wcześniej: kariera czy stan zdrowia? Chociaż zdjęcie nie daje na to odpowiedzi, sama kompozycja mówi, że dziecko leczy ich głęboką samotność.

A co leczy samotność Żyda w świecie? Ryzykowna penetracja innych nacji. Brzmi to niepokojąco dla narodów ospałych. Oto handlarz skór Perry Green, dał się sfotografować z Eskimosami, od których niemal nie różni się wyglądem. Podpis: „Dawid Green syn kuśnierza, urodził się w Galicji w mieście Kołobrodka, wyemigrował do Ameryki jako młody chłopiec. Jeszcze w Europie czytał powieści Jacka Londona i w wieku 18 lat opuścił Nowy Jork dla kraju swoich marzeń: Alaski. Po wielu przygodach dotarł w 1922 roku do miasta Ketchikan. Stamtąd przeszedł do Cordowy, miasta górników, rybaków i handlarzy skór w Zatoce Księcia Williama. Podróżował po całej Alasce, handlując skórami i spełniając swe marzenie, aby odpowiedzieć na «zew dziczy». Perry Green podtrzymuje rodzinną tradycję handlu skórami. Bierze także udział w światowych zawodach pokerowych i wygrał trzy mistrzostwa świata w pokerze". Pointa podpisu zwala z nóg nieubłaganą logiką. Skoro pan Green handluje skórami na krańcu globu, to chyba jasne, że jest mistrzem w kalkulacji ryzyka. Ale w pokerze pomaga nie tylko umiejętność liczenia kart, które zeszły. Trzeba też rozpoznać stan psychiczny graczy – sprawdzą karty w moim ręku czy nie? Mają lepsze czy gorsze od moich?

Każde zdjęcie Brennera to bomba wyobraźni, która wybucha w umyśle widza w zwolnionym tempie. Podpis zdjęcia Nowojorskiego Towarzystwa Psychoanalitycznego zawiera tylko nazwiska czternastu psychologów obu płci. Wszyscy są stłoczeni na fotelach u wezgłowia freudowskiej kozetki. Powoli, przedzierając się przez tabu, dociera do nas sens. Uczeni patrzą poprzez obiektyw prosto w oczy widzom i ma się wrażenie, że widzą nas na wylot. Segregatory, kartoteki, księgi dają namacalny dowód gromadzonej latami mądrości. Kompozycja jest niepokojąca, ponieważ wyeksponowana kozetka zaprasza widza, aby wygodnie się położył, rozluźnił i poddał analizie. Jednak twarze psychologów emanują nie dobrocią, ale wiedzą. Nie wiemy, jak użyją informacji o nas. Na tym zdjęciu Brenner bawi się, a może tylko mimo woli ulega stereotypowi Żyda, który potrafi rozpoznać siłę i słabości drugiego człowieka, aby wykorzystać dla swojego celu obiecane przez Boga „przewodzenie narodom". Choćby to byli Eskimosi.

Widzę rolę Żydów w rozwoju świadomości estetycznej rodzaju ludzkiego nawet na antypodach. Pierwszy film dla Eskimosów zrobił Zacharias Kunuk (Cohen?), za co dostał nagrodę za najlepszy debiut fabularny na festiwalu w Cannes. Od dwudziestu lat Kunuk kręci o swych gospodarzach dokumenty, mieszkając między nimi w osadzie liczącej 1200 ludzi. Film fabularny „Atanarjuat" zawiera piękną sekwencję, kiedy szybkonogi Oki wymyka się mordercom i pod słońcem północy ucieka przed siebie nago, boso, po lodzie, skacząc po krach, krwawiąc stopy. Nawet w roli ściganego zwierzęcia zachowuje piękno ciała i ducha, równe majestatowi pejzażu w rozmaitych odcieniach bieli. W końcu Oki znajduje opiekę u mieszkańców samotnego igloo, zbiera siły, by wrócić do swego plemienia i przywrócić moralny ład. Film można odczytać jako metaforę kondycji człowieka. Ale jeszcze lepiej jako metaforę roli Żyda w świecie. Chętnie, i zgodnie z prawdą, widzą siebie jako prześladowanych prawodawców moralnych. I wątpię, by prawdziwy Eskimos wpadł na pomysł, żeby nago uciekać po lodzie, by pięknie wypaść na ekranie. Na to trzeba kompleksu ofiary, najlepiej pamięci o apelach w nazistowskich obozach zagłady, gdzie więźniów trzymano nago na mrozie. A po wtóre, potrzeba chęci podobania się, wiedzy, jak promować się na rynku. Czy to przykład judaizacji kultury eskimoskiej, która ją fałszuje? To nie fałsz, raczej pogłębianie wiedzy Eskimosa o jego kondycji ludzkiej.

Poniedziałek

Łatwo mówić – prześladowania Żydów. A chodzi między innymi o debaty z teologami chrześcijańskimi w Średniowieczu, których nie wolno im było wygrać pod groźbą kary. Palenia na stosie, konfiskaty majątku, wypędzenia i przymusowe chrzty. Tak powstały zastępy marranów, skrycie wierzących po swojemu, choć formalnie stali się katolikami. „Marran", czyli świnia, jak ich przezywano w Hiszpanii z chrześcijańską miłością bliźniego. Kościół ma wielki udział w podstępności Żydów, skoro tylko podstępem mogli przetrwać pod rządami silniejszego wroga.

Czemu nie chcieli przyjąć chrześcijaństwa wbrew powszechnej opinii, że tylko ta wiara jest „prawdziwa"? Dlaczego ustępowali dopiero pod brutalnym naciskiem, a i też nie wszyscy? Wielu wolało wypędzenie i rozpoczęcie życia od nowa w nowym kraju zamiast chrztu. Jeśli wierzyli w przymierze z Bogiem, to widzieli, jak bardzo im się ono na pozór „nie opłaca". Widocznie udane życie nie polegało dla nich na zysku i karierze. A może motyw wierności Bogu był tylko przejawem innej potężnej siły, na poły nieświadomej, niemal instynktownej? Umysł ludzki ma skłonność do ekspansji aż do granic poznania. To najgłębszy sens naszej wolności. A przejście na katolicyzm powodowało wedle ich miary po prostu zgłupienie. Może więc nie chodziło o „upór" i „pychę", lecz o żywotność umysłu?

Przez wieki dla Żydów najprawdziwszym łącznikiem z wiecznością było studiowanie Słowa – jak pisze Arthur Herzberg w książce „Jews. The Essence and Charakter of a People" (Żydzi. Istota i charakter ludu). Wychowali się na talmudycznym micie o niebie, nie do pomyślenia w chrześcijaństwie: Oto sprawiedliwi siedzą na wyżynach i zajmują się przez wieczność wyjaśnianiem znaczenia świętego pisma. W micie czasem pojawia się Bóg, żeby podać zamierzone znaczenie jakiegoś wersetu w Torze; czasami uczeni nie zgadzają się z Boga własną interpretacją! Czasem zjawia się Mojżesz posłuchać, jak rabbi Akiba rozjaśnia zawiłości Tory, i mówi do Boga: Ty dałeś Żydom Torę przeze mnie, ale nigdy nie wyobrażałem sobie takiego znaczenia, jakie znalazł Akiba. Bóg odpowiada, że te znaczenia na pewno muszą być ukryte w tekście dla przyszłych uczonych. W niebiańskiej akademii nie ma przeszłości ani przyszłości, tam Mojżesz, Akiba i wszyscy Żydzi, miłośnicy Słowa, prowadzą dalej dyskusję zaczętą za życia.

Dla Żydów studiowanie nie jest zajęciem tylko rabinów i zawodowych uczonych, jak w katolicyzmie. Przykazania studiowania świętych ksiąg przestrzegali na ogół wszyscy mężczyźni. Ci, którzy nie byli dość wykształceni, aby rozumieć Talmud, spotykali się regularnie razem, by czytać psalmy. W żydowskich wspólnotach na całym świecie codziennie gromadzili się rówieśnicy, aby badać Pismo. W Warszawie przed II wojną światową woźnice przywiązywali konie u bramy synagogi i po krótkiej modlitwie razem studiowali przez godzinę. Badanie Pisma jest ważniejsze niż modlitwa, ponieważ wtedy Żyd jest najbliżej Boga. W Talmudzie znajduje się orzeczenie, że wolno sprzedać synagogę, jeśli pieniądze są potrzebne na zbudowanie szkoły. Nie słyszałem, żeby wolno było sprzedać kościół w tym celu. Katolika zbawia wiara, a Żyda zbawia wiedza.

Studiowanie jest więc dla Żyda świętym zajęciem. W tradycyjnych rodzinach ojciec brał paroletniego brzdąca na kolana i razem „badali" Pismo, by w ten sposób wpoić dziecku nawyk uczenia się przez całe życie. Ledwie trzyletnich chłopców posyłało się do chederu, potem do jesziwy, gdzie studiowali Torę i Talmud w swobodnej wymianie opinii. Samodzielnie analizowali Biblię i sprzeczne komentarze rabinów. Młodzi uczeni byli najbardziej pożądanym materiałem na męża dla córek zamożnych rodzin. Tak najbardziej inteligentni Żydzi przekazywali swe geny następnemu pokoleniu, mając lepsze szanse utrzymania przy życiu większej ilości dzieci, gdyż jako ludzie zamożni mieli na to środki. Trwające przez wiele wieków wynoszenie najbystrzejszych do warstwy ludzi najlepiej sytuowanych, a więc mających większe szanse przeżycia, wzmacniało z pokolenia na pokolenie żydowski potencjał umysłowy.

Czy to dzięki tradycji ciągłego podważania pewników Karl Popper, Żyd wiedeński, odkrył, że cała nasza wiedza to tylko hipotezy? Nie można udowodnić, że jakieś przekonanie jest prawdziwe. Historia nauki składa się z takich odrzuconych hipotez, które dziś wydają się czasem śmieszne, jak rzekomo niepodzielne atomy czy eter. Jutro nasze przekonania będą śmieszyły potomnych. Można wykazać, że sąd jest fałszywy, tylko jeśli pojawi się nowe doświadczenie, które obali ustaloną prawdę. Tymczasem myśliciele chrześcijańscy starają się trzymać „obiektywnej prawdy" rzekomo istniejącej, choć historia nauki tego nie potwierdza.

Przyjęcie chrztu burzyło Żydom ten proces kształcenia umysłu ustanowiony od wielu stuleci. Po stronie chrześcijańskiej kształcenie zaczynało się później i aż do końca XIX wieku nie było powszechne, nawet na poziomie szkoły podstawowej. Katolikom nie wolno było czytać Starego Testamentu ani Ewangelii, by sprzeczności w Piśmie nie siały zwątpienia. Cóż dopiero śmiało dyskutować o nich. To był przywilej kleru, kontrolowany przez hierarchię. Dogmaty wiary krępowały myślenie pod groźbą ciężkich kar. Kościół tępił samodzielne poszukiwania religijne. Najbystrzejsi chrześcijanie szli do stanu kapłańskiego i marnowali swe geny z powodu celibatu. Katolicyzm stworzył system wysysania genów inteligencji, czyli prowadził negatywną selekcję umysłową. Dla Żyda taki stosunek do umysłu musiał być horrorem. Godził się na to, mając do wyboru jeszcze większy horror śmierci albo wypędzenia, lub też zablokowania kariery życiowej.

A oto skutki.

Przeprowadzone w XX wieku masowe badania inteligencji wykazują wielką przewagę Żydów nad chrześcijanami. W latach 1911–1912 w Prusach na 10 tysięcy katolików pięciu było na studiach wyższych, na 10 tysięcy protestantów było 13 studentów, ale u Żydów... 67 studentów na 10 tysięcy! To nie jest dokładny wskaźnik rozkładu inteligencji w tych trzech wyznaniach.

W owym czasie katolikami w Prusach byli w wielkiej mierze polscy chłopi. To pogarsza wynik katolicki nie tylko z powodu wyznania krępującego samodzielne myślenie, ale również złych wzorców kultury polskiej, nisko ceniącej naukę.

Można się domyślać, czemu protestanci są nieco inteligentniejsi od katolików. W ich przypadku od 500 lat różnic w interpretacji Pisma Świętego nie tłumił autorytet religijny papiestwa. Jeśli powstawały poważne spory doktrynalne między wiernymi, dysydenci po prostu zakładali nowy Kościół. Rozdrobnienie wyznań protestanckich to poszukiwanie najbardziej autentycznej wiary. Natomiast Kościół katolicki chce jedności, mając ciągle na oku opanowanie rodzaju ludzkiego. Duchowa władza nad całym światem była długo nieskrywanym marzeniem, odziedziczonym po starożytnym cesarstwie rzymskim. Teraz przejawia się jako pretensja do wyłączności prawdy: poza Kościołem nie ma zbawienia „Extra ecclesia nulla salus". A są w Polsce księża, którym się wydaje, że „ecclesia" nie obejmuje wyznań protestanckich.

Przewaga umysłowa protestantyzmu nad katolicyzmem wynika także stąd, że pastorom wolno od stuleci zawierać małżeństwa. Dzięki temu przekazują geny swej inteligencji do następnych pokoleń. Co by było, gdyby ojciec Friedricha Nietzschego nie był pastorem, lecz katolickim księdzem? Nie mielibyśmy jednego z największych filozofów nowożytnych, bo by się nie urodził. Z tego samego powodu nie byłoby również jednego z największych myślicieli XX wieku, twórcy psychologii głębi, Carla Gustawa Junga; jego ojciec także był pastorem. Jako ksiądz katolicki Jung senior nie spłodziłby genialnego syna. Z kolei nieobecność Junga miałaby zły skutek dla myśli chrześcijańskiej, bo psychoanalizę oddalibyśmy Żydom walkowerem. Ateista Zygmunt Freud i grono jego głównie żydowskich uczniów nie miałoby konkurenta. A Jung chyba zasiał ziarna odrodzenia chrześcijaństwa, tworząc coś w rodzaju metafizyki naszych czasów.

Jeszcze jedna spekulacja: ojcowie Nietzschego i Junga mogliby mimo wszystko spłodzić synów, gdyby byli katolikami, bo zniechęceni celibatem, nie zostaliby księżmi. Niemniej wtedy z ich synów nie byłoby wielkiego pożytku. Friedrich i Carl Gustaw nie otrzymaliby bowiem w ubogim, świeckim środcwisku solidnego wychowania religijnego, z którym potem mocowali się twórczo całe życie. Zresztą w XIX wieku dzieci kleru miały lepsze warunki rozwoju umysłu od prawie całej reszty rówieśników. Ich ojcowie należeli do warstwy najbardziej oświeconej. Same geny nie wystarczą geniuszowi. Potrzeba wykształcenia. Żydzi, którzy nie dali sobie narzucić chrześcijaństwa, mają ogromną przewagę w wychowaniu intelektualnym dzieci, czego skutki tutaj opisuję.

Gdyby nie wymuszone chrzty i asymilacja na inne sposoby, to na świecie byłoby dziś 100 milionów Żydów. Tak twierdzą niektórzy historycy. Odejmując 16 milionów zdeklarowanych Żydów, pozostaje na świecie 84 miliony ludzi z żydowskimi genami inteligencji. Każdy bardzo bystry goj staje się „podejrzany". Wielki premier brytyjski w XIX wieku, przechrzta Benjamin Disraeli, twierdził wręcz, że wszyscy wybitni ludzie w kręgu cywilizacji zachodniej są żydowskiego pochodzenia. Lub, by ująć to grzeczniej, są „światłem dla narodów".

Aha, w stanie Nowy Jork przeprowadzano w latach pięćdziesiątych ubiegłego wieku powszechne testy inteligencji. Pewien badacz wyłowił dwudziestu ośmiu osobników o wskaźniku 170 (przeciętna wynosi 100). Dwudziestu czterech z nich było Żydami. Wynik tego meczu z gojami 4:24! Dlatego im bardziej jakiś obszar działania umysłu jest abstrakcyjny, tym większe osiągnięcia Żydów. No tak! Fizyka kwantowa, informatyka, matematyka... I finanse.

Wtorek

Siadł Sarmata na ławie, podkręca wąsa i liczy. Nie zna się na pieniądzach, a chce pojąć kryzys finansowy A.D. 2008. Wie, że trzeba najpierw zasiać, by zebrać i sprzedać. Czerepem szlachciury próbuje zrozumieć bankierów nowojorskich, potomków karczmarzy z jego rodzinnej wsi: Joska, Mośka, Benka. Już wtedy przerastali go sprytem o głowę. A teraz o dwie. Ale zaczyna rachunek cudzego sumienia.

Co bardziej przenikliwi klienci Bernarda Madoffa musieli podejrzewać, że wypłaca im sute dywidendy z wpłat kolejnych inwestorów, a nie z udanych operacji na giełdzie. Matematyczny model, który „kochany Bernie" zaprezentował w prospekcie swojego funduszu, nie zapewniał tak wysokich zysków. Dochody były za dobre, by były prawdziwe. Ale były za wysokie, żeby z nich zrezygnować. Czyli mądrzejsi inwestorzy brali udział w piramidzie Ponziego, przechwytując pieniądze inwestorów naiwnych. Ale nie pójdą do więzienia, gdyż nie oni złamali prawo stanowione, tylko Madoff. Oni złamali tylko prawo moralne: bez pracy nie ma kołaczy. Skoro nie zasiałeś, nie zbierasz plonu.

Czy rozumowanie przynosi Sarmacie ulgę moralną? Sam wyrósł na pańszczyźnie chłopa. Miał kołacze bez pracy. Dalej więc tłumaczy sobie kryzys, marszcząc czoło. Każdy punkt wywodu oznacza uniesionym palcem dla łatwiejszego zapamiętania.

Giełda gromadzi kapitał na trafne inwestycje. To raz – podnosi kciuk. Kupujesz udziały w spółkach i je trzymasz, biorąc dywidendy. Albo czekasz na rozwój spółki, żeby sprzedać swe udziały drożej niż kupiłeś, gdy skoczy cena akcji. W pewnym momencie kończy się wkład kapitału w realną gospodarkę, a zaczyna spekulacja. Nie znasz granicy między inwestycją a skubaniem naiwnych, jednak wiesz, że istnieje. Żeby zyskać, musisz ograć słabszych na umyśle.

Sarmata próbuje pojąć koncept „gry o sumie zerowej", kiedy ktoś coś zyskuje tylko wtedy, kiedy drugi traci. To tak, jakby spuszczał wodę ze stawu sąsiada i wlewał do swego. Wody od tego nie przybywa, ale zmienia miejsce.

Tak samo spekulacja przelewa pieniądze z rąk do rąk. To dwa – podnosi palec wskazujący. Zabiera się komuś, żeby komuś dać. Nie będzie twojego zysku bez straty dla bliźniego, i dobrze o tym wiesz. Nie ma zmiłuj, w tym także dla ciebie, jeśli dałeś się ograć. To przykrość, ale nie krzywda; raczej zasłużona kara. No i postęp w ewolucji gatunku. Spekulacja wzmacnia społeczność bystrzejszych osobników, lepiej przez wychowanie przysposobionych do finansowej gry niż do szabli.

W tym momencie zmniejsza się Sarmacie dysonans poznawczy, ale wraz z samooceną. Ciągnie dalej w gniewie, żeby zmniejszyć chociaż dysonans moralny. Unosząc palec środkowy na „po trzecie", zauważa, że ten gest znaczy w Ameryce „fuck you".

Czy znacie bajkę o diabelskiej flaszce? Flaszka spełni twoje życzenie, lecz musisz ją sprzedać taniej. Jeśli nie znajdziesz kupca, to pójdziesz do piekła. Łatwo kupić flaszkę za 50 dolarów i odsprzedać za 49,99, bo nabywca się znajdzie. Ale co zrobić, gdy pod koniec łańcucha transakcji kupiłeś ją za 9 centów? Wtedy trudniej będzie znaleźć kupca za centów 8. Ryzyko jest coraz większe, ale ktoś się na nie zdecyduje. W końcu jakiś nieszczęśnik zostaje z diabelską flaszką w ręku. Całkiem jak ty – czyli ograny inwestor.

Madoff jest nieodrodnym synem Wall Street. Poznał piramidę Ponziego w jej legalnym wydaniu. Był prezesem giełdy Nasdaq, gdzie puchła bańka internetowa pod koniec lat dziewięćdziesiątych XX wieku. Wtedy firmy dot-com bez realnych produktów ani zysków sprzedawały w swoich akcjach nadzieję na coraz wyższe ceny ich akcji. Kiedy bańka pękła, założyciele dot-comów odeszli z milionami. Stracili inwestorzy, zostając z diabelską flaszką. Piramida Ponziego to nie wybryk, ale główna zasada Wall Street, czyli ulicy Wałowej.

Sarmacie zaczyna świtać w głowie, że diabelska flaszka to amerykański system finansowy! Koszty ponosi ostatni naiwny, czyli podatnik, który płaci teraz rachunki bankierów. Jeśli nie zapłaci, to przyjdzie mu do domu policja podatkowa. Albo gospodarka się zawali, grzebiąc w ruinach biedaków i klasę średnią. Fuck you! Sucker, fuck you! P… się naiwniaku, wal się.

Mędrcy z Wall Street nazywają ten system „garbage in, garbage out" – śmieci wte, śmieci wewte. Trzeba odsprzedawać z zyskiem aktywa, które się kupiło, wiedząc, że to śmieć. System miał dwóch patronów. Byli nimi przemądry Allan Greenspan i przemiły Robert Rubin. Pierwszy, jako prezes Banku Rezerw Federalnych, chciał odsunąć w czasie recesję, kiedy w 2000 roku pękła na giełdzie bańka internetowa. Bardzo obniżył więc koszt kredytu. Bankierzy zaczęli kusić biedaków łatwymi pożyczkami, wiedząc, że tamci ich nie spłacą, ale zarabiali na opłatach manipulacyjnych. A nader ryzykowne pożyczki opakowywali w rzekomo bezpieczne aktywa i sprzedawali dalej. W ten sposób Greenspan przekształcił bańkę internetową roku 2000 w bańkę złych kredytów hipotecznych, która pękła w roku 2008.

Greenspan nie zgadzał się także na nadzór finansowy rynku przez rząd. Podobno wierzył, że bankierzy we własnym interesie sami będą się pilnować. Autorytet mistrza przesądził sprawę. Natomiast Rubin, jako sekretarz skarbu w administracji Clintona, też sabotował próby nadzoru rynku finansowego. Potem przeszedł do Citygroup, giganta bankowego. Jako wpływowy doradca popierał tam inwestycję w ryzykowne kredyty hipoteczne. Na operacjach prowadzących do kryzysu finansowego bez precedensu w dziejach przemiły Rubin zarobił dziesiątki milionów, dokładnie podobno 100.

Gładząc wąsa, Sarmata czyta u mądrzejszych od siebie, dlaczego o oszustwach nie ostrzegały agencje ratingowe oceniające ryzyko inwestycji. Ani czemu nie wkroczyła komisja nadzoru giełdy.

Bo agencje ratingowe są opłacane przez wystawców obligacji, których owe agencje oceniają. Czyli gangsterzy opłacają policję. Zamiast ujawniać ryzyko finansowe, agencje je ukrywały. Pewien inwestor z obywatelskim sumieniem od dziesięciu lat ostrzegał o Madoffie policję giełdową, czyli Security Exchange Comission. I co? I nic. Pracownicy komisji liczą bowiem na bajecznie opłacane posady w bankach, które nadzorują. Tak oto SEC, utworzona dla ochrony inwestorów przed finansowymi rozbójnikami, stała się mechanizmem ochrony wpływowych politycznie rozbójników finansowych przed inwestorami – pisze Michael Lewis. Jest on także autorem książki „Poker kłamcy", w której zdemaskował Johna Gutfreunda, tak zwanego króla Wall Street, panującego w latach osiemdziesiątych XX wieku.

Oprócz wymienionych patronów: przemądrego Greenspana i przemiłego Rubina, klasa banksterów ma także współtwórcę. Jest to przebiegły Gutfreund. On ci jako szef szacownej firmy Solomon Brothers przekształcił tę prywatną spółkę maklerów w spółkę giełdową. Dlaczego? Wspólnicy w prywatnej firmie nie ryzykowaliby zadłużenia siebie 30 razy w stosunku do swych aktywów. A to stało się normą w spółce akcyjnej. Bo spółka akcyjna to co innego. W takiej spółce ryzyko spada na akcjonariuszy, kiedy zarząd i pracownicy bogacą się z opłat za obrót kapitałem. Im większy obrót śmieciem, tym większe dochody. Genialny pomysł! Sarmata nigdy by na to nie wpadł. Za przykładem Gutfreunda poszły inne prywatne spółki maklerskie z ulicy Wałowej. Tak powstał socjalizm kapitalistyczny: zyski mają banksterzy, a straty pokrywają podatnicy. Naiwnym wała!

Madoff pasował do Wall Street jak ręka złodzieja do cudzej kieszeni. Ale zwykły obywatel jest niewiele lepszy od tego łajdaka. Raczej głupszy i zakłamany. Nie dopuszcza do siebie myśli, że sam bierze udział w oszustwie dla swego interesu. Bowiem rząd federalny tworzy własną piramidę Ponziego, żeby utrzymać system. Odsuwa ruinę gospodarczą Ameryki na czas, gdy w dorosłe życie wejdą dzieci, wnuki i prawnuki obecnych wyborców. One zapłacą za niespłacalne pożyczki obecnego pokolenia. Zapłacą także inwestorzy zagraniczni, którzy kupują obligacje rządu amerykańskiego. Zostaną z diabelską flaszką w ręku. A jeżeli odmówią kupna coraz mniej wartych obligacji rządu amerykańskiego, to z diabelskiej flaszki wypłynie na świat hiperinflacja. Nastanie globalna republika weimarska. A jakie aktywa pozostaną zrujnowanemu supermocarstwu? Armia i broń nuklearna dla szantażu pod jakimś wzniosłym pretekstem. Jakie ruchy wykonają Stany Zjednoczone dla przeżycia? Na pewno wszystkie konieczne dla przeżycia.

Najświętsza Panienko, Jezu Chryste, ratuj! Eee... To też Żydzi.

Tydzień później

Przeprowadziłem parę lat temu rozmowę z Jerzym Prokopiukiem o polskiej duszy. Ten znawca C.G. Junga potrafi zajrzeć w głąb naszej psychiki. Jest gnostykiem mającym własny pogląd na polski katolicyzm. A więc publikować, nie kryć światła pod korcem! Pewna redakcja na taką rozmowę chętnie się zgodziła, ale wystraszyła się, gdy przyniosłem tekst.

Skąd się wzięła nasza niedojrzałość? Prokopiuk: w naszym rozwoju Kościół odgrywał pozytywną rolę do XVI wieku, umacniając świadomość jednostkową człowieka. Potem nastąpiła tragedia kontrreformacji, która wyparła protestantyzm. Do tego czasu mieliśmy męską wizję Boga. Protestantyzm wzmocnił ją, wprowadzając do powszechnego obiegu Stary Testament, gdzie występuje surowy Bóg Ojciec. Ale król Jan Kazimierz w czasie szwedzkiego potopu ogłosił Matkę Boską Królową Korony Polskiej. Gdy jednostka czy grupa ludzka ma trudną historię, to pozostaje wierna swemu męskiemu Bogu, jak Żydzi, albo szuka ratunku u kobiecego aspektu Boga wybaczającego. Cofa się wtedy psychicznie do dzieciństwa. Przestaje być rycerzem Chrystusa, a staje się dzieckiem Maryi.

W XVI wieku jedna czwarta Polaków była protestantami, a ściślej kalwinami. To była szansa rozwoju wewnętrznego, która została zniszczona. Kult Marii zaczął wypierać kult Chrystusa. Prokopiuk powtarza za Jungiem, że Chrystus jest symbolem Jaźni, najwyższej struktury duchowej w człowieku, tej iskry Bożej, widzianej przez pryzmat męskości. Dlatego Chrystus odnosi się szorstko do matki, bo nie chciała, żeby wypełnił swą niebezpieczną misję, jak to matka, a On nieustannie podkreśla, że pełni wolę Ojca. Chrystus prowadzi grupę religijną od matki do ojca. Ojciec to symbol dojrzałości. Ale superdojrzałość łączy dwa pierwiastki: męski i kobiecy. Powstaje wtedy jedność przeciwieństw, której nie można opisać w ludzkim języku. Jednak nie jest to nasz przypadek. Polacy zatrzymali się na drodze przechodzenia od matki do ojca, a następnie zaczęli się cofać w rozwoju psychicznym i trwa to do dzisiaj.

Jan Paweł II mimo woli przyczynił się do naszego zdziecinnienia. Prokopiuk mówi, że na tego papieża rzutujemy zdrowy wątek zbawicielski, ponieważ przyczynił się do wyzwolenia spod komunizmu. Ale też widzimy w nim niezdrowy – jego zdaniem – wątek maryjny. Projekcja zbawicielska pomaga rozwojowi psychicznemu, natomiast maryjna jest wsteczna, trzymając nas w niewoli matki. Nasz drugi wielki bohater XX wieku, Józef Piłsudski, wciela tylko wątek mesjanistyczny. To wybawca narodu i silna osobowość. Niestety, dla nas też jest to okazja do zdziecinnienia, skoro poddajemy się mu jak surowemu ojcu. Wprawdzie popełnił błędy, ale surowi ojcowie mają do tego prawo. Ciekawym problemem jest konflikt Piłsudski–Dmowski. Ideolog narodowej demokracji też był nosicielem męskości, lecz bardziej instynktownej z powodu darwinizmu społecznego, dążenia do ekspansji narodowej i prześladowania mniejszości. Między Piłsudskim a Dmowskim był męski konflikt między wyższym i niższym poziomem świadomości.

Kiedy pytam, skąd się bierze ta tęsknota narodu za Mężczyzną, pan Jerzy odpowiada: – Z głębokiej potrzeby nieświadomej narodu, który został sfeminizowany przez kult maryjny. Taki naród, jak każda kobieta, tęskni za herosem.

Czwartek

Na antysemickiej stronie internetowej www.jewwatch.com (uwaga, może zawierać błędy) znalazłem domysł, że papież Jan Paweł II był Żydem po matce Emilii Kaczorowskiej, o być może rodowym nazwisku Katz. Jako nauczycielka z Litwy mogła należeć do Litwaków, czyli litewskich Żydów. Autor strony podaje argumenty: Jan Paweł był pierwszym w historii papieżem, który: 1. wszedł do synagogi, 2. przyjaźnił się z Żydami, 3. uznał ich za „starszych braci" katolików. Zamieszcza zdjęcie ślubne rodziców Jana Pawła II, wskazując, że jego matka ma „żydowskie rysy twarzy". Nie będę tego sprawdzać, ale domysł podoba mi się z powodów intelektualno-estetycznych. Jeśli biedna, niepiśmienna Żydówka, Matka Boża, może być Królową Korony Polskiej, to czemu polski papież nie miałby być po przechrzczonej matce Żydem, jak – nie przymierzając – Jezus Chrystus? To nie jest zły wzór dla katolika. Wpadł mi do głowy pomysł na prosty wykrywacz antysemityzmu w Polsce, podobny do wykrywacza kłamstwa, który notuje odruchy organizmu na bodźce umysłowe. Powiedz sobie głośno zdanie „Jan Paweł II był z pochodzenia Żydem". Jeśli wywołuje to w tobie chęć walki, która przejawia się wzrostem ciśnienia krwi, jesteś antysemitą. Bo to znaczy, że wykluczasz możliwość istnienia dobrych dla nas Żydów. Albo czujesz się gorszy, bo okazuje się, że nie stać cię na swojego „rdzennie polskiego" papieża.

Żydowskie pochodzenie Jana Pawła II – jeśli prawdziwe, chociaż mało mnie to obchodzi – przekonałoby wielu Polaków, że antysemityzm jest jałowy. Można i należy rywalizować z Żydami o władzę i pieniądze, ale nie warto i nie trzeba próbować zwalczać jedynego w historii narodu niezwyciężonego. Inne wielkie narody dawno przeminęły, a ten ciągle trwa pod różnymi postaciami od czterech tysięcy lat i stał się wielki. Kto idzie na wojnę z Żydami, ten robi zły interes. Nie ma przed nimi ucieczki, ani też być nie może. Najwyżej można stawiać opór ich dynamice i hucpie. A przede wszystkim trzeba od nich uczyć się, uczyć i jeszcze raz uczyć. I wystrzegać odruchów niechęci. Zobaczysz, z czasem i Ty zostaniesz Żydem, drogi Czytelniku.

Próbuję zmienić perspektywę, wczuć się w Innego. Jak wygląda rzeczywistość z ich punktu widzenia? Co myślałbym o sobie? W jaki sposób, jako Żyd wybrany przez Boga na „światło narodów", skrywałbym pogardę dla Polaków? Dzięki wyjątkowej empatii wyszkolonej na wrogach, Żyd świetnie się porusza w każdym środowisku. Heinrich Heine i nasz Bolesław Leśmian weszli do grona najlepszych poetów swych przybranych narodów. Heine tak doskonale wczuł się w Niemca, że stworzył poemat „Lorelei", który naziści wykorzystywali jako niemiecką pieśń, rzekomo ludową, nieznanego autorstwa; przecież nie mogli uznać prawdziwego pochodzenia autora. Leśmian wyczynia z polszczyzną rzeczy, których nie robił żaden poeta w tym kraju.

Skoro oni tak dobrze rozpoznali nas, to ja również pragnę wejść w ich skórę. Zostać Żydem? Cóż to za perspektywy! I jaki obowiązek... Na myśl o tej próbie wyobraźni czuję, jak otwiera się świat nowych możliwości. ...oto jestem Żydem ... genialnym „parchem" ... hardym burzycielem bożków ... wiecznym tułaczem ... oszustem gojów ... prorokiem i moralnym wirtuozem ... wybranym dzieckiem Boga ... w myśli przymierzam się do złożonej roli. Wnikając w judaizm, mam wrażenie, że przedzieram się przez zasieki uprzedzeń do zapomnianej ojczyzny. Uczuciowość i styl bycia miewają czasem okropne, ale ta ciekawość nienasycona należy do rdzenia mej osobowości. Więc może... Stop! Jestem tylko głupim gojem.

Ich świat wydaje mi się przerażający, o intensywność bycia nieznanej Polakom. Co czuje ścigany całe życie człowiek, który uważa się za lepszego od swoich oprawców i nimi gardzi? Jakie są skutki godzenia swego poniżenia z poczuciem wyższości? Nienawiść i pogarda dla gojów muszą być rozpalone do białości tym bardziej, że trzeba je ukrywać. Słabszy Żyd mógł górować nad wrogiem głębszymi uczuciami i większym sprytem, a nie siłą. Talmud zawiera tak obrzydliwe zalecenia, jak traktować nie-Żydów, że wolę ich nie cytować, by nie tworzyć dodatkowej bariery między nami. Wszak mamy się od nich uczyć.

Pojęcie „narodu wybranego" jest z Żydami od początku ich dziejów. Więc nie łudźmy się – pierwsza była pogarda dla gojów jako gorszych. To musiało mieć skutki w obcowaniu z nami w postaci nadużyć. Potem prześladowania z naszej strony i pogarda w odwecie. Nienawiść wywołała tyle krzywd po obu stronach, że chyba nie ma innego rozwiązania, niż konfliktowe, choć pokojowe współżycie.

Zastanówmy się nad treścią największych świąt żydowskich. Oto święto Purim na pamiątkę wielkiego wydarzenia: Mordechaj, przybrany ojciec królowej Estery, nie chciał oddawać pokłonu Hamanowi, wielkorządcy króla Persji. Haman w odwecie postanowił wybić Żydów. Małżonka władcy Persji, krypto-Żydówka, uprosiła męża o opiekę nad swym ludem, a ten kazał zabić wielkorządcę, Żydom zaś pozwolił powiesić dziesięciu jego synów. Miło? Ponadto Żydzi w całej Persji zabili 75 tysięcy swoich przeciwników, jednak „po ich majątek nie wyciągnęli ręki" (Est 9, 16). Nie zadzieraj z Żydami, bo nigdy nie wiadomo, jak wysoko mają sojuszników. To jeden z sensów święta Purim, rozpamiętywany od tysięcy lat.

Weźmy najbardziej popularne święto Paschy na pamiątkę wyprowadzenia z Egiptu przez Mojżesza. Faraon próbował ich zatrzymać, za co Bóg zesłał na Egipcjan – nie na samego faraona, ale na cały jego lud – dziesięć plag. Rabin Joseph Telushkin pisze w księdze „Jewish Literacy. The Most Important Things to Know About Jewish Religion, Its People, and its History" (Żydowskie oczytanie. Najważniejsze rzeczy, które trzeba znać o żydowskiej religii, ludzie i historii), że najcięższa była ostatnia plaga. „Pierworodni synowie umarli w każdej egipskiej rodzinie, być może w odwecie za wcześniejsze mordy na żydowskich noworodkach. Dzień przed zabójstwem nowo narodzonych Mojżesz kazał Izraelitom zarżnąć jagnię (zwierzę, które było także awatarem egipskiego boga Amona) i spryskać paroma kroplami jego krwi odrzwia ich domów. Dzięki temu Anioł Śmierci zobaczywszy tę krew wiedział, że dom taki jest zajmowany przez Izraelitów i przechodził obok (w hebrajskim *pesach*), zabijając tylko egipskie noworodki. Kiedy zaczęła się dziesiąta plaga, faraon przeraził się i oświadczył, że Hebrajczycy mogą odejść".

Od tysięcy lat Żydzi rozpamiętują w święto Paschy okrutny zbiorowy odwet na niewiniątkach i ich rodzicach za próbę zatrzymania ich w egipskiej niewoli. Zemstę nie na faraonie, na co zezwalałyby nasze pojęcia moralne, ale na wszystkich Egipcjanach, choć nie mieli wpływu na decyzję swego absolutnego władcy. Jak to oddziałuje na psychikę narodu, który karmi siebie takim pojęciem sprawiedliwości w swe najbardziej popularne święto? Nam wszystko wolno. Natomiast chrześcijanie w okolicach święta Paschy obchodzą umęczenie swego Boga, a nie zemstę, bo Ten nakazuje przebaczanie wrogom. Nasze najbardziej popularne święto powstało bowiem na pamiątkę narodzin dziecka, a nie mordu na noworodkach, zaś głównym jego punktem jest rozdawanie prezentów.

Oba wymienione święta żydowskie wpajają nienawiść do gojów, co nie może być zdrowe. Chyba że zmienimy punkt widzenia na globalny. Wtedy się okaże, że konflikt między narodem wybranym a resztą narodów wyszedł na dobre całemu rodzajowi ludzkiemu – jako napęd bolesnego rozwoju świadomości. Dlatego, że podtrzymywana nienawiść do „narodów" wytworzyła mur, za którym dojrzewał ten genialny lud, który dopiero w XIX wieku zaczął pokazywać pełnię swych możliwości intelektualnych.

Kluczem do wielkości Żydów jest życie w dwóch światach, powiada Arthur Hertzberg. Póki są religijni, póty trwają w stałym napięciu między ziemską rzeczywistością a prawem boskim, które pragną zgłębić i traktują o wiele poważniej od katolików. Nawet kiedy tracą wiarę, nie tracą twórczego rozdwojenia. Są wtedy rozdarci między tradycją judaizmu a kulturą swego przybranego narodu. Gdy patrzy się na świat w dwóch perspektywach, trzeba godzić różne, często wrogie sobie punkty widzenia, szukać dla każdego argumentów i badać ich wagę, co pobudza wyobraźnię i kreatywność. A ponadto diaspora sprawiła, że mówią prawie wszystkimi językami świata i czują się u siebie niemal w każdym kraju. Są jednocześnie nomadami, nacjonalistami oraz kosmopolitami.

Nawet na głuchej polskiej prowincji wielu znało cztery języki: kolokwialny jidysz, hebrajski nauczony w dzieciństwie, aby rozumieć Biblię i modlitwę, i aramejski dla studiowania Talmudu oraz język lokalny, polski lub rosyjski. W Oświeceniu opanowali niemiecki, jako język literacki ludzi wykształconych. Przy takim rozbudzeniu religijnym i językowym nawet szewc miał warunki, by zostać intelektualistą. Wyostrzona na Talmudzie i w prześladowaniach umysłowość pchnęła naprzód ich cywilizację w niemal wszystkich dziedzinach.

Zasymilowani Żydzi amerykańscy boją się, że spoczną na laurach i „zgłupieją" do poziomu reszty Amerykanów, gdy zabrakło im bicza antysemityzmu. Rabin Hertzberg, były prezes Amerykańskiego Kongresu Żydowskiego, uważa jednak, że to niemożliwe. Jest coś takiego, jak ich narodowy charakter. Pojawił się z Abrahamem, istnieje do dzisiaj i będzie istnieć zawsze. To naród wybrańców Boga, wichrzycieli i outsiderów. Hertzberg twierdzi, że antysemityzm jest gniewną reakcją na najbardziej uporczywych dysydentów społeczeństwa. Rzucają wyzwanie panującym dogmatom, poczynając od samego Abrahama, który zniszczył idole swego ojca Teraha, ponieważ nie mógł tolerować fałszywych, jego zdaniem, bogów. Ten uparty sprzeciw trwa przez tysiąclecia. „W średniowiecznej Europie – pisze Hertzberg – nikt przez chwilę nie wątpił w boskość Chrystusa, dopóki nie pojawił się Żyd". Antysemityzm jest więc jego zdaniem gniewem większości ludzi przeciw ludowi, który swym istnieniem ciągle podaje w wątpliwość ich prawdy. Geniusz Żydów jest wypadkową dwóch potężnych sił. Od wewnątrz stworzyła go własna religia i kultura, ale od zewnątrz ukształtował Kościół przez tysiąclecia prześladowań – Kościół założony zresztą również przez nich samych.

Żydzi wywołują podziw, ostrożność i współczucie. Podziw dla siły wewnętrznej i nadzwyczajnego wzbogacenia rodzaju ludzkiego. Ostrożność w ocenie ich motywów działania, które przy tak powikłanej historii muszą być bardziej powikłane, niż się wydaje. Współczucie nie tylko z racji ludzkiego braterstwa, ale także dla wzmocnienia naszego człowieczeństwa. Polubić Żydów jako formację psychiczną, sporo o nich wiedząc, to wyzwanie dla naszej dojrzałości.

„Jakich rzeczy w historii Żyd nie odczuł? – pyta francuski syjonista Bernard Lazare. – Czego nie doświadczył? Jaki wstyd go nie spotkał? Jakiego bólu nie cierpiał? Jakich triumfów nie zaznał? Czego nie musiał się wyrzec? Jakiej dumy nie wykazał? A wszystko to zostawiło w duszy głębokie ślady, zupełnie jak powódź zostawia szlam na dnie doliny". Kto potrafi sprostać takiej skali doświadczenia, może zdobyć wielkość. Niesamowity sukces Żydów w USA wydaje się tylko zadośćuczynieniem ogromu cierpień zaznanych w dziejach głównie od chrześcijan. Nowy Testament nazywamy Dobrą Nowiną. Jednak dla nich okazał się najgorszym dokumentem w historii. Wielu Żydów widzi w Betlejem zapowiedź Oświęcimia.

Sobota

Napisałem artykuł „Nasz Mefisto", jak Roman Polański poszerza naszą świadomość zła. Czy igrając całe życie z naszym świętym oburzeniem, może liczyć na miłość? Chyba musi mu wystarczyć współczucie dla udręki, uznanie za śmiałość i podziw dla jego sztuki. To bardziej dojrzałe niż ślepy kult sławy. Uwagi w tym duchu posyłałem kolejno do paru redakcji w formie artykułu, jako powitalny wiwat dla rodaka. Niech wie, że nie jest sam, że ktoś w tym kraju próbuje go pojąć i wybaczyć. Żadna nie odważyła się na publikację. Dopiero „Rzeczpospolita" po objęciu redakcji przez Pawła Lisickiego zdecydowała się na druk. Potem Jan Pospieszalski poświęcił pół swego programu w TVP demonicznym fascynacjom artysty. Jacyś ludzie, jak Polański, układają nam ryzykowne scenariusze wyobraźni, a my cicho sza, uszy po sobie, służymy na dwóch łapkach. Polaczki.

Środa

Rozumiem zastraszonych rodaków. Nazywanie rzeczy po imieniu wywołuje wrogość i ma przykre skutki. Oto w „Filmie" zaprotestowałem przeciw judaizacji Gombrowicza przez Jana Jakuba Kolskiego. Wprowadził bowiem wątek ukrywających się Żydów do swojej „Pornografii" według powieści Witolda Gombrowicza. Zamiast Żydów radziłem kokietować gejów. Na co aktor Krzysztof Majchrzak, grający główną rolę Fryderyka, zarzucił mi podłość.

A ja, mieszkając w Nowym Jorku, napatrzyłem się na interesy zrobione na Zagładzie. Męka milionów pomordowanych procentuje dziś pieniędzmi i wpływami. I oto w Polsce, gdy Lew Rywin poczuł, że może trafić do więzienia za korupcję, zaraz ogłosił, że robi film o Holocauście. Był też producentem nieszczęsnej „Pornografii". Poczucia wstydu chyba jednak nie ma. Lecz nie można wykluczyć, że Jan Jakub Kolski i jego aktor jak duże dzieci nie wiedzą jeszcze, kto rządzi kinem i komu warto się przypodobać.

Odważne założenie, ale naiwność jest prawem artysty. Mamy też podświadomość, gdzie zachodzą tajne kalkulacje i wcale nie musimy o nich wiedzieć, a jeszcze lepiej nie przyznawać się do nich przed sobą. A już w żadnym razie publicznie. W takim razie, jak zbadać, czy chodzi o cwaną rachubę, czy szczerą decyzję artystyczną? Trzeba sprawdzić, na ile motyw Zagłady pasuje do dzieła i kultury, z której ono wyrasta.

Majchrzak twierdził, że do postaci Fryderyka trzeba było dodać przeszłość, żeby nabrała głębi. W to wierzę. Tylko dlaczego głębia wynika ze zdrady córki, którą bohater filmu miał z żoną Żydówką? Jest to główny powód jego działań, prowadzący do samobójstwa. Rozpacz po żydowskiej córce tak bardzo ma ciążyć nad fabułą, że w tym celu została skojarzona z wiodącym motywem muzycznym. Trąci to fałszem.

Gombrowicz pozował na arystokratę, którym zresztą był. Miał również obsesję zdrady Polski i swojej klasy społecznej. Byłoby więc lepiej, gdyby Fryderyk zdradził pszennowłosą, niebieskooką córkę, zrodzoną z przysłowiowej Matki Polki w trakcie wywózki na Wschód przez bolszewików. Kolski mógłby wspomnieć mimochodem, że 17 września 1939 roku część polskich Żydów witała kwiatami okupacyjną Armię Czerwoną jako wyzwolicieli od ucisku Polski. Czy Kolski i Majchrzak nie słyszeli o wywózce ziemiaństwa na Sybir? Ależ słyszeli, tylko że ta wiedza im się nie opłacała lub była im obojętna. A wtedy wymordowano formację społeczną, która stanowiła nośnik polskiej świadomości. Ścięto kwiat narodu. Może dla nich, z producentem na czele, to nie jest poważny problem. Jednak dla mnie jest. I proszę to uszanować, bo z poczuciem wielkiej straty nie jestem sam w tym kraju – pisałem wojowniczo w „Filmie".

Uszanować, ale kto ma to robić? Tępiąc arystokrację, komuniści sprawili, że w kinie brakuje artystów wielkopańskich, którzy tworzyliby wyrafinowaną polską formę filmową, jak w literaturze Gombrowicz czy Jerzy

Iwaszkiewicz. Zamordowali rodziców naszego Luchino Viscontiego, zanim się narodził. Mamy w polskim kinie potomków sklepikarzy, szewców, komunistów, mieszczan. Dlatego mówię – zostawcie nam w spokoju wielkiego pana. Judaizacja Gombrowicza jest nadużyciem. Jeżeli nie czujecie jego problematyki, to się do niego nie bierzcie. Skoro najboleśniejszą raną po drugiej wojnie światowej jest dla was Zagłada, to weźcie do filmu literaturę napisaną na ten właśnie temat.

A teraz o gejach. Twierdził biedny Majchrzak, że głupio radziłem wydobycie z „Pornografii" wątków homoseksualnych. Czyżby? Można było Fryderykowi dopisać żydowską córkę, to tym bardziej można było kochanka. Byłoby to bliższe pasji, czyli męki wielkiego pisarza. Wskazywałoby ważne źródło jego wyczulenia na formę. Kolski i Majchrzak mogą odpowiedzieć, że nie mają pojęcia, co czują geje. Niech więc zrozumieją geja poprzez Żyda. Obie te mentalności sprzyjają geniuszowi. Poczucie wyobcowania ułatwia obserwację z dystansu swego otoczenia. Niezgoda na siebie i lęk przed napaścią wyostrzają zmysł psychologiczny. Wymuszony konformizm uświadamia narzuconą rolę. Spętany gniew na świat sublimuje się w sztukę, bo żeby stworzyć coś nowego, trzeba zburzyć stare. Dlatego jedni i drudzy są tak kreatywni. Stanowią sól ziemi. No, może sól i pieprz.

W tym samym numerze redakcja „Filmu" wydrukowała mi artykuł napisany po obejrzeniu wystawy Muzeum Żydowskiego w Nowym Jorku. Wystawa i mój tekst wyjaśniały, dlaczego Żydzi rządzą kinem. Po miesiącu został wyrzucony z pracy przez francuskiego właściciela pisma, koncern Hachette Filippachi Polska, redaktor naczelny i jego zastępca. Dyrektorem generalnym wydawnictwa był wtedy Guillaume Devoud. Mogłem tylko powiedzieć

w telewizji: „Pan jest gościem w tym kraju, panie Devoud.
Trzeba szanować nasz dorobek". A gość i tak przyszedł
i zrobił swoje.

Ten sam artykuł dałem do książkowego zbioru tekstów
filmowych „Obalanie idoli". Odpór dał mi Tadeusz Lu-
belski, pisząc w „Tygodniku Powszechnym", że mam „fo-
bię" szukania „wszędzie" żydowskich wpływów. Redakcja wydrukowała mój list, w którym odpowiedziałem:
„Nie szukam ich pod łóżkiem. Kino jako przemysł założyli w Ameryce imigranci żydowscy z Europy Środkowej
i Wschodniej. Nie można ukrywać ich wpływu, zwodząc
czytelników. Nie czynię Żydów odpowiedzialnymi za dominację «seksu i przemocy» w kinie. Podaję ten pogląd
za wystawą w Muzeum Żydowskim w Nowym Jorku, jak
Żydzi stworzyli i rządzą Hollywood, zwłaszcza za katalo-
giem «Entertaining America. Jews, Movies, and Broadcasting». Na to źródło wyraźnie się powołuję".

The Jewish Museum w Nowym Jorku powinno być wy-
starczająco koszerne Tak mi się wydawało. A skoro temat wywołuje takie nieporozumienia, to artykuł o Żydach
w Hollywood zamieszczam też w tej książce, dla głębszych przemyśleń. Warto pamiętać, kto, dlaczego i jak
tworzy światu „najważniejszą ze sztuk".

Środa

Mam słabość do Agnieszki Holland. Była najlepsza
z młodych reżyserów „kina moralnego niepokoju" w drugiej połowie lat siedemdziesiątych ubiegłego wieku.
Jako młody krytyk zapalczywie popierałem to kino. Polu-
biłem ją i szanowałem za zdecydowanie. Najzdolniejsza
z grona wychowanków Andrzeja Wajdy, wydawała mi się
także najuczciwsza ze swego pokolenia.

Wyszła na szeroki świat dzięki talentowi. Nie zawadziło karierze wzięcie tematu Holocaustu. Zrobiła to po swojemu, waląc między oczy. Jej film „Europa, Europa" o chłopaku żydowskim ukrywającym się w szeregach Hitlerjugend usprawiedliwia konformizm potrzebą przeżycia. To prawdziwa historia, chociaż aktor grający chłopaka ma skrajnie aryjski typ urody, podczas gdy autentyczny młody Solomon Perel ledwo ujdzie w tej kategorii. Ma to chyba wyrażać myśl, że wyróżnianie Żydów według rasowych kryteriów wyglądu jest błędne.

Też tak sądzę. Ważniejszy jest kod kulturowy judaizmu. Mało kto chce o tym mówić pod nazwiskiem. Gdy postawiłem problem w artykule „«Gazeta Wyborcza» a kod kulturowy judaizmu", zostałem oskarżony o rasizm, chociaż już w tytule podałem kryterium kulturowe, a nie genetyczne. Pisałem o tym wyżej.

Późniejsze o 20 lat „W ciemności" ujawnia protekcjonalny stosunek Agnieszki Holland do Polaków. Owszem, Leopold Socha ratuje Żydów, ale dopiero z czasem robi to bezinteresownie, gdy skończą się im pieniądze. Czy chodzi tylko o regułę dobrego scenariusza, że bohater powinien się rozwijać w trakcie fabuły? Czy może przejawia się w tym poczucie wyższości narodu wybranego, usprawiedliwione przewagą umysłową, choć nie powiedziane wprost? Końcowy okrzyk Polaka „to moi Żydzi!" brzmi groteskowo. Socha rości sobie prawo własności do czegoś, co wielekroć go przerasta.

Agnieszka Holland zdobyła trzy nominacje do Oscara, ale tylko za filmy o Holocauście, wspomniane wyżej, oraz „Gorzkie żniwa". Jej talent rozkwita przy tematyce Zagłady albo Amerykańska Akademia Filmowa popiera tę tematykę. Zapewne jedno i drugie.

Cóż Polacy, by tak rzec, etniczni mogą przeciwstawić machinie wybitnych umysłów i globalnej promocji? Tylko wielki własny talent, aby przebić się ze swą wrażliwością i rzucić światową publiczność na kolana. W ratowaniu Żydów podczas niemieckiej okupacji brały udział tysiące ludzi. Ryzykowali śmierć własną i najbliższych. Spalenie żywcem rodziny, łącznie 34 osób, w stodole (!) za ukrywanie sąsiadów pokazuje „Historia Kowalskich". Polska nie zgłosiła do Oscara filmu w realizacji Macieja Pawlickiego i Arkadiusza Gołębiewskiego. Nie zasługiwał na to. Został zrobiony w pośpiechu, bez pieniędzy i wybitnego talentu Agnieszki. Szlachetna opowieść o heroizmie motywowanym wiarą katolicką jest za słaba warsztatowo, żeby przebić się do kin świata i podważyć oskarżenia o udział Polaków w Zagładzie. Poszła więc w świat fabuła paternalistyczna „W ciemności", jakby godność motywowana katolicyzmem nam nie pasowała. Że się rzadko zdarza? Ukrywanie się Żydów w Hitlerjugend zdarzało się jeszcze rzadziej, a jednak Holland zrobiła o tym film.

Czwartek

Wywiad dr. Aliny Całej z Żydowskiego Instytutu Historycznego w „Rzeczpospolitej" nosi podtytuł „W pewnym sensie Polacy są odpowiedzialni za śmierć wszystkich 3 milionów Żydów – obywateli II RP". A przyczyną – twierdzi żydowska badaczka – „był przedwojenny antysemityzm, który nie przygotował ich moralnie do tego, co miało się dziać podczas Zagłady. Nośnikiem tego antysemityzmu były dwie instytucje. Ugrupowania tworzące obóz narodowy oraz Kościół katolicki". Odpowiedział polski historyk dr Piotr Gontarczyk. Wypowiedzi Aliny Całej rozgrzały do białości raczkujących narodowców polskich. Zwołali się na demonstrację pod Żydowskim Instytutem Historycznym, ale przyszło kilka, kilkanaście osób. Zwolennicy doktor Całej skrzyknęli się na kontrdemonstrację, przyszło około 200. Wśród nich Agnieszka Holland. Siedząc wtedy w Nowym Jorku, napisałem do niej list otwarty.

Droga Agnieszko,

wybacz poufały ton, ale znając się ponad 30 lat, chyba możemy sobie mówić publicznie po imieniu. Poznaliśmy się przy okazji kina moralnego niepokoju, Ty je odważnie tworząc, a ja zażarcie go broniąc. Nabrałem wtedy szacunku nie tylko dla Twego talentu, lecz także charakteru.

Twój pierwszy film kinowy „Aktorzy prowincjonalni" wykorzystujący wątki „Wyzwolenia" Stanisława Wyspiańskiego dowiódł, że masz polskie serce. „Gorączka", ostrzegając Solidarność przed daremną rewolucją, pokazała, że masz mądrą żydowską głowę. Jest to zapewne zasługa Twoich rodziców – polskiej matki i ojca Polaka żydowskiego pochodzenia. Potrzeba w kraju takich twórców, aby byli uczciwymi pośrednikami w rosnącym konflikcie polsko-żydowskim. Potrzeba ludzi z Twoim autorytetem, znających obie strony sporu, którzy mogą wzbudzić u każdej z nich zaufanie i pomóc we wzajemnym zrozumieniu.

Aparat państwowy PRL ciężko skrzywdził Twego ojca, ale to nie powinno być przyczyną resentymentu wobec Polaków. Czyż Twój ojciec nie skrzywdził nas, biorąc udział w narzucaniu komunizmu? Skoro PRL urządził czystkę antysemicką w roku 1968, czemu w polskim kinie nie pojawiło się pytanie, skąd się wzięli Żydzi

w aparacie partyjnym i państwowym i co robili 20 lat
wcześniej? Wśród wypędzonych byli oprócz niewinnych
również nasi okrutni prześladowcy. Czemu więc Marzec '68 jest uważany za przykład ciemnego polskiego
antysemityzmu, a nie za bunt polskich uczniów wobec
żydowskich nauczycieli komunizmu w celu zajęcia ich
posad – albo rewanż, albo kara w ujęciu filmowców
wrażliwszych moralnie?

Dzisiaj Polacy są oskarżani o udział w Zagładzie lub
obojętność wobec tamtej niemieckiej zbrodni. Oskarży-
ciele przemilczają, że inaczej niż w Europie Zachodniej,
w Polsce groziła śmierć całej rodzinie za ukrywanie Żydów. Mimo to tysiące Polaków zdobyło się na bohaterstwo, w tym Twoja matka „Sprawiedliwa wśród narodów
świata". Czyż nie zmyli z nas hańby za tych, którzy współ-
pracowali z Niemcami przy Zagładzie? Obecnie z cof-
niętego w rozwoju przez komunizm kraju samozwańczy
spadkobiercy chcą wycisnąć miliardy dolarów odszkodowań za mienie ofiar Zagłady zmarłych bezpotomnie,
choć według prawa takie mienie przechodzi na skarb
państwa. Taki jest kontekst oskarżenia o udział Polaków
w Holocauście, które ostatnio wyszło z Żydowskiego Instytutu Historycznego w Warszawie. Czy rezultatem ma
być wywołanie u Polaków poczucia winy i zgody na bez-
prawną wypłatę? A co się stanie, jeśli nastąpi inna, gwał-
towna reakcja?

Gdy Europa wypędzała Żydów, przygarnęła ich Polska, dając stosunkowo dobre warunki bytowania. Teraz
płaci rachunek za tamtą wielkoduszność. Historia nieraz pokazała, że brak powściągliwości i pycha mają ka-
tastrofalne skutki. Trzeba więc położyć kres prowoka-
cjom: poniżaniu flagi narodowej czy religijnego symbolu
polskości, jakim jest krzyż dla wielu Polaków, a to tylko

*niektóre przykłady. Trzeba działać, zanim znowu dojdzie
do nieszczęścia. Żaden naród nie toleruje bez końca
upokorzeń na własnym terytorium.*

Agnieszko,

Twoje miejsce w tym konflikcie nie jest po żadnej stronie, ale pomiędzy nimi, jako pośrednika godnego zaufania. Masz tę rolę do odegrania jako prezydent Polskiej Akademii Filmowej. W przeciwnym razie wyrządziłabyś szkodę środowisku filmowemu w Polsce. Publiczność musi mieć pewność, że reprezentujesz polską instytucję kulturalną, która zgodnie z naszą najlepszą tradycją służy tolerancji narodowej i wyznaniowej, zamiast podsycać tego rodzaju waśnie. Liczę na Twój rozum i twardy charakter. Bo trzeba mieć charakter, żeby w międzynarodowym świecie filmu pamiętać o Polakach.

Wielbiciel twego talentu,
Nowy Jork, 6 lipca 2009

Piątek

Wydawało mi się, że kiedy sprawuje się funkcje ogólnonarodowe, na przykład prezydenta Polskiej Akademii Filmowej, to nie należy uprawiać własnej polityki etnicznej, i to jeszcze w tak bolesnej sprawie. Odpowiedzi od Agnieszki nie dostałem. Była tylko żywa reakcja w Salonie 24, gdzie list umieściłem. Ktoś z komentatorów wkleił pod nim list otwarty córki gen. Fieldorfa, zamordowanego przez żydokomunę, do Aliny Całej – z miażdżącą propozycją na końcu. Maria Fieldorf-Czarska prosi dr Całą o pomoc w realizacji pewnego pomysłu.

Moim zdaniem, należy podziękować wszystkim Żydom, którzy po wojnie pomagali polskim patriotom, prześladowanym i mordowanym przez sowieckie siły „bezpieczeństwa publicznego" tylko dlatego, że chcieli Polski wolnej, suwerennej. Żydzi mieli duże możliwości pomagania, ponieważ wielu z nich zajmowało wysokie stanowiska w aparacie partyjnym i policyjnym Polski sowieckiej. Co prawda mojemu Ojcu nie pomogli, lecz uczestniczyli w mordzie sądowym. Pisali akt oskarżenia i wydali dwa razy wyrok śmierci na Ojca, wysługując się Związkowi Sowieckiemu za stanowiska i ordery. Ale ja z powodu Auscalera, Merza, Wajsblecha czy Górowskiej nie mogę sobie wyrabiać opinii o całym narodzie żydowskim.

Zapewne zna Pani, jako historyk, liczne przykłady pomocy udzielonej Polakom przez Żydów. To jest istota mojej propozycji, którą sformułowałam w liście otwartym do Adama Michnika już w styczniu 2001 roku, opublikowanym w „Naszym Dzienniku", zignorowanym przez „Gazetę Wyborczą". Niestety, do dziś nie dostałam odpowiedzi. Pora wrócić do sprawy:

Zorganizujmy wspólnie – Polacy oraz Żydowski Instytut Historyczny – akcję upamiętniania Żydów, którzy z narażeniem życia ratowali Polaków z rąk NKWD-UB i KGB-SB w latach 1939–1989, szczególnie w okresie okrutnej sowieckiej okupacji Kresów oraz w pierwszym dziesięcioleciu po wojnie. Mam nadzieję, że teren niezbędny do sadzenia drzew upamiętniających szlachetne czyny zostanie udostępniony przez odpowiednie władze. Szlachetność i odwaga ludzka winny być zauważone i nagrodzone nie tylko przez Izrael, ale i przez Polskę. Pani jako Żydówka z polskim obywatelstwem na pewno to rozumie. Jeśli chodzi o motto całej akcji, to zapewniam

Panią, że w Ewangelii znajdzie się wiele pięknych myśli o wymowie zbliżonej do tych o ratowaniu świata przez dobre uczynki pojedynczych ludzi.

Maria Fieldorf-Czarska
córka gen. bryg. Augusta Emila Fieldorfa „Nila"
Gdańsk, 28 maja 2009 roku

O ile wiem, do tej pory nie powstał ogród wdzięczności Żydom, którzy z narażeniem życia ratowali Polaków przed oprawcami z NKWD-UB i KGB-UB. Czyżby nie było bohaterów? A o ileż mieli większe możliwości w PRL niż Polacy w Generalnej Guberni…

Wtorek

Sześćdziesiąt pięć miliardów dolarów, tyle ma wynosić wartość w Polsce majątku ofiar Holocaustu zmarłych bez potomków. Żądanie zwrotu wysunął były ambasador Izraela w Polsce, Dawid Peleg. Najpierw, korzystając z gościnności jako dyplomata, rozejrzał się w naszym kraju, ocenił, czy są możliwości wyciśnięcia trybutu, i ruszył do akcji po powrocie do domu. Skłoniło mnie to do wpisu na Salonie 24 z wezwaniem rodaków do akcji:

Prezydent Izraela Szymon Peres, dumny z rozkwitu gospodarczego swego kraju, publicznie powiedział: „Izrael może poszczycić się niespotykanym sukcesem. Na dzień dzisiejszy wygraliśmy ekonomiczną niezależność i wykupujemy Manhattan, Polskę i Węgry. (…) Dla takiego małego kraju jak nasz to jest naprawdę zadziwiające". Rzecznik ambasady Izraela w Warszawie potwierdził wypowiedź, choć uznał te słowa za „źle dobrane".

Podziwiam Izrael, że stworzył kwitnącą cywilizację na pustyni. Piszę o tym w rozdziale o Izraelu, cudzie cywilizacji. Co prawda stworzył nie tylko dzięki pracy zdolnych i wytrwałych mieszkańców, ale również napływowi pieniędzy z całego świata, z różnych źródeł. Cytat z Peresa znalazłem w liście senatorów PiS do premiera Donalda Tuska. Są zaniepokojeni rokowaniami rządu polskiego z organizacją Pelega, która żąda zwrotu mienia lub odszkodowań za mienie ofiar Holocaustu zmarłych bezpotomnie.

Rząd chyba nie zdaje sobie sprawy z tego, jakie implikacje wynikają z samego faktu prowadzenia rokowań. Dlatego jako zatroskany obywatel wysłałem poniższy list do marszałka Senatu Bogdana Borusewicza z PO oraz wicemarszałka Zbigniewa Romaszewskiego z PiS. Lepiej wysuwać argumenty w ciszy gabinetów, ale skoro pan Peleg swoje już wyłożył publicznie, to należy mu się publiczna debata. Aż się prosi o wystąpienie w tej sprawie jakże licznych w Polsce autorytetów moralnych i intelektualnych.

Szanowny Panie Marszałku

Spełnienie żądań wyrażanych przez p. Dawida Pelega będzie znaczyło – obawiam się – uznanie zasady, że zmarli bezpotomnie w Zagładzie obywatele polscy pochodzenia żydowskiego nie należeli do polskiej wspólnoty państwowej. Należeli natomiast do ponadpaństwowej wspólnoty żydowskiej. Rodzi to bolesne pytania:

1. Czy powinni piastować stanowiska państwowe w II Rzeczpospolitej i czy można było być pewnym ich lojalności?

2. Czy zasada, że obywatel polski pochodzenia żydowskiego nie należy do polskiej wspólnoty państwowej,

dotyczy także PRL i III Rzeczpospolitej? Może przecież
zostać wysunięta w przyszłości przez jakiegoś szaleńca,
skoro już została odniesiona do II Rzeczpospolitej.

3. Jeśli dotyczy III Rzeczpospolitej, to czy obywatele
polscy pochodzenia żydowskiego mogą obecnie sprawo-
wać wysokie stanowiska państwowe, być posłami, mieć
wpływowe pozycje w życiu społecznym i kulturalnym?

4. Jeśli obywatele polscy pochodzenia żydowskiego zaj-
mują dziś wysokie stanowiska i wpływowe pozycje, to czy
należy ich usunąć, skoro mogą się okazać nie tyle człon-
kami polskiej wspólnoty państwowej, jak obecnie wie-
rzymy, ale ponadpaństwowej wspólnoty żydowskiej, skąd
wyjdą akcje wrogie Polsce, jak w przypadku p. Pelega?

STOP!

Jak widać, proste wnioskowanie według logiki pana
Pelega prowadzi do uzasadnienia czystki antysemickiej
w Polsce oraz w innych krajach świata poza Izraelem. By-
łaby to katastrofa moralna, polityczna, a także meryto-
ryczna, ponieważ są to często wybitni fachowcy. Nie wolno
na to pozwolić! Trzeba powstrzymać prowokację Pelega.

Kogo przekonuje ta argumentacja oraz komu zależy na
polskiej racji stanu i na pokoju w świecie, może zechce
wysłać taki list lub podobny do marszałków Sejmu i Senatu. Notce dałem tytuł „Ostrzeżenie". Hucpą na hucpę!
Uważam, że to jest najlepsza odpowiedź.

Poniedziałek

Rząd Donalda Tuska zaczął prowadzić z tymi hucpia-
rzami negocjacje. Partnerzy ... dialogu ... grożą, że
w razie niezaspokojenia żądań Polska będzie upoka-
rzana w świecie. Potrafią postawić na swoim.

Obserwuję w Ameryce, jak bardzo są skuteczni. Jedna z książek Kevina MacDonalda „The Culture of Critique" ukazuje wpływ judaizmu na życie umysłowe i mentalność Amerykanów. Niemal odsunęli od wpływu na kulturę Ameryki tradycyjną elitę białych anglosaskich protestantów, którzy założyli kraj. Elitarny WASP jest dzisiaj przedmiotem politowania, a WASP ludowy – obiektem ledwo skrywanej pogardy. Otworzyli za to szeroko Amerykę dla imigrantów z całego świata, żeby wytworzyć mieszankę etniczną, bo tylko w społeczeństwie wielokulturowym czują się bezpiecznie, jako jedna z wielu mniejszości, choć najbardziej wpływowa. Dzięki temu około 2 procent mieszkańców Ameryki obezwładniło w wielkiej mierze elitę kraju i narzuciło swą wolę reszcie. Było to możliwe dzięki: 1. nieporównanej solidarności działania; 2. hasłom moralności powszechnej, choć także we własnym interesie.

Czy sile organizacyjnej i materialnej Żydów można skutecznie przeciwstawić się w demokracji, jeśli się przy czymś uprą? Nie udało się to potężnym WASP-om, więc chyba nie uda się też słabym Polakom. Jednak można osłabić ich presję moralną, podnosząc wydatny, twórczy udział komunistów żydowskiego pochodzenia w zbrodniach komunizmu. Opisuje to książka „The Jewish Century" Yurija Slezkine'a, w rozdziale „Chętni oprawcy Stalina". Ostatnio wyszła w Polsce. Zresztą innej literatury też nie brak.

Jaki to ma związek z nazizmem, który dokonał własnej zbrodni ludobójstwa? Narodowy socjalizm był odpowiedzią na komunizm u władzy. Najpierw nastąpiło ludobójstwo komunizmu, łagry dla wrogów klasowych i politycznych, śmierć głodowa milionów Ukraińców, system niewolniczy gułagów. A dopiero potem zostały dokonane zbrodnie nazizmu z inspiracji zbrodniami bolszewickimi. Europa była przerażona rewolucją. Niemcy wiedzieli, co to znaczy, gdyż poznali u siebie lokalne rządy komuny w roku 1918. Dopiero pod wpływem tych wstrętnych doświadczeń bolszewickich istniejący już wcześniej antysemityzm niemiecki przybrał morderczą postać. Hitlerowi łatwiej było straszyć Żydami i budzić do nich pogardę z powodu ich wielkiego udziału w komunizmie. III Rzesza zawierała traktaty sojusznicze jako „pakty antykominternowskie", czyli skierowane przeciw Kominternowi, międzynarodówce komunistycznej, m.in. ze strachu przed bolszewickim barbarzyństwem.

Żydowscy komuniści mieli silną tożsamość etniczną, choć spychali ją w podświadomość, ale do czasu, jak wykazuje MacDonald. Podobnie było z żydowskimi komunistami w Polsce. W negocjacjach o mienie bezpotomnych ofiar Holocaustu władze polskie mają nietypowego przeciwnika. Nie są to chciwi, lecz racjonalni politycy. To sprytni fanatycy, szukający odwetu na chrześcijaństwie za rzeczywiście doznane krzywdy.

Żydowska Organizacja na rzecz Zwrotu Mienia żąda wbrew prawu odszkodowań z poczucia więzi grupowej z ofiarami Holocaustu zmarłymi bezpotomnie. Więź jest tak mocna, że przekracza polskie prawo. W takim razie organizację Pelega obciąża również wina za zbrodnie komunistów żydowskiego pochodzenia, te, które poprzedziły Holocaust, i te po zakończeniu wojny. Polskie prawo nie przewiduje takiej odpowiedzialności. Ale przejęcie winy w spadku jest spowodowane poczuciem solidarności żydowskiej, nieprawdaż? Niech ambasador Dawid Peleg solidarnie weźmie na siebie i rodaków również Archipelag Gułag. Sam jest bez winy, ale Żydzi odegrali w nim wybitną rolę.

Organizacjom żydowskim udało się uzyskać odszkodowania z Niemiec, udało się od banków szwajcarskich, ale Polacy są w innej sytuacji. Nie są winni Holocaustu. Są ofiarami komunizmu wprowadzanego w kraju przez żydokomunę. Dlatego należą nam się odszkodowania za zbrodnie, zmarnowane życie milionów ludzi, nędzę i podłości narzuconej władzy. Mamy argumenty, których nie mają Niemcy ani Szwajcarzy.

Organizacja ambasadora Pelega i popierający jej żądania Światowy Kongres Żydów otwierają puszkę Pandory, licząc, że uda się kierować globalną propagandą. Obawiam się, że wypełzną na świat monstra antysemityzmu, które lepiej na zawsze pogrzebać. Przeszkodziłyby nam czerpać z mądrości i wrażliwości moralnej innych, lepszych Żydów.

Środa

Obejrzałem „Skrzypka na dachu", film Normana Jewisona na podstawie musicalu według opowiadań Szolema Alejchema. To rodzaj żydowskiego „Pana Tadeusza", tyle że język poezji zastępują tu muzyka i taniec. Wzruszająca metafora wytrwałości. Tewje Mleczarz wyjaśnia na początku, co porabia skrzypek na dachu: „W Anatewce każdy z nas jest skrzypkiem na dachu próbującym wykrzesać małą, prostą melodię bez złamania sobie karku. To nie jest łatwe. Możesz spytać, czemu tam pozostajecie, jeśli to takie niebezpieczne? No więc zostajemy, bo Anatewka jest naszym domem. A jak utrzymujecie równowagę? Mogę odpowiedzieć jednym słowem: tradycja!".

I właśnie ta tradycja rozpada mu się. Jedna córka wychodzi za rewolucjonistę i podąża za nim na Syberię. Druga przyjmuje chrzest, by wyjść za ukochanego

Ukraińca, potem wyjeżdża z nim do Krakowa. Tylko trzecia wychodzi za tradycyjnego Żyda, ubogiego krawca, choć innowatora, który oszczędza na maszynę do szycia. Po zarządzonym przez władze pogromie gmina Anatewki rozprasza się po świecie. Prawie wszyscy jadą do Ameryki.

Ogromna większość Żydów amerykańskich przybyła właśnie z Rosji i ziem polskich pod rosyjskim zaborem. „Skrzypek na dachu" jest dla nich tym, czym dla starożytnych Greków była „Odysea", sagą narodową wyjaśniającą rolę zbiorowości w świecie, przyrządzoną według rozrywkowych wymagań Broadwayu, a potem globalnego rynku filmowego. Żydzi ukazują w niej siebie jako cierpiącą niezasłużenie mniejszość, która ciężką pracą ledwie utrzymuje się na powierzchni. Tak najchętniej przedstawiają się światu.

Jest to tylko pół prawdy, jeśli uwzględnić przyszłość bohaterów. Największe pogromy z lat 1881–1882 były odwetem władz za zabicie liberalnego, światłego cara Aleksandra II. Zamachu dokonał Polak Ignacy Hryniewiecki, członek Narodnej Woli, ale Żydzi mieli wybitny udział w ruchu rewolucyjnym, napomknięty w filmie, acz nieokreślony w czasie. Brak mi dalszego ciągu fabuły. Chcę zobaczyć sequel „Skrzypka na dachu". Oto buntowniczy zięć mleczarza Tewjego wraca z zesłania i zostaje bolszewikiem. Po wybuchu rewolucji październikowej morduje wrogów klasowych jako nader inteligentny oficer NKWD. Wierna żona popiera go w tej świeckiej wersji żydowskiego mesjanizmu. Zięć Ukrainiec w Krakowie wstępuje z żoną do PPS-Frakcji Rewolucyjnej i bierze udział w wojnie polsko-bolszewickiej po stronie Piłsudskiego, który dążył do stworzenia niepodległej Ukrainy. Natomiast żydowski zięć Tewjego, krawiec kreatywny, w Ameryce zakłada firmę odzieżową. Prawnuk mógłby nazywać się dziś Ralph Lauren (z domu Lipszyc).

Żydzi zasłaniają się folklorem, aby ukryć sukces przed naszą zazdrością. Ich doroczna parada w Nowym Jorku w ostatnią niedzielę maja została pomyślana według tej zasady. To smutne widowisko. Brakuje mu pięknej formy. Pod tym względem Żydzi są jeszcze gorsi od nas. Nasza polska parada Pułaskiego wygląda jak zły sen. Ukazuje Amerykanom naród, który z trudem nosi resztki historycznej świetności. Ten chaotyczny i prowincjonalny pochód usiłuje przekroczyć kiepską pozycję Polonii w Ameryce. Jednak parada ku czci Izraela jest jawnie skrojona poniżej możliwości Żydów. Wprawdzie nie rządzą Ameryką, ale kontrolują Nowy Jork. Z przemarszu po Piątej Alei trudno to zgadnąć. Pokaz siły byłby przytłaczający. Wyobraźmy sobie: maszeruje pół Wall Street, za giełdą podążają tytani handlu nieruchomościami, wszystkie wielkie domy towarowe, wyższe uczelnie, nauczyciele szkół publicznych wychowujący pokolenia Amerykanów, prawnicy, świat kultury, prasa na czele z „The New York Timesem" oraz „The Wall Street Journal", a za nimi szeroka rzeka urzędników miejskich. Pochód – jak każdą paradę – zamykają śmieciarki z roześmianą od ucha do ucha załogą murzyńską. Taki widok nie byłby sympatyczny ani pożyteczny. Dlatego maszerują głównie szkoły i młodzież, do której jeszcze nie należy nic.

Stojące obok mnie starsze małżeństwo próbuje posadzić na przenośnym krzesełku młodą murzyńską policjantkę pilnującą porządku. Kiedy zdziwiona odmawia, częstują ją cukierkiem. Tak okazują brak uprzedzeń rasowych – tłumaczyła mi potem zażenowana zaprzyjaźniona Żydówka. A może tylko strach. Już nic im nie grozi, a jeszcze się boją. Przyłapuję się na wstydzie za tych starszych, doświadczonych ludzi, ale również wstydzę się za siebie. Jak to łatwo zachować wyniosły spokój, gdy nie ma się wbitej knutem w pamięć sztuki przetrwania pogromów. To jedyna parada nowojorska ku czci obcego państwa. Oprócz tego, że celowo pomniejszona, czemu taka brzydka? Właśnie z powodu braku państwa przez dwa tysiąclecia, własnego dworu królewskiego i arystokracji sublimującej maniery, dobry smak. Żydzi są świetni w przejmowaniu cudzej formy plastycznej. Ralph Lauren udoskonalił styl anglosaskich protestantów. Ich własna forma kiełkowała w naszych, kresowych miasteczkach. Parada więc wygląda jak nędza żydowska z polskiej prowincji, po amerykańsku dobrze odżywiona. Natomiast kolory strojów są wyblakłe, a plakaty i malunki nieudolne, jak parodia Chagalla. Nawet polska parada Pułaskiego jest lepsza.

„Jezus był Żydem", stwierdził dużym tytułem na pierwszej stronie pewien tygodnik polonijny.

Podał nowe stanowisko Watykanu, że Jezusa nie da się wypreparować z kultury judaizmu. Oburzeni czytelnicy zasypali redakcję sprostowaniami: Nie był Żydem, tylko Synem Bożym. Redaktor usłyszał od wydawcy pisma, że szkodzi interesom firmy. Znam redaktora i wyczuwam, że chciał przyłożyć obuchem po głowie czytelnikom.

Antysemityzm wśród Polonii jest wyraźniejszy niż w kraju. Nie wynika on z religijnych pretensji o „zabicie Chrystusa" czy bluźnierstwa. Świadczy tylko o bezradnej zazdrości. Imigranci obu narodów startowali w tym samym czasie i z równie złych pozycji na przełomie XIX i XX wieku. Polacy, nie dość, że ciemni chłopi, to jeszcze jako katolicy byli podejrzani, że są na usługach papiestwa. Dla protestanckich Amerykanów dwór papieski był symbolem zepsucia duchowego przepychem, żądzą władzy i pychą. Dopiero Jan XXIII, a potem Jan Paweł II zyskali ostrożną sympatię protestantów. Za to pochodzący z rosyjskiego zaboru Żydzi byli pogardzani przez Anglosasów z powodu prymitywizmu.

Minęło sto lat. Żydzi są obecnie najbardziej wpływową mniejszością etniczną w USA. Chociaż mają niecałe 2 procent mieszkańców, stanowią 20 procent fakultetów najlepszych uczelni i tyleż prawników najlepszych firm. Stworzyli Hollywood nadający ton światowej kulturze popularnej. Mają wielką nadreprezentację w Kongresie i rządzie. Zdobyli większość głosów w wyborach prezydenckich roku 2000. Mający żydowskich przodków Al Gore i Żyd ortodoksyjny Joe Liberman (kandydat na wiceprezydenta) nie weszli do Białego Domu tylko z powodu sposobu liczenia głosów w amerykańskich wyborach.

Miesięcznik „Vanity Fair" zamieścił w połowie lat dziewięćdziesiątych ubiegłego wieku listę nowej amerykańskiej elity. Korespondent prasy angielskiej zauważył, że większość stanowili Amerykanie żydowskiego pochodzenia – i oczywiście zaraz został oskarżony o antysemityzm. Pozycja Żydów jest tak wyjątkowa, że krępująca dla nich samych. Ale tez przynosi korzyści Ameryce, dając przewagę intelektualną w biznesie, nauce i kulturze. To jakby Stany Zjednoczone miały do dyspozycji komputery o parę generacji nowsze od konkurencji. Te komputery to „żydowskie łby".

Polonia w Ameryce jest dwa razy liczniejsza od Żydów. Jeśli nie jesteśmy gorsi, to trzeba te wskaźniki pomnożyć przez dwa. Czterdzieści procent profesorów Harvardu polskiego pochodzenia? Dwudziestu senatorów? Wystarczy to powiedzieć, by się roześmiać. W Harvardzie jest dwóch Polaków i nie wiem, nie chcę sprawdzać, czy aby na pewno pochodzenia słowiańskiego, zresztą wykształconych w Polsce, nie należą więc z polonijnej masy.

Różnice między nami widać nawet w tak zwykłej rzeczy, jak inwestowanie pieniędzy. Polacy kupują raczej domy, bo to najprostsza lokata kapitału, jak w dojną krowę. Bierze się czynsz od lokatorów, płaci podatki, a reszta zostaje w kieszeni. Żydzi, nie stroniąc w żadnym razie od nieruchomości, grają także na giełdzie. Na trzech giełdach w Nowym Jorku notuje się akcje kilkunastu tysięcy spółek. Nawet jeśli ktoś lokuje pieniądze nie wprost w akcjach, ale w funduszu powierniczym, musi wybrać spośród kilku tysięcy funduszy, według potrzeb, które musi wyraźnie określić. Wymaga to nieustannego myślenia: śledzenia kursów, rynku, raportów korporacji i decyzji rządowych. Wymaga znajomości świata. Wymaga po prostu ruchliwego umysłu.

Najlepiej pierwszy milion zarobić będąc małolatem. Sam (Samuel) Roberts, lat 12, złożył pierwszemu klientowi ofertę nie do odrzucenia: „Ja ci zaprojektuję stronę WWW, a ty mi za to dasz grę komputerową". Pierwszym klientem był sąsiad i autor popularnych powieści dla nastolatków. Chciał mieć w Internecie stronę dla czytelników w wieku Samuela. Za późniejsze ulepszenia zapłacił mu snikersami, paroma programami i dobrym słowem, polecając znajomym usługi chłopca. Młody przedsiębiorca założył spółkę z kolegą z klasy. Ledwie ustalili ceny, wspólnik założył własną firmę w Internecie. Mały Sam również wszedł więc do sieci z własną firmą.

Albo Jay Lebowitz. Nauczył się języka Visual Basic, gdy miał 12 lat. Opracował programy i umieścił je w Internecie. Kto załadował program do komputera, przesyłał mu czek. W ciągu dwóch lat zarobił pierwsze 30 tysięcy dolarów. Zamiast wydać na wakacje i kosztowne zabawki, ulokował pieniądze na giełdzie. W wieku 17 lat miał portfolio warte 120 tysięcy dolarów. Założył szkółkę giełdową, też w Internecie, dając małolatom porady gry na giełdzie. Ze szkółki miał 1200 dolarów miesięcznie od firm reklamujących się na jego portalu.

A jak się wzbogacił Aaron Leifer? Ten 18-letni milioner zaczął odpowiadać w Internecie na pytania dotyczące programów komputerowych, nie biorąc za to pieniędzy. Najpierw wyrobił sobie reputację, dopiero potem klienci zaczęli mu płacić. Jego kompania Multi Media Audictext zaczęła obsługiwać koncerny Bell Atlantic i Hewlett Packard, projektując oprogramowanie systemów telefonicznych i bazy danych. Chłopiec zaczął kupować nieruchomości w Londynie i akcje w Nowym Jorku, a w końcu sprawił sobie luksusowe Infiniti Q45, płacąc szoferowi 850 dolarów tygodniowo.

Zepsuty bachor? Bynajmniej. Aaron pracuje 14 godzin na dobę, ale codziennie przez dwie godziny studiuje Talmud z wynajętym rabinem. Najbogatszy z tych chłopców jest najbardziej religijny. Pochodzi z rodziny chasydzkich rabinów, którzy mieszkają na nowojorskim Brooklynie.

Po Bożym Narodzeniu

Szkoda, że moje katolickie wychowanie było pobieżne. Dopiero w dojrzałym wieku C.G. Jung otworzył mi cczy na te skarby duszy. Za młodu lekcje w kościele z mało rozgarniętą siostrą zakonną, pierwsza i ostatnia spowiedź, potem pierwsza komunia i koniec. Rodzice byli niechętni religii, a nauki babcine na poziomie ludowym. Następny raz po pierwszej komunii byłem z powodów religijnych w kościele ćwierć wieku później po stanie wojennym, ale nie przyjmowałem sakramentów. Na pielgrzymce na Jasną Górę po dziesięciu dniach marszu nie poszedłem do obrazu Matki Boskiej. Nie miałem jej nic do powiedzenia.

Minęły lata.

Na ostatnie święta Bożego Narodzenia byłem u przyjaciół. Gospodarz, natchniony katolik, wnuk babki, która dobrowolnie przyjęła chrzest, do Wigilii zamierzał zasiąść w tałesie. Wolał jednak nie prowokować polsko-katolickiej rodziny żony. Biały żydowski szal modlitewny nosił więc w kieszeni czarnej marynarki tak, że był ledwie widoczny. Dopiero w pierwszy dzień świąt założył go na wyjście do kościoła, a potem przyjmował w nim gości w domu. Mnie ten ekumenizm M. nie szokuje, widzę ciekawą próbę syntezy, ale pytam, jak reaguje na to otoczenie? Niektórzy się gorszą i dziwią: co ma chrześcijaństwo wspólnego z judaizmem? Akurat tego dnia Polacy-katolicy mogliby pamiętać, że mają wspólnie z Żydami co najmniej jedno dziecko, którego narodziny tak hucznie obchodzą.

Mnie też fascynuje judaizm. Jest mi obcy uczuciowo i obyczajowo, więc nie grozi podporządkowaniem. O żadnej konwersji nie ma mowy. A przecież jakoś mi pasuje. Niedogmatyczny, bez pośredników między człowiekiem i Bogiem, racjonalny w poszukiwaniu lepszego zbliżenia do prawdy i bardzo praktyczny.

Z gospodarzem posprzeczałem się o Kazanie na Górze (Mat 5, 1). Mówię, że to program Jezusa likwidacji gospodarki, a w konsekwencji rodzaju ludzkiego. On zaprzecza, bo co ma robić. Żydzi nie mają problemu, jak złamać boskie przykazania, by w ogóle przeżyć. Jahwe im powiedział – czyńcie sobie ziemię poddaną. A Jezus mówi do nas: „Przypatrzcie się ptakom podniebnym: nie sieją ani nie żną i nie zbierają do spichlerzy,

a Ojciec wasz niebieski je żywi. Czyż wy nie jesteście
ważniejsi niż one?". Kazanie na Górze było dla mnie ro-
jeniami szaleńca, póki nie poznałem buddyzmu. Wtedy
stało się jasne, że jest to pośrednio wzięty być może od
Buddy ideał życia monastycznego dla wyznawców gotowych wygaszać swe życie w medytacji. Mnich buddyjski
jak ptak niebieski żywi się tym, co uzbiera u ludzi pracy
rąk. Idea dotarła na Bliski Wschód przez 256 mnichów.
Wysłał ich z Indii król Asioka trzysta lat przed Jezusem
z Nazaretu. Czy jest duchowym synem Jahwe i Buddy?
Więcej o tym w książce „Pra-Jezus" Elmara Grubera
i Holgera Kerstena.

Nie potrafię ocenić warsztatu naukowego autorów.
Ich porównanie nauczania Jezusa i legend o nim oraz
wcześniejszego o pięćset lat Buddy prowadzi do konklu-
zji: wczesne chrześcijaństwo to buddyzm po żydowsku.
Dlatego Kościół tak męczy się z wypaczaniem nauczania
Jezusa. Oba główne źródła wiary nie pasują do siebie.
Judaizm uczy dobrego życia, buddyzm dobrej śmierci.
Między tymi biegunami znajduje się chrześcijaństwo. Te-
mat na wielką debatę religijną.

Debatę o skutkach wiary chrześcijańskiej chciałem wywołać z okazji „Pasji" Mela Gibsona, filmu ponoć antysemickiego. Redakcja szacownego dziennika
zamówiła u mnie recenzję. Oczekiwała obrony katolickiego fundamentalizmu reżysera. Kto chce się dopatrzyć u niego antysemityzmu, ten się dopatrzy, zresztą
zgodnie z Ewangelią. Zainteresowało mnie co innego:
jakie skutki psychologiczne dla wyznawców ma fakt, że
w centrum kultu umieszcza się mękę Boga-Zbawiciela?
Czy chęć odwetu całkowicie się sublimuje w przebaczenie oprawcom, czy może raczej jakaś część złej energii
zemsty przenika do kultury? Moim zdaniem – przenika.

Chrześcijanie mają poczucie winy, że nie dorastają do nauk swojego Boga. Tę winę rzutują na innych i w innych własną winę zwalczają – w Żydach, heretykach, ateistach; lista wrogów jest długa.

Wnioski z analizy „Pasji" wyszły mi krytyczne wobec chrześcijaństwa. Powiedz, jaka jest twarz twego Zbawiciela – pisałem – a powiem ci, kim jesteś. Jeśli wykrzywia ją cierpienie, to będziesz skłonny do wielkich poświęceń, ale również do egzaltacji, poczucia winy, miotania oskarżeń. Jeśli jednak poniżej przymkniętych powiek jawi mu się na twarzy półuśmiech medytacji, będziesz miał łagodny dystans do siebie i świata, ale też będziesz mógł łatwo – może za łatwo – sobie pobłażać.

Buddyzm odrzuca przemoc, inaczej niż chrześcijaństwo założone na krwi Chrystusa, męczenników, pogan, innowierców. Buddyzm się nie narzuca. Rosnącą popularność na Zachodzie zawdzięcza temu, że jest zgodny z krytycznym duchem czasu. Nie wierzy w stworzyciela świata ani w duszę osobową. Nie ma dogmatów krępujących myślenie. Dalaj Lama zaleca odrzucić nauki samego Buddy, jeśli nie potwierdza ich doświadczenie ucznia. Nie dręczy człowieka pojęciem grzechu pierworodnego, ale mówi o błędach popełnionych z niewiedzy. Nie uprawia kultu bóstwa w celu wybłagania dobrych dla nas rzeczy. Za to zachęca, żeby człowiek osiągnął stan boski, wyzwalając się ze złudzeń, gniewu i pożądań. Podaje sposoby zdobywania wolności przez stopniowe i cierpliwe samodoskonalenie pod nadzorem mistrza.

Redakcja szacownego dziennika nie chciała debaty religijnej o głębokich źródłach wiary katolickiego narodu. Odrzuciła artykuł ze strachu przed Kościołem, jak myślę. KosmoPolak słabo pasuje do Rzeczpospolitej.

nazajutrz

Gazety piszą, że Opus Dei szkoli w Polsce wyższą kadrę menedżerską na zajęciach „holistycznych", łącząc różne dziedziny biznesu, na przykład marketing i finanse. Koszt kursu 16 tysięcy euro. A mnie dźwięczy w głowie ostrzeżenie Jezusa, że prędzej wielbłąd przeciśnie się przez ucho igielne, niż bogacz wejdzie do królestwa niebieskiego.

Miałem wykład na zaproszenie biznesmenów o wartościach, jakimi powinien kierować się człowiek współczesny. Raz na rok spotykają się na kilka dni w pięknym miejscu świata, by porozmawiać poważnie. Mówią, że w Polsce nie mogą swobodnie myśleć i boją się mówić. Tym razem wybrali Florencję, renesansową kolebkę buntu przeciwko ideałom Kazania na Górze. Tyle piękna, pychy i bogactwa można nagromadzić tylko wbrew nauczaniu Chrystusa. Spotkaliśmy się w refektarzu klasztoru przerobionego na luksusowy hotel. Stanąłem naprzeciwko trzydziestu kilku osób, a tu – nad ich głowami – co widzę? Ni mniej, ni więcej tylko „Ostatnią wieczerzę", kopię fresku Leonarda da Vinci. Poprosiłem, żebyśmy zrobili coś, czego w Polsce się nie robi, żebyśmy usiedli z Jezusem do stołu i posłuchali bardzo uważnie, co ma nam do powiedzenia. Żebyśmy się zastanowili, jak wyglądałby świat, gdyby ludzie podający się za Jego uczniów wykonywali Jego zalecenia. Trzeba je wziąć w języku potocznym, bez bariery rytualnej, jaką tworzy odczytywanie Ewangelii w kościele. To jest intymna lektura dla biznesmenów spragnionych odniesienia tych słów do ich pracy.

Oto te nakazy i ich praktyczne skutki: nie martwcie się o to, czy macie co jeść i pić – koniec przemysłu spożywczego. Ciało znaczy więcej niż ubranie – koniec przemysłu odzieżowego, na pewno mody. Bierzcie przykład z lilii polnych, nie pracują, nie orzą, a rosną – koniec pracy produkcyjnej. Nie martwcie się o jutro, dzień jutrzejszy sam o siebie martwić się będzie – koniec planowania. Nie gromadźcie skarbów na ziemi, ale skarby w niebie, bo gdzie twój skarb, tam serce twoje – koniec bogacenia się. Nie można służyć Bogu i Mamonie – koniec racjonalizmu finansowego. Jezus żąda, byśmy weszli w inny wymiar; obnaża los człowieka jako przejściowego bytu na Ziemi.

Jest to wyrok śmierci na gospodarkę, chyba że cofniemy się do epoki zbieractwa. Żyjemy dlatego, że ten wyrok śmierci odrzuciliśmy. Teologowie wykonali kolosalną pracę, żeby unieważnić praktyczny sens Kazania na Górze. Kościół zgromadził największy na Ziemi holding nieruchomości, głosząc, żeby nie gromadzić skarbów na Ziemi, ale w niebie. Nauczanie Kościoła wypaczają potężne interesy materialne, dlatego jest ono mało wiarygodne, chociaż przechowało te słowa przez wieki. Więcej mam zaufania do radzieckiego reżysera filmowego Andrieja Tarkowskiego. Był twórcą głęboko religijnym. Swą postawę podsumował w ostatnim filmie „Ofiarowanie". Treść w kilku zdaniach: Do domu za miastem zjeżdża się rodzina. Wieczorem w telewizji premier ogłasza, że rozpoczęła się wojna nuklearna i zniszczy Europę. Przerażony gospodarz zawiera umowę z Bogiem: jeśli zatrzymasz rakiety, to spalę swój dom w ofierze i do nikogo nigdy nie odezwę się słowem, co wyklucza wszelkie wyjaśnienia czynu. Czy był to tylko sen? Rankiem okazuje się, że wojny nie ma. Ale gospodarz podpala swój dom i daje się zamknąć w domu dla obłąkanych. Oto prawdziwe myślenie religijne. Dotrzymał słowa, ponieważ wierzy, że Bóg ocalił świat.

Tarkowski pyta: Czy jesteś gotów spalić swój dom w ofierze, aby ocalić świat, nie żądając za to uznania ni zapłaty? Jeśli tak, to znaczy, że naprawdę wierzysz w Boga. Religia jest sprawą śmiertelnie poważną. Można to samo ująć w łagodniejszy sposób: postępuj po cichu tak, jakby od ciebie zależało zbawienie ludzkości, i nie oczekuj nagrody. Myślę, że jest to wersja łatwiejsza do przyjęcia w kręgach biznesowych, jak też kościelnych. Nie każe palić majątku.

Tarkowski był myślicielem religijnym. W swoich „Dziennikach" napisał: „Jezus był przeciwny historii, przeciwny przyszłości dla człowieka. To On był ideałem, który człowiek starał się osiągnąć, z wysiłkiem zdobywając się na doskonałość, co jest zarazem szczytem możliwości i końcem człowieka i człowieczeństwa, które nie będzie wówczas potrzebne".

W takim razie u źródeł chrześcijaństwa znajduje się program likwidacji człowieka i człowieczeństwa jako bytów przejściowych. Taka interpretacja nauczania Jezusa jest szokująca dlatego, że nie czytamy samodzielnie Nowego Testamentu. W Polsce nie czyta się poważnie Biblii, choć leży u podstaw kultury, bo w ogóle mało się czyta. Jest to skutek zakazu samodzielnej lektury Pisma Świętego przez wiernych, wydanego przez Kościół katolicki.

Zakaz samodzielnej lektury Tory byłby horrorem dla każdego Żyda, który właśnie w ciągłej debacie pogłębia swą wiarę. Dopiero niedawno zakaz katolicki został zniesiony. Polska nie zdobyła się na swoją herezję, czyli samodzielność duchową. Zakaz wolnego myślenia religijnego podciął kulturę umysłową w Polsce, również świecką, niszcząc wolną dyskusję intelektualną. Reszty dopełniła kontrreformacja, bo wytępiła wyznania protestanckie. Spowodowało to zanik sporów religijnych. Mało kto pamięta, że ojciec poezji polskiej i autor powiedzenia „Polacy nie gęsi i swój język mają", Mikołaj Rej, był kalwinem.

Skoro nie mamy własnych heretyków, tym bardziej potrzebujemy Żydów, jak drożdży dla umysłu.

Odczytane dosłownie Kazanie na Górze to skrajny program odrzucenia postępu materialnego. Został on unieważniony, jako szkodliwa utopia, przez ludzi mających się za chrześcijan. Społeczne nauczanie Kościoła w dziedzinie gospodarczej nie ma boskiej sankcji. Jest wynikiem gry interesów pomiędzy misją a mamoną.

Myśliciele katoliccy używają czasem pojęcia „słusznej zapłaty" pracownikowi. Tymczasem słuszną zapłatę ustala się na rynku. Jest to taka zapłata, za jaką pracownik godzi się sprzedać pracę. Natomiast zapłata niesłuszna jest narzucona siłą pracownikowi albo pracodawcy. Jest niesłuszna, kiedy zakłóca racjonalne rozmieszczenie zasobów ludzkich i materialnych, czyli wydajność całej gospodarki.

Spójrzmy chłodnym okiem na pracę dzieci, krwawiącą ranę w sercu humanitarystów. Dzieciom płaci się mało, bo ich kwalifikacje są niskie, a konkurencja duża. Jaki jest skutek tego, że dzieci ciężko pracują za grosze w krajach Trzeciego Świata, jak sto lat temu pracowały w Polsce? Dzięki pracy nie umierają z głodu, bo mają za co kupić żywność. Gdyby wprowadzono nakaz „słusznej zapłaty", to pracodawcom przestałoby się opłacać zatrudnianie dzieci i umarłyby z głodu. Chyba że państwo narzuci branie do pracy dzieci za „słuszną zapłatę". Byłoby to ograniczeniem wolności gospodarczej. Prowadziłoby do usankcjonowanej stagnacji, biedy i przegrania konkurencji na rynkach światowych.

Trzeba troszczyć się o biedaków. Trzeba im pomagać między innymi dla spokoju społecznego. Praca i mnożenie kapitału potrzebują spokoju. Jednak pomoc nie powinna polegać na wtrącaniu się państwa w stosunki gospodarcze na poziomie pracy. Biedakom warto pomagać przez rozwój gospodarczy i zasiłki dla nieporadnych. Ale wara państwu od pracy! Człowiek rozpoznaje swój potencjał w pracy i w pracy się stwarza. Nie wolno zakłócać związku między wysiłkiem i nagrodą.

nazajutrz

Po takim wstępie pod „Ostatnią wieczerzą" biznesmeni chłonęli w pięknym mieście włoskim moją opowieść o żydowskiej prorokini egoizmu, jak ubodzy rybacy najlepszą nowinę. Alissa Rosenbaum przybyła z sowieckiej Rosji do Nowego Jorku, mając 50 dolarów w torebce. Był rok 1926. Po latach stała się wpływową myślicielką. W Ameryce zmieniła nazwisko na Ayn Rand. Jej książki, napisane lat temu kilkadziesiąt, rozchodzą się w nakładzie setek tysięcy egzemplarzy rocznie. Pod względem wpływu na ludzkie życie jej powieści zajmują w Ameryce ponoć drugie miejsce za Biblią, choć jest to dalekie drugie miejsce. „Atlas zbuntowany" i „Źródło" głoszą chwałę czterech bohaterów ludzkości: przedsiębiorcy, wynalazcy, artysty i inwestora; to filary cywilizacji. W Polsce jest niemal nieznana. Obie powieści zostały przetłumaczone, lecz nie wywołały oddźwięku. „Bo my, Słowianie, lubim sielanki".

Ayn Rand głosi, że egoizm jest cnotą. Człowiek ma polegać na własnych siłach i cenić tylko wytwórcę użytecznych towarów, kapitału, wynalazków i dzieł sztuki. Napisała: „Moja filozofia to w zasadzie idea człowieka jako istoty heroicznej, której moralnym celem życia jest jej własne szczęście, najszlachetniejszą działalnością jest produktywne osiągnięcie, a jedynym absolutem jest rozum". Przedstawiła ideał w obu powieściach i w esejach pt. „Cnota egoizmu", „Kapitalizm, nieznany ideał". Stawia za wzór człowieka wytwórcę. Za darmo nic nie daje i nie przyjmuje rzeczy niezasłużonych. Szanuje cudze osiągnięcia i odrzuca zazdrość. Rand uważa, że nie ma wyższego celu moralnego niż szczęście. Własne szczęście.

Jej ideałem ustrojowym jest wolny kapitalizm. Władza rządu ma dotyczyć tylko ochrony praw każdej osoby. Są to trzy prawa: do życia, wolności i własności. Obowiązuje zakaz inicjowania przemocy wobec kogokolwiek. Jej przykazanie brzmi „Nie zaczynaj!". Przemoc dopuszcza tylko w odpowiedzi na przemoc. Związki między ludźmi mają polegać na swobodnej wymianie wartości. Ta ideologia jest optymistyczna. Świat jest otwarty dla osiągnięć. W zasięgu każdego człowieka leży bogate, twórcze, samodzielne życie.

Ludzkim życiem mają rządzić trzy zasady: Rozum, Cel i Szacunek dla siebie. Rozum to jedyne narzędzie poznania. Celem jest własne szczęście. Szacunek dla siebie to niewzruszona pewność, że człowiek potrafi samodzielnie myśleć i zasługuje na szczęście. Przez tysiące lat uczono ludzi, że dobro polega na służeniu innym, ubolewa Ayn Rand. „Kochaj bliźniego jak siebie samego", każe judeochrześcijaństwo. Albo „Od każdego według zdolności, każdemu według potrzeb", jak głosi ideał marksistowski. Lecz te postulaty są sprzeczne z naturą ludzką. Gwałt na ludzkiej naturze odciska się gwałtem. Aby wymusić poświęcanie się dla innych, były potrzebne krwawe rewolucje.

Moralność chrześcijańska zakłada, że życie społeczne jest wojną wszystkich ze wszystkimi. Należy więc człowieka powściągać, wpajając mu ideały poświęcenia i wyrzeczeń dla innych. Te ideały pasowały do świata chłopów i rycerzy. Świat był wtedy grą o sumie zerowej. Ilość dóbr do podziału mała. Ktoś musiał stracić, żeby zyskał ktoś. Ideologia Ayn Rand została natomiast stworzona dla ery kapitalizmu przemysłowego. A lepiej dla kapitalizmu postprzemysłowego. Gdy czegoś zaczyna brakować w kapitalizmie przemysłowym, to się to wytwarza. W kapitalizmie postprzemysłowym zaś głównym towarem staje się informacja i symbole. Wytwarzanie takich dóbr zużywa coraz mniej materii. W epoce postprzemysłowej gospodarka przenosi się w sferę symboliczną.

Nie jesteśmy jak psy walczące o kość. Jesteśmy wytwórcami. Tworzymy dobra w pracy produktywnej. Dobrobyt jest dostępny dla każdego. Nikt nie musi bogacić się kosztem biedy innych. Dowodem fakt, że najbogatsi w Ameryce są ci przedsiębiorcy, którzy stworzyli produkty, jakich używają miliony ludzi.

Kodeks etyczny Ayn Rand ceni osiągnięcia. Szanuje zdolności twórcze nie tylko artystów i uczonych, ale też producentów towarów, bo na ich barkach spoczywa cywilizacja. To przemysłowcy, inżynierowie, wynalazcy, inwestorzy. Każda praca ma wartość duchową, kiedy jest wykonana w sposób przemyślany i wykonana jest dobrze, niezależnie od miejsca pracownika w hierarchii społecznej – czy to robotnika przy taśmie, czy szefa korporacji. Jej etyka to racjonalność na przekór mistycyzmowi i kaprysowi. Dobra wola i sprawiedliwość dla ludzi racjonalnych i produktywnych. Spójność zasad i działań. Uczciwość polegająca na ukochaniu prawdy. Poleganie na własnym zdaniu i na własnym wysiłku. Produktywność. I wreszcie duma z własnych zasług w ulepszaniu przyszłości.

Najlepszym modelem więzi jest wymiana. Ludzie wolni są „traderami"; dają jakąś wartość za wartość otrzymaną od innych. Nie pasożytują na przyjaciołach i krewnych ani nie grabią obcych ludzi. Na tym polega nawet przyjaźń i stowarzyszenia. W takie więzi inwestujemy czas, pieniądze, energię. W zamian oczekujemy zadowolenia z życia albo poparcia wspólnej sprawy.

Poglądy Rand na rząd i demokrację są równie mocne. Rząd powinien wyłącznie chronić prawa obywateli, a nie zajmować się rozdawnictwem pieniędzy zagrabionych wytwórcom jako podatki. Każdy człowiek ma prawo do wolności od fizycznego przymusu.

Ayn Rand sądzi, że człowiek może być istotą całkowicie racjonalną i moralną, która bierze ze świata nie więcej, niż daje. A to fałszywe założenie. Żaden kraj nie przestrzega jej praw egoizmu. Takie państwo nie miałoby systemu opieki społecznej, przymusowych składek emerytalnych i agend rządowych o mglistych kompetencjach. Nie byłoby praw przeciw monopolom, przepisów budowlanych ani zakazu narkotyków. Społeczeństwo wolnych obywateli nie miałoby państwowych ubezpieczeń od bezrobocia i państwowych emerytur. Ludzie przewidujący potrzebę opieki tworzyliby organizacje albo zawierali umowy. Każdy ma sam wybierać sobie sposób życia, ale też ponosić tego wszelkie konsekwencje. Nawet najcięższe po złym wyborze postępowania.

Ideologia Ayn Rand fascynuje przy pierwszym spotkaniu. To terapia szokowa, jednak po uzdrowieniu pacjenta trzeba szukać innych recept. Ayn Rand myli się, że człowiek może być całkiem racjonalny. Bywa czysto logiczny, lecz również pozwala się całkiem owładnąć uczuciom. Jej okrutna ideologia sprawdza się tylko w pewnych sytuacjach i w pewnych okresach życia. Egoizm pasuje ludziom młodym, którzy muszą dla siebie zdobywać świat i chcą sprawdzić swe siły. Młode wilki mogą być rozrzutne w wysiłkach, mając mnóstwo energii i wielki głód osiągnięć. Ale z wiekiem sycimy się światem i słabniemy. Zaczynamy doceniać opiekuńczość, bo sami na nią liczymy, od państwa albo od najbliższych.

Chrześcijaństwo i skrajny egoizm materialistyczny – dwa bieguny umysłowości jednego narodu.

popojutrze

Nieograniczony rozwój ma skutki religijne: tworzy technologię nieśmiertelności. Wybitny informatyk amerykański, także jak Ayn Rand żydowskiego pochodzenia, Ray Kurzweil wydał w 1999 roku książkę „The Age of Spiritual Machines" (Wiek maszyn duchowych). Wkrótce potem prezydent Clinton wręczył mu medal dla najlepszego technologa Ameryki. Dziesięć lat wcześniej wydał „Wiek maszyn inteligentnych". Prognozy z tamtej książki już się sprawdziły. Czy sprawdzą się te z „Wieku maszyn duchowych"? Twierdzi on, że postęp techniki, w tym przetwarzania informacji, jest zgodny z krzywą wykładniczą. To wiadomo od dawna. Ale wykazał ponadto, że „kolanko" krzywej, dramatyczne zakrzywienie w górę, wypada w naszych czasach. Tempo zmian stało się tak szybkie, że nie można dłużej stosować naszych wyobrażeń o rytmie przemian z przeszłości. Sto lat temu był rok 1915. Świat mniej różnił się wtedy od stanu w roku 1815 niż w roku 2015. W ostatnim stuleciu nastąpił większy postęp technologii niż w latach 1815–1915. Do czego więc dojdziemy w następnym stuleciu? Aby ogarnąć umysłem nadchodzące zmiany, potrzeba wyobraźni na granicy szaleństwa.

Oto, co nas czeka.

Rok 2019 – Komputer za 1000 dolarów (o wartości z 1999 roku) zbliża się do możliwości obliczeń jak ludzkiego umysłu. Komputery są wszędzie: w ścianach, meblach, ubraniach, biżuterii, w ludzkich ciałach. Komunikujemy się między sobą, z komputerami i Internetem przez okulary i szkła kontaktowe, które dają trójwymiarowy obraz rzeczywistości wirtualnej. Ten wirtual łącznie z wrażeniem dotyku daje kontakt z dowolnymi osobami, niezależnie od odległości w przestrzeni i czasie. Każdy ma dostęp do obrazu władcy albo celebryty i może nawiązać z nimi kontakt pozornie fizyczny. Załamuje się filar hierarchii. Większość transakcji dokonujemy przez osoby symulowane. Ludzie wchodzą w związki z postaciami wirtualnymi, używają ich jako nauczycieli, przyjaciół oraz partnerów seksualnych. W produkcji przemysłowej pojawia się nanotechnologia, tu mechanizmy mają wielkości atomów. Z czasem wszystko można będzie wytwarzać ze wszystkiego. Otwiera to kolejny świat rzeczywistości niby wirtualnej – lecz jakże realnej.

Rok 2029 – Komputer za 1000 dolarów ma zdolność obliczeniową 1000 ludzkich mózgów. Do łączności ze światową siecią komputerów używamy implantów podobnych do soczewek kontaktowych. Implanty nerwowe wzmacniają słuch i wzrok, ale również pamięć i rozumowanie. Bezpośrednie łącza nerwowe ze światową siecią komputerów pogrążą nas w rzeczywistości wirtualnej. Maszyny zaczną tworzyć wiedzę bez ludzkiej pomocy. Ludzie prawie wcale nie pracują w produkcji przemysłowej, rolnictwie i transporcie. Ogromna większość rodzaju ludzkiego zaspokaja swe podstawowe potrzeby. Komputery rutynowo zdają test Turinga na inteligencję. Test bada, czy wypowiedź pochodzi od istoty inteligentnej czy od maszyny. Jeśli nie można rozróżnić odpowiedzi, to pochodzi od istoty inteligentnej. Dlatego komputery twierdzą, że mają świadomość. Dyskusja o „prawach komputerów" otwiera drogę dla emancypacji maszyn.

Rok 2049 – Powszechnie używa się nanotechnologii w wytwarzaniu żywności. Ma składniki odżywcze, smak i konsystencję żywności naturalnej. Wyżywienie już nie zależy od zasobów biologicznych i klimatu. W rzeczywistości materialnej roje nanobotów tworzą z siebie projekcje ludzi i rzeczy. Roje te składają się z maszyn o wielkościach atomów, które same grupują się w zespoły. To nie jest rzeczywistość wirtualna, ale fizyczna.

Rok 2099 – Jest silna tendencja łączenia ludzkiego myślenia ze światem maszyn inteligentnych. Zanika wyraźny podział na ludzi i komputery. Większość istot świadomych nie ma trwałej formy fizycznej. Jest to tak zdumiewające stwierdzenie, że trzeba je powtórzyć: większość istot świadomych nie ma trwałej formy fizycznej. Inaczej mówiąc, istoty świadome będą się przenosiły z nośnika na nośnik. Liczba istot ludzkich opartych na programie komputerowym znacznie przekracza liczbę ludzi stosujących wrodzony system obliczeniowy oparty na komórkach nerwowych. Ale nawet ci ostatni używają implantów nerwowych dla wzmocnienia zdolności umysłowych. Ludzie bez implantów nie rozumieją dialogu tych z implantami.

W odniesieniu do istot inteligentnych przestaje mieć znaczenie termin „spodziewana długość życia". Za sto lat będziemy praktycznie nieśmiertelni. Skutek odrzucenia przez zachodnią cywilizację sensu Kazania na Górze.

„Wiek maszyn duchowych" poruszył amerykańskich technologów. Bill Joy, wtedy główny technolog korporacji Sun Microsystems, odpowiedział esejem „Czemu przyszłość nas nie potrzebuje". Skarcił autora scenariusza postępu aż do nieśmiertelności za przesadną wiarę w dobro technologii. Ale scenariusz jest prawdopodobny. W grudniu 2012 roku Kurzweil zaczął pracę w Google, gdzie może wcielać swe idee. Google wydaje 10 miliardów dolarów rocznie na badania rozwojowe.

Ecce homo! Samodzielny umysł nie skrępowany dogmatami religii ani nauki, czy nawet humanizmu, twórca swego przeznaczenia. Ray Kurzweil z Queensu, NY, Ayn Rand z Petersburga, Jezus z Nazaretu...

Naszych biznesmenów zachęcałem w refektarzu pod „Ostatnią Wieczerzą", aby stworzyli nową klasę panów polskich. Jesteście solą ziemi – mówiłem im słodko. Musicie wytworzyć elitę, żeby nadać krajowi kierunek rozwoju w warunkach wolności. Warstwa społeczna, która teraz pełni rolę elity, jest poczwarką ledwie wydobywającą się z niewoli. Powinna z niej powstać klasa obywateli wolnych i odpowiedzialnych. Marzy mi się, aby nowa klasa przedsiębiorców nawiązała do tradycji „polskich panów", magnaterii epoki Jagiellonów. To była nasza najlepsza elita władzy, panowie mądrzy, bardzo bogaci i pewni siebie. Znali drugorzędne miejsce kraju wobec Europy Zachodniej, ale nie mieli z tego powodu kompleksu niższości. Poczucie wartości czerpali nie tylko z pozycji politycznej. Byli także dumni z pracy dla dobra wspólnego. Stworzyli demokrację szlachecką. Sprowadzili do Polski odrodzenie umysłowe włoskiego Renesansu i odrodzenie duchowe niemieckiej Reformacji. To oni stworzyli pojęcie polskiej wolności, które dopiero potem zwyrodniało na skutek słabości państwa.

Polski pan to dzisiaj KosmoPolak. Oto zadanie i rola dla was. Polak, który swobodnie porusza się po globie, ma wiedzę, pieniądze i nienasycony umysł. Jak to mamy osiągnąć? Uczmy się od Żydów.

Wtorek, 15 sierpnia

Moment paniki. Dzwonię do żony w Nowym Jorku. Nie! Nie! Nie! Nie dam do druku tej książki, dopóki nie przejdę na emeryturę. Zwrócę zaliczkę, będę dłubał w tekście pomału z dnia na dzień, precyzował racje, a tu wszystko bolesne, rany niezabliźnione u polskich i żydowskich aktorów dramatu. Przychodzą mi do głowy myśli skandaliczne, niebezpiecznie śmiałe. Wyjdę na forum publiczne, to mnie zakrzyczą, zadziobią, nie będą chcieli słuchać argumentów, nie zwrócą uwagi na wyważanie racji ani na dobrą wolę, przyprawią gębę antysemity, chociaż cała ta książka przeczy takiemu zarzutowi. No tak, boję się!

Spokojnie.

Rocznica „cudu nad Wisłą". Stanisław Michałkiewicz przypomina na swej stronie internetowej, zasypane piachem, wdeptane sowieckimi buciorami w ziemię słowa piosenki polskich żołnierzy z 1920 roku:

„Hej tam na Litwie z naszych kościołów porobili Żydzi stajnie dla wołów. Pójdziem wygnać te bydlęta, bo tam nasza wiara święta. Bagnet na broń! Bolszewika goń! Marsz, marsz, marsz!" – taką piosenkę śpiewali polscy żołnierze podczas wojny polsko-bolszewickiej w 1920 roku. Dzisiaj zostałaby zakazana przez Radę Etyki Mediów, a gdyby jakiś żołnierzyk zaśpiewał ją 15 sierpnia, to nie ulega wątpliwości, że z miejsca dostałby co najmniej 10 dni koszarniaka, a właściwie – koszerniaka, zaś jego dowódca zostałby natychmiast zdegradowany, a może nawet wyrzucony z wojska". Tyle Michałkiewicz.

Szanuję wiedzę pana Stanisława i częstą przenikliwość, ale nie lubię tonu jego publicystyki. Podsuwa mimochodem, że Żydzi nie mają godności. Wątpliwość rozstrzygam na korzyść podsądnych. Mają, choć niektórzy są godni inaczej, co piszę bez ironii. Nie posiadają tradycji rycerskiej, więc dlatego inaczej od nas rozumieją honor, mianowicie jako wiedzę lub jako bogactwo. Nie jest dla nich godny biedak, co się puszy, ale człowiek, który poznał świat i potrafi to wykorzystać. Tego powinniśmy od nich się nauczyć.

Jednak warto przypomnieć słowa raniące uszy: „Hej tam na Litwie z naszych kościołów porobili Żydzi stajnie dla wołów". Potwierdza je lektura „The Jewish Century". Yuri Slezkine, profesor historii z Berkeley University, ukazuje niesamowity obraz Rosji przed i po rewolucji bolszewickiej. Autor bierze pod lupę syndrom „żydokomuny" i podając liczbowy udział w ruchu komunistycznym, obiera go do gołej kości.

Żydzi byli mózgiem i kręgosłupem władzy bolszewickiej. W najokrutniejszym czasie rewolucji i wojny domowej byli bardziej lojalni wobec komunistycznej władzy niż sami Rosjanie. Włodzimierz Iljicz Lenin napisał: „Fakt, że tyle jest żydowskiej inteligencji w miastach rosyjskich, miał wielkie znaczenie dla rewolucji. Skończyła ona z ogólnym sabotażem, który napotkaliśmy po Rewolucji Październikowej (...) żydowskie elementy zostały zmobilizowane (...) i w ten sposób ocaliły rewolucję w trudnym czasie. Tylko dzięki temu zasobowi racjonalnej i wykształconej siły roboczej udało nam się przejąć aparat państwowy". Najważniejszy świadek epoki mówi, że bolszewizm opanował Rosję dzięki Żydom. Gdyby to powiedział Hitler, byłaby to zapowiedź Holocaustu. Slezkine sugeruje, że Żydzi sprowadzili na siebie nazistowską Zagładę przez masowe, ideowe, chętne uczestnictwo ich części w zbrodni bolszewizmu przeciwko ludzkości.

Holocaust pochłonął sowieckich aparatczyków na okupowanych terenach ZSRR, ale również Żydów bez udziału w sowieckim ludobójstwie. Ich zabicie to zbrodnia. Brak przekleństw dla oprawców. Ale reszta? Jako komuniści wymordowali miliony ludzi, bo nie pasowali do utopii. Entuzjastycznie oczyszczali świat z „wrogów klasowych". Tworzyli nową Ziemię Obiecaną, ponoć sprawiedliwą dla wszystkich, gdzie nikt nie będzie im wypominał pochodzenia. Jeszcze tylko milion ludzi do gułagu, pod lufy, do piachu. I następny milion. I jeszcze, i jeszcze... Jednak krew woła o krew, zagłada niewinnych woła o zagładę niewinnych. Aż karę wymierzył okrutny Jehowa za każde przykazanie łamane przez żydowskich bolszewików, chociaż za Żydów się nie uważali, a reszta rodaków miała ich za wyrzutków. Ale sprowadzili wyrok na nosicieli wspólnego kodu genetycznego i kulturowego. Nie dostrzegamy tego z lęku przed wolnym i logicznym myśleniem. Lub nie umiemy dojrzeć całości obrazu z powodu ignorancji.

Środa

Ludobójstwo nazistowskie przesłoniło ludobójstwo sowieckie, gdyż III Rzesza przegrała wojnę. Historię napisali zwycięzcy, a narzucił ją ich aparat propagandy. Podobnie uważa historyk niemiecki Ernst Nolte.

6 czerwca 1986 roku dziennik „Frankfurter Allgemaine Zeitung" wydrukował artykuł Noltego „Przeszłość, która nie minie". Autor dowodził, że zbrodnie nazistów były reakcją na zbrodnie bolszewickie. Rasowe ludobójstwo narodowego socjalizmu odpowiadało na klasowe ludobójstwo i „azjatyckie barbarzyństwo" sowieckie. Holocaust to zrozumiała, chociaż „przesadna" reakcja na bolszewickie

zagrożenie. Był aktem „azjatyckiego barbarzyństwa" wymuszonym na Niemcach strachem przed tym, co Stalin może im zrobić, mając poparcie Żydów. Jako dowód przytoczył list Chaima Weizmana, który był wtedy prezesem Światowej Organizacji Syjonistycznej (a w dziewięć lat później pierwszym prezydentem Izraela), wysłany 3 września 1939 roku, do brytyjskiego premiera Neville'a Chamberlaina. Weizman obiecuje pełne i bezwarunkowe poparcie dla brytyjskich wysiłków wojennych. Nolte uznał ten list za „żydowskie wypowiedzenie wojny przeciwko Niemcom". Drugi dowód stanowi książka amerykańskiego Żyda Theodore'a N. Kaufmana pod tytułem „Niemcy muszą zginąć". Autor wzywa między innymi do sterylizacji niemieckich mężczyzn. Nolte sądzi, że naziści doszli do wniosku, że wszyscy Żydzi świata wydali wojnę Niemcom.

Nolte wywołał w Republice Federalnej największą po wojnie dyskusję historyczną. Dowody autora zostały obalone przez historyków. Hitler nie znał treści listu Weizmana. Prezes Światowej Organizacji Syjonistycznej nie miał posłuchu wśród wszystkich Żydów świata. Nie wyraża stanowiska Żydów jedna książka amerykańskiego autora.

Bolszewicy chcieli opanować Niemcy już w 1920 roku. Hitler miał powody obawiać się ataku Stalina; są doniesienia, że Stalin chciał pierwszy napaść na III Rzeszę. Ludobójstwo sowieckie wyprzedziło o dekadę nazistowskie; dało nazistom przykład rozprawy z milionami ofiar. Bolszewicy żydowskiego pochodzenia mieli ogromny udział w tej zbrodni przeciwko ludzkości.

Ale przecież nie można na tym skończyć wątku „żydowskiej winy". Cofnijmy się o jeden etap historyczny, a ujrzymy, że początek winy ludobójstwa znajduje się

gdzie indziej, w Rosji carskiej. Sytuacja Żydów na ziemiach rosyjskich w XIX wieku była rozpaczliwa. Represje
władz miały wymusić ich emigrację albo przyjęcie chrztu
i rusyfikację. Teodor Herzl w 1903 roku rozmawiał w Petersburgu z carskimi ministrami. Minister finansów hr.
Siergiej Witte powiedział mu: „Trzeba przyznać, że Żydzi
dostarczają dosyć powodów do wrogości. Jest w nich coś
charakterystycznie aroganckiego. Jednak większość Żydów jest biedna, a ponieważ są biedni, to są brudni i robią wstrętne wrażenie. Podejmują też wszelkiego rodzaju
brzydkie zajęcia, jak sutenerstwo i lichwa. Więc rozumie
pan, że przyjaciołom Żydów ciężko przyjść im z pomocą.
Ale jestem przyjacielem Żydów". Dalej Witte powtarza,
co powiedział carowi Aleksandrowi III jako ich przyjaciel:
„Najjaśniejszy Panie, gdyby można było utopić sześć czy
siedem milionów Żydów w Morzu Czarnym, to absolut-
nie byłbym za tym. Ale skoro nie jest to możliwe, trzeba
pozwolić im żyć", jak cytuje Paul Johnson w swej „A History of the Jews".

Idea Ostatecznego Rozwiązania znalazła drogę do
umysłu carskiego ministra, nim urzeczywistnił ją Hitler,
gdy stała się technicznie wykonalna. Witte wcześniej
wpadł na pomysł, może żartobliwie, że ten naród jest
nieludzkim balastem. Żyd był dla ludzi caratu wstrętny
i obcy. Ale dla Żyda świat caratu był słusznie znienawi-
dzony i bardziej obcy, bo niedostępny. Klasa rządząca
Rosją stała się także dla nich nieludzkim balastem, jak
w lustrzanym odbiciu. Poczekali na okazję wyciągnięcia
stąd praktycznych wniosków.

Bolszewicy planowali zniesienie antysemityzmu przez
obalenie kapitalizmu i zniszczenie posiadaczy w masowych mordach przez niewolniczą pracę. Przy budowie
Kanału Białomorskiego im. Stalina w latach 1931–1934

zginęło 100 tysięcy ludzi. Budowę prowadziło OGPU, nowe wcielenie NKWD. Wszystkie najwyższe pozycje kierownicze zajmowali Żydzi: G.G. Jagoda (urodzony jako Enoch Gierszonowicz), z ramienia OGPU odpowiedzialny za budowę; L.I. Kogan, dyrektor budowy; M.D. Berman, szef administracji obozu pracy; S.G. Firin, szef białomorskiego obozu pracy; J.D. Rapport, zastępca szefa budowy i gułagu; N.A. Frenkel, kierownik organizacji pracy kanału. „Nie stracili oni – pisze Slezkine – zasadniczych cech poprzedników z wojny domowej: uświadomienia, niepokoju, okrucieństwa, szybkości, precyzji, niezwykłej przenikliwości i na dodatek żydostwa – potwierdzenia i zapewne wyjaśnienia wszystkich pozostałych cech".

Przymusowa praca przy budowie kanału zniosła znienawidzone przez bolszewików stosunki pieniężne, gdy pracę kupuje się na wolnym rynku. Marks napisał: „Emancypując się od nachalnego handlu i pieniędzy, a więc od realnego i praktycznego judaizmu, nasz wiek wyzwoli siebie". Co napisał młody Marks w roku 1844, to dojrzały Marks rozwinął w teorię zawłaszczonego kapitału oraz komunizmu, który wyzwoli ludzkość od judaizmu, a Żyda rozpuści w bezklasowej utopii ponadnarodowej.

Reżim carski sprowadził na Rosję katastrofę, bo nie chciał otworzyć Żydom dróg awansu społecznego z obawy przed ich przewagą umysłową. Sfrustrowana, a zbyt zdolna młodzież stworzyła ruch rewolucyjny, którym rozsadziła aparat państwowy i opanowała kraj. Utworzyła elitę warstwy rządzącej, wyniszczając starą klasę przywódczą, by zrobić sobie miejsce. Podjęła największy w dziejach eksperyment na żywej tkance społecznej. Gdyby ZSRR przegrał II wojnę światową, to nie doszłoby do procesu w Norymberdze. Byłby za to proces w Petersburgu, tak przemianowanym z powrotem z Leningradu. Na ławie oskarżonych zasiedliby inni ludobójcy. Wśród nich nadzorcy z budowy Kanału Białomorskiego: Enoch Gierszonowicz (Jagoda), L.I. Kogan, M.D. Berman, S.G. Firin, J.D. Rapport, N.A. Frenkel.

Ale na tym także nie można zakończyć wątku „żydowskiej winy". Skąd Żydzi wzięli się w Rosji, skoro ich nie wpuszczano od stuleci? Znaleźli się tam na skutek rozbiorów Polski, gdzie mieszkali ponad pięćset lat. Zagarniając wschodnią część Rzeczpospolitej, caryca Katarzyna II podłożyła pod rosyjskie imperium bombę z opóźnionym zapłonem. Polacy dostali tragiczne zadośćuczynienie dzięki żydowskiej dynamice, która po prostu rozsadziła Rosję.

Niemniej przybysze z polskich Kresów Wschodnich, którzy w Rosji tworzyli komunizm, w Ameryce stali się wzorowymi kapitalistami i przyczynili się do wzrostu potęgi gospodarczej Stanów Zjednoczonych. Gdy jedni niszczyli naukę w ZSRR dogmatami marksizmu, drudzy zapewnili USA największy udział w Nagrodach Nobla. Tworzyli za oceanem ruch praw obywatelskich, lecz w sowieckiej Rosji dokonywali ludobójstwa wrogów politycznych. Tam jedni zabijali więźniów gułagu pracą niewolniczą, a drudzy organizowali w Ameryce ruch wyzwolenia pracy i związki zawodowe. Czy rozsadziliby także Rzeczpospolitą, gdyby nie doszło do rozbiorów, a po wyjściu z getta na początku XIX wieku zaczęliby przetwarzać Polskę według swoich zamiarów? Myślę, że nie, gdyby tylko mogli swobodnie awansować społecznie i przystosować gospodarkę do swej dynamiki.

Ten lud nigdy nie będzie zwyciężony. Daje wzór wytrwałości, mocy i geniuszu. Straszny w strasznych okolicznościach, wielki w wielkich, stopniowo odsłania rodzajowi ludzkiemu nasz potencjał.

Bibliografia wybrana

Abrams N., *The New Jew in Film: Exploring Jewishness and Judaism in Contemporary Cinema*, Rutgerts University Press, 2012.

Brenner F., Shama S., *Jews. America. A Representation*, Harry N. Abrams Inc. Publishers, 1996.

Diamond E., *Behind the Times*, The University of Chicago Press, 1995.

Gilder G., *The Israel Test*, Richard Vigilante Books, 2009.

Hertzberg A., Hirt-Manheimer A., *Jews. The Essence and Character of a People*, Harper San Francisco, 1998.

Hoberman J., Shandler J., *Entertaining America. Jews, Movies, and Broadcasting*, The Jewish Museum New York, Princeton University Press, 2003.

Johnson P., *A History of the Jews*, Harper Perennial, 1987.

Koneczny F., *Cywilizacja żydowska*, Wydawnictwo Antyk, 2001.

Kurzweil R., *The Age of Spiritual Machines*, Vigking, 1999.

Lapin D., *Thou Shall Prosper: Ten Commandments for Making Money*, John Wiley & Sons, 2010.

McGowan W., *Gray Lady Down. What the Decline and Fall of The New York Times Means for America*, Encounter Books, 2010.

Mearsheimer J.J., Walt S.M., *The Israel Lobby and US Foreign Policy*, Penguin Books, 2008.

Miller J.Z., *Capitalism and the Jews*, Princeton Univeristy Press, 2010.

Patai R., *The Jewish Mind*, Wayne State University Press, 1996.

Proctor W., *The Gospel According to The New York Times*, Braddman and Holman Publishers, 2000.

Senor D., Singer D., *Start-Up Nation. The Story of Israel's Economic Miracle*, Twelve, 2011.

Silbiger S., *The Jewish Phenomenon. Seven Keys to the Enduring Wealth of a People*, Longstreet Press, 2000.

Slezkine Y., *The Jewish Century*, Princeton University Press, 2004.

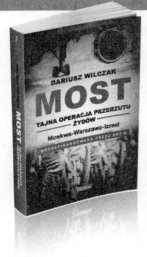

Żydzi i Polacy
1918–1955

Marek Jan Chodakiewicz

Oprawa: miękka
Stron: 732
EAN: 9788362268696
~~Cena detaliczna: 54,00 zł~~
Cena promocyjna: 43,20 zł

W książce profesor Marek Chodakiewicz ukazuje Czytelnikowi relacje żydowsko-polskie na przestrzeni prawie trzydziestu lat. Jest to więc kronika wydarzeń, poddawanych przez Autora naukowej analizie.

Trudno jest odróżnić walki „narodowe" między Żydami a Polakami od toczących się obecnie bojów „sportowych" między kibicami rozmaitych klubów piłkarskich. Wypada wiedzieć, że przed wojną rozróby „sportowe" również mogły mieć podłoże etniczne. W Kaliszu działały dwie drużyny piłki nożnej: polska „Prosna" i żydowska „Makabeusze". Wspomina jeden z żydowskich kibiców:
„Gdy któraś z drużyn z Kalisza grała przeciw zespołowi z innego miasta, kibicowaliśmy kaliszanom, ale kiedy odbywał się mecz między „Prosną" a „Makabeuszami", kibicowaliśmy „Makabeuszom". [...] Gdy, nie daj Boże, Żydzi wygrali, to kończyło się na mordobiciu i – oczywiście – musieliśmy bronić Żydów".